SO-AYQ-284

DESNUDA LA NOCHE

SHERRILYN KENYON

DESNUDA LA NOCHE

Traducción de
**Ana Isabel Domínguez Palomo y
María del Mar Rodríguez Barrena**

PLAZA 🅿️ JANÉS

VOLUSIA COUNTY LIBRARY CENTER
A Branch of Volusia County Public Library
CITY ISLAND
DAYTONA BEACH, FL 32114-4484

Título original: *Unleash the Night*

Primera edición: marzo, 2009

© 2006, Sherrilyn Kenyon
© 2005, Sherrilyn Kenyon, por el glosario
© 2009, Random House Mondadori, S. A.
  Travessera de Gràcia, 47-49. 08021 Barcelona
© 2009, Ana Isabel Domínguez Palomo y María del Mar
  Rodríguez Barrena, por la traducción

Quedan prohibidos, dentro de los límites establecidos en la ley y bajo los apercibimientos legalmente previstos, la reproducción total o parcial de esta obra por cualquier medio o procedimiento, ya sea electrónico o mecánico, el tratamiento informático, el alquiler o cualquier otra forma de cesión de la obra sin la autorización previa y por escrito de los titulares del *copyright*. Diríjase a CEDRO (Centro Español de Derechos Reprográficos, http://www.cedro.org) si necesita fotocopiar o escanear algún fragmento de esta obra.

Printed in Spain – Impreso en España

ISBN: 978-84-01-38276-5
Depósito legal: B.3.714-2009

Compuesto en Anglofort, S. A.

Impreso en Litografía SIAGSA
Joaquín Vayreda, 19. Badalona (Barcelona)

Encuadernado en Lorac Port

L 3 8 2 7 6 5

Limani

En el interior de los hombres y de las bestias reside el deseo eterno de hallar un puerto seguro. Un lugar donde refugiarse de las persecuciones y donde se esté libre de peligro. Sin embargo, mucho tiempo atrás no existía tal lugar para aquellos que eran hombre y bestia a la vez. Para aquellos que caminaban a cuatro patas durante el día y sobre dos piernas durante la noche.

Todos los perseguían y no había ningún refugio para ellos.

Su historia, como todas las historias, tiene un comienzo. Un comienzo durante el cual el amor eterno se tornó en una maldición. Hace miles de años hubo un rey griego cuya reina lo era todo para él. Pero su reina guardaba un oscuro secreto. Porque la suya era una estirpe maldita.

Más de dos mil años antes de su nacimiento, su gente cometió un trágico error. Asesinaron a la amante y al hijo del dios griego Apolo. En venganza por su muerte, el dios lanzó tres maldiciones sobre la estirpe de la reina. Tendrían que beber la sangre de sus semejantes para sobrevivir. Jamás podrían volver a caminar bajo la luz del sol. Pero la tercera maldición fue la peor: todos morirían de forma lenta y dolorosa el día de su vigésimo séptimo cumpleaños.

La maldición del dios demostró ser cierta y la joven reina se convirtió dolorosamente en polvo el mismo día que cumplió veintisiete años. Incapaz de hacer algo para detener el proceso, el rey la vio morir mientras lo llamaba a gritos. Cuando ella se fue, comprendió que sus dos hijos estaban abocados a sufrir el mismo y aciago destino que había sufrido su madre.

Incapaz de enfrentarse a la pérdida de sus dos vástagos, el rey recurrió a la magia para alargar sus vidas. Reunió a los miembros de la estirpe de su mujer, llamados apolitas, y experimentó con ellos los más oscuros hechizos. Tras unir su fuerza vital humana con la de las razas animales más fuertes, creó dos razas. Los arcadios, poseedores de un corazón humano, y los katagarios, poseedores de un corazón animal.

Los arcadios eran, en esencia, humanos capaces de adoptar forma animal una vez que alcanzaban la pubertad, acontecimiento que se producía alrededor de los veinticinco años. Los katagarios eran animales capaces de adoptar forma humana una vez que alcanzaban la pubertad, prácticamente al mismo tiempo que los arcadios. Dos caras de la misma moneda. Dos especies nacidas con la capacidad de emplear la magia y de viajar a través del tiempo en las noches de luna llena.

A la postre, la maldición del dios griego dejó de afectar a aquellos apolitas que habían sido transformados en hombres y animales. Puesto que no eran verdaderos apolitas, la maldición de Apolo no tenía ningún efecto sobre ellos. O eso creyó el rey hasta que la antigua deidad trasladó sus quejas a las Moiras.

—¿Quién eres tú para frustrar los designios de un dios? —exigieron saber estas al unísono.

El rey contestó de forma desafiante:

—Tal como habría hecho cualquier padre merecedor de ese nombre, he protegido a mis hijos. Nadie les arrebatará la vida de forma innecesaria por un acto en el que no participaron.

Sin embargo, su respuesta no las satisfizo. La arrogancia del rey las enfureció. ¿Cómo se atrevía a buscar el modo de alterar el destino de los apolitas con los que había experimentado? Como castigo le exigieron matar a los arcadios y a los katagarios, comenzando por sus propios hijos.

El rey se negó.

—En ese caso, jamás habrá paz entre ellos —decretaron las Moiras—. De ahora en adelante, entre arcadios y katagarios solo habrá disputas. Se perseguirán y se matarán hasta que no quede ni un solo miembro de su estirpe.

Y así ha sido durante miles de años. Los arcadios han matado a los katagarios que, a su vez, han matado a los arcadios. Su guerra prosigue hoy en día...

Y así seguirá.

Sin embargo, tal como sucede en todas las guerras, en algunos momentos se necesitaban breves treguas. Savitar, mediador imparcial entre arcadios y katagarios, estableció los *limani* o santuarios, donde tanto katagarios como arcadios podían verse libres de la persecución. En esos lugares podían descansar un tiempo antes de reunirse con los suyos y retomar la lucha.

Lograr que un lugar sea designado santuario no es fácil; pero, en cuanto se consigue, ni hombres ni bestias pueden quebrantar las normas del *limani*. No sin arriesgarse a sufrir la ira de arcadios y katagarios por igual.

Regentar un santuario es un honor sagrado y, al mismo tiempo, una enorme responsabilidad. La paz siempre exige un sacrificio. Y pocos han sacrificado tanto como el clan oso que regenta el santuario de Nueva Orleans...

1

«La ley, al igual que la vida, es una sucesión de pruebas...»

Las palabras que aparecían en su libro de texto resonaron en la cabeza de Marguerite D'Aubert Goudeau y conjuraron la frase que solía repetir Nick Gautier, su amigo y compañero de estudios: «Claro, tío. La vida es una puta prueba a la que sobrevives o en la que fracasas. Como soy de los que creen que el fracaso es una mierda, tengo toda la intención de sobrevivir y de partirme el culo a costa de los perdedores».

Una triste sonrisa asomó a sus labios cuando el dolor le atravesó el corazón. Recordaba perfectamente a Nick y su sarcástica visión de la vida, el amor, la muerte y demás vicisitudes. Era un hacha para sacarse frases lapidarias de la manga.

¡Dios, cuánto lo echaba de menos! Era lo más parecido a un hermano que había tenido, y no pasaba un día sin que sintiera su falta en lo más profundo del alma.

Seguía sin creer que hubiera muerto. Que un día, hacía justamente seis meses, su madre, Cherise Gautier, fuera hallada muerta en su casa de Bourbon Street y que Nick desapareciera misteriosamente sin dejar rastro. Las autoridades de Nueva Orleans estaban convencidas de que él la mató.

Pero ella sabía que no.

Nadie podía querer tanto a su madre como la quería Nick. Si Cherise Gautier estaba muerta, Nick también lo estaba. Nadie podría haberle hecho daño sin enfrentarse a su furia. Absolutamente nadie.

Estaba convencida de que había ido a por quien la había matado y había acabado muerto. Probablemente estuviera en el fondo de algún pantano. Por eso nadie había vuelto a verlo desde entonces. Y eso le destrozaba el corazón. Nick había sido un buen hombre, un protector nato. Un tipo que inspiraba confianza y que sabía divertirse.

Había sido un soplo de aire fresco y una maravillosa bocanada de realidad en su estirado mundo, donde no podía decirse ni hacerse nada mal. Por eso quería recuperar a su amigo con tanta desesperación.

Como al mismo Nick le diría, su vida era una mierda. Sus amigos eran superficiales, su padre era un neurótico obsesionado con investigar el pasado y la familia de cualquier chico en el que la creía interesada. A sus ojos, ninguno era aceptable desde el punto de vista social. Peor aún, todos eran inferiores.

Odiaba esa expresión con toda su alma.

«Tienes un destino que cumplir, Marguerite.»

Claro, estaba destinada a acabar encerrada en un manicomio o a pasarse sola el resto de su vida para que no pudiera avergonzar de ninguna manera a su padre o a su familia.

Suspiró cuando volvió a clavar la vista en su libro de derecho y sintió las ya familiares lágrimas en los ojos. A Nick nunca le había gustado estudiar en la biblioteca.

Cuando estaba en su grupo de estudio, solían reunirse en casa de Nick cuatro días a la semana.

Pero esos días habían llegado a su fin y lo único que le quedaba eran chicos presuntuosos que solo se sentían bien consigo mismos rebajando a los demás.

—¿Estás bien, Margaux?

Carraspeó al escuchar la pregunta de Elise Lenora Berwick. Elise era una rubia alta con un cuerpo perfecto. Perfectamente operado, claro. A sus veinticuatro años, ya había pasado por seis operaciones de cirugía estética para corregir minúsculas imperfecciones. En el instituto Elise fue la debutante estrella de Nueva Orleans, y en ese momento era la reina de la belleza de la Universidad de Tulane.

Eran amigas desde el colegio. De hecho, fue Elise quien organizó el grupo de estudio tres años atrás. A Elise nunca le había gustado hincar los codos, de modo que se le ocurrió hacer un grupo de estudio para que la ayudaran a aprobar las asignaturas. Aunque a ella no le importaba en lo más mínimo. En realidad admiraba su ingenio y le gustaba observarla mientras manipulaba a los demás para salirse con la suya.

Solo Nick y ella habían descubierto a la verdadera Elise. Al igual que ella, Nick era inmune a las maquinaciones de la rubia. Pero no pasaba nada. De no ser por Elise, jamás habría entablado una relación tan estrecha con Nick, y eso sí que habría sido una verdadera tragedia.

Sin Nick, el grupo estaba compuesto por Elise, Todd Middleton Chatelaine, Blaine Hunter Landry, Whitney Logan Trahan y ella. Y eso era lo que más le dolía.

¿Por qué no estás aquí, Nick? Ahora mismo me vendría muy bien tu sentido del humor, pensó.

Jugueteó con las hojas del libro mientras recordaba la imagen de Nick.

—Estaba pensando en Nick. Le encantaba esta jerga legal.

—Y tanto que le gustaba —dijo Todd al tiempo que levantaba la cabeza. Era un chico moreno y guapo, con el pelo muy corto. Llevaba un carísimo jersey rojo de Tommy Hilfiger y unos chinos—. Si no hubiera sido un delincuente de dudosa procedencia, podría haberle hecho la competencia a tu padre algún día, Margaux.

Intentó disimular lo mucho que odiaba el diminutivo que insistían en utilizar. Parecían convencidos de que su relación era más especial si la llamaban de una manera distinta a los demás. Pero la verdad era que prefería el simple «Maggie» que solo utilizaba Nick. Aunque, cómo no, era un apodo demasiado vulgar para alguien que procedía de una familia tan refinada como la suya. A su padre le habría dado un ataque si hubiera llegado a escucharlo de boca de Nick.

Pero ella lo prefería. Encajaba muchísimo mejor con su aspecto y con su personalidad que «Marguerite» o «Margaux».

Ya nadie volvería a llamarla Maggie…

Un dolor abrumador le inundó el corazón. ¿Cómo era posible que doliera tanto?

—Sigo sin creerme que no esté aquí —susurró al tiempo que parpadeaba para no llorar. Una parte de sí misma seguía esperando que apareciera por la puerta con esa sonrisa traviesa en los labios y una bolsa de *beignets* en la mano.

Pero no lo haría. Jamás.

—De buena nos libramos —dijo Blaine con desdén mientras se echaba hacia atrás en la silla. Con su metro ochenta, su cuerpo atlético y su pelo negro, Blaine se consideraba un regalo caído del cielo para las mujeres. Su familia era rica y tenía buenos contactos, cosa que le había dado unos aires de grandeza desmesurados.

Además, odiaba a Nick porque jamás había pasado por alto su esnobismo y le había dicho un par de verdades en alguna que otra ocasión.

—Estás cabreado porque siempre sacaba mejores notas que tú en los exámenes —replicó, echando chispas por los ojos.

Blaine torció el gesto.

—Copiaba.

Sí, claro. Todos sabían que era mentira. Nick era muy inteligente. Aunque era vulgar y en ocasiones hasta grosero en sus comentarios, se había ganado su amistad y la había ayudado con algunas asignaturas a espaldas del grupo de estudio. De no ser por él, habría suspendido Historia Antigua, una asignatura impartida por el profesor Julian Alexander, que había sido su tutor.

Todd cerró el libro y lo apartó.

—No sé… Creo que deberíamos hacer algo para despedirnos oficialmente de Nick. Al fin y al cabo, formaba parte del grupo.

Blaine resopló.

—¿Y qué se te ha ocurrido? ¿Que quememos una barrita de incienso para eliminar su peste?

Whitney le dio una palmadita en la pierna.

—Ya vale, Blaine. Estás disgustando a la pobre Margaux. Ella consideraba a Nick su amigo.

—No me entra en la cabeza, la verdad.

Eso hizo que se tensara y que lo mirase con los ojos entrecerrados.

—Nick era agradable y se preocupaba por la gente. —A diferencia de ellos. Nick no era presuntuoso ni distante. Tenía los pies en el suelo y se preocupaba por las personas con indiferencia de sus familias o de sus fortunas.

Era un ser humano.

—Ya sé lo que vamos a hacer —dijo Elise, que también cerró su libro—. ¿Por qué no vamos al sitio ese del que no dejaba de hablar? Ya sabéis, donde trabajaba su madre.

—¿El Santuario? —Blaine parecía asqueado. Era la primera vez que veía a un hombre hacer un mohín semejante. Elvis se habría muerto de envidia—. Tengo entendido que está al otro lado del Barrio Francés. ¡Qué vulgar!

—Me gusta la idea —dijo Todd mientras guardaba el libro en su mochila de marca—. Me encanta darme un chapuzón en los bajos fondos.

Blaine lo miró con sorna.

—Ya me lo habían dicho, Todd. Es la maldición de los nuevos ricos.

Todd le devolvió la mirada sin pestañear.

—Vale, quédate aquí sentado para que no nos quiten el sitio, a ver si el culo se te acaba poniendo del mismo tamaño que el ego. —Se puso en pie y la miró—. Creo que deberíamos despedirnos de nuestro no tan estimado compañero, y ¿qué mejor manera de hacerlo que beber garrafón en su bar preferido?

Blaine puso los ojos en blanco.

—No me extrañaría que pillaseis hepatitis.

—No creo—dijo Whitney. Aunque miró a Todd con un brillo atemorizado en sus ojos azules—. ¿Verdad?

—No —contestó ella con voz tajante mientras guardaba sus libros—. Blaine es un cobarde.

El susodicho la miró con una ceja enarcada.

—Ni hablar. Lo que pasa es que mi árbol genealógico es perfecto y no me apetece mezclarme con la chusma.

Levantó la barbilla al escuchar ese golpe bajo. Todos sabían que su madre era cajún, nacida en Slidell, y que estaba muy por debajo de su padre desde el punto de vista social. Aunque había ido a la universidad gracias a una beca y había sido Miss Luisiana, su matrimonio fue un gran escándalo.

Al final ese desastre fue lo que la condujo a la muerte.

Solo un cerdo le soltaría a la cara algo así.

—Tu gilipollez sí que es perfecta... —replicó entre dientes al tiempo que se levantaba. Metió el libro con fuerza en su mochila de Prada—. Nick tenía razón, eres un gallina cascarrabias y lo que necesitas es que alguien te dé una buena hostia.

Las chicas se quedaron de piedra al escucharla, pero Todd se echó a reír.

Blaine adquirió un interesante tono rojo.

—Me encanta esa chispa cajún —le aseguró Todd mientras se colocaba a su lado—. Vamos, Margaux, estaré encantado de protegerte. —Miró a las otras dos—. ¿Os venís?

Whitney parecía una niña a punto de rebasar su hora de irse a la cama.

—A mis padres les daría algo si supieran que me he metido en un antro. Contad conmigo.

Elise también asintió con la cabeza.

Miraron a Blaine, que resopló con desdén.

—Cuando os estéis retorciendo por la disentería, recordad quién hizo de voz de la razón.

—El doctor Blaine, residente especialista —replicó ella, colgándose la mochila—. Ya te hemos entendido.

A juzgar por su expresión, supo que estaba deseando devolvérsela, pero las buenas maneras y el sentido común lo detuvieron. No era muy sensato insultar dos veces a la hija de un senador de Estados Unidos si se tenía pensado conseguir un puesto de becario con dicho senador al llegar el otoño.

Y eso fue lo que hizo que Blaine se uniera al grupo cuando echaron a andar hacia el todoterreno de Todd.

—¡Madre del amor hermoso! —exclamó Whitney en cuanto entraron en el famoso bar de moteros conocido como el Santuario.

Ella también estaba contemplando con los ojos como platos el oscuro interior, que parecía necesitar una buena limpieza después de todo. El estilo de la clientela era variopinto, desde el cuero típico de los moteros a los vaqueros y camisetas de manga corta. Las sillas y mesas ni siquiera combinaban. El escenario estaba pintado de negro con parches grises, rojos y blancos; y las mesas de billar parecían haber sobrevivido a varias peleas.

Incluso había serrín esparcido por el suelo, lo que le recordó a las tabernas de las películas de vaqueros.

La barra, situada a su derecha, estaba atestada de tíos de aspecto rudo que bebían cerveza y se hablaban a gritos. Había una escalera de madera que llevaba a una zona elevada, pero desde abajo no se veía lo que pasaba allí arriba. «Nada bueno» fue lo primero que se le ocurrió. Allí arriba no podía pasar nada bueno.

El lugar era definitivamente vulgar.

Sin embargo, le resultó muy curioso la gran cantidad de tíos buenos que trabajaban allí. Estaban por todas partes. Detrás de la barra, sirviendo mesas, de porteros… Nunca había visto nada parecido. Era un banquete de testosterona.

Elise se inclinó hacia ella y le susurró al oído:

—Creo que he muerto y he ido al cielo. ¿Has visto alguna vez tantos tíos buenos juntos?

Solo atinó a negar con la cabeza. Era increíble. Era raro que la prensa no se hubiera enterado y hubiera enviado un equipo de televisión a investigar si había algo en el agua para conseguir tal concentración de especímenes superiores.

Incluso Whitney estaba con la boca abierta y era incapaz de apartar la vista.

—¿Qué es esa música? —preguntó Blaine con cara de asco al escuchar la nueva canción que sonaba por los altavoces.

—¡Creo que se llama heavy metal! —gritó Todd para hacerse oír por encima del solo de guitarra.

17

—Pues yo la llamaría «ensordecedora» —dijo Whitney—.
¿De verdad que Nick venía por aquí?

Ella asintió con la cabeza. A Nick le encantaba ese bar. Se había pasado horas contándole cosas del lugar y de las personas tan raras que lo consideraban su casa.

—Según él, hacen las mejores salchichas *andouille* del mundo.

Blaine resopló.

—Lo dudo mucho.

Todd señaló con la cabeza una mesa libre situada al fondo.

—Creo que deberíamos sentarnos y tomarnos algo a la memoria de Nick. De todas maneras, solo se vive una vez.

—Si bebes de estos vasos, es posible que no sobrevivas a esta noche —soltó Blaine. No parecía muy entusiasmado mientras seguían a Todd hacia la mesa y se sentaban.

Ella se quitó la mochila del hombro y sacó el bolso antes de colocarla debajo de la mesa. Acto seguido, colgó el bolso del respaldo de la silla y se sentó. El lugar era muy ruidoso, pero no le costaba nada imaginarse a Nick allí. Había algo en ese sitio que le recordaba a él. Además de la decoración tan hortera, claro. Siempre había pensado que vestía en plan hortera a propósito, para picar a la gente.

Para ella, ese era uno de sus rasgos más encantadores. Porque era la única persona que conocía que pasaba por completo de la opinión de los demás. Nick era Nick, y si no te gustaba, ya podías largarte por donde habías llegado.

—¿Os pongo algo, chicos?

Cuando levantó la vista, vio a una rubia despampanante que parecía tener su misma edad. Llevaba unos vaqueros ajustados y una diminuta camiseta con el logotipo del bar, que era una moto aparcada en una colina y recortada contra la luna llena. Bajo el logotipo se leía: EL SANTUARIO, HOGAR DE LOS HOWLERS.

Blaine se la comió con los ojos pero ella pasó por completo del tema.

—Sí, Westvleteren 8 para todos.

La camarera frunció el ceño al escuchar la marca de cerveza y luego ladeó la cabeza como si quisiera agudizar el oído.

—¿Cómo has dicho?

Blaine adoptó su archiconocido mohín desdeñoso y empleó la voz exasperada que siempre utilizaba para hablar con gente a la que consideraba tonta.

—Es cerveza belga, guapa. Por favor, dime que al menos te suena.

La camarera lo fulminó con la mirada.

—Chaval, nací en Bruselas. Si no recuerdo mal, estamos en Estados Unidos, no en Bélgica, así que ya puedes ir pidiendo una cerveza americana o te traigo un vaso de agua para que puedas quedarte sentadito y comportarte como un pijo hasta que te hartes, ¿vale?

Blaine parecía a punto de estrangularla.

—¿Sabe el gerente que tratas a los clientes de esta manera?

La camarera lo miró con una mueca burlona y desdeñosa.

—Si quieres hablar con mi madre (la propietaria de este bar), con mi hermano (que lo dirige y para el que soy la niña de sus ojos) o con mi padre (a quien le encanta patear culos a diestro y siniestro), sobre cómo te he tratado, dímelo y voy a por cualquiera de ellos ahora mismo. Sé que les encantará perder el tiempo contigo. Son muy comprensivos…

—Yo tomaré una Bud Light, gracias —dijo ella, conteniendo una carcajada. No conocía a la chica, pero comenzaba a caerle bien.

La camarera le guiñó el ojo con complicidad antes de anotar el pedido en la libreta.

—Yo también —dijo Todd.

Whitney y Elise también pidieron lo mismo.

Los tres se giraron hacia Blaine y esperaron a que soltara otro exabrupto.

—La mía que venga sin abrir, con una servilleta y un abridor.

La camarera volvió a ladear la cabeza, esta vez con un brillo malicioso en los ojos.

—¿Qué pasa? ¿Tienes miedo de que escupa dentro, chavalote?

Todd se echó a reír.

Antes de que Blaine pudiera responder, la rubia se alejó de la mesa.

No obstante, la sonrisa que Marguerite estaba esbozando desapareció al sentir algo extraño... Se le erizó el vello de la nuca. Era como si alguien la estuviera observando.

Atentamente.

De forma amenazadora.

Volvió la cabeza y ojeó la multitud en busca de la causa de su incomodidad. Pero no encontró nada. Nadie parecía prestarles atención.

Había varios grupos de moteros jugando al billar. Un montón de turistas y de moteros a su alrededor. Incluso había un grupo de siete hombres jugando al póquer en un rincón. Unos cuantos camareros se movían entre la barra y las mesas llevando la comida y las bebidas y otros dos atendían la barra.

Nadie la estaba mirando.

Estaré imaginándome cosas, se dijo.

Al menos eso fue lo que pensó hasta que vio en un rincón a un hombre que parecía tener la vista clavada en ella. Llevaba una holgada camisa blanca por fuera del pantalón, medio oculta por un sucio delantal blanco, y unos vaqueros negros que habían vivido mejores tiempos. Era uno de los ayudantes que se ocupaban de limpiar las mesas, pero en ese momento estaba parado. Tenía la camisa arremangada hasta la mitad del brazo. En el izquierdo llevaba un colorido tatuaje que no consiguió distinguir desde tan lejos.

No le veía la cara, ya que la melena rubia oscura le cubría casi todo el rostro y le tapaba los ojos. El pelo le llegaba por debajo de los hombros. A decir verdad, no sabía adónde miraba, pero su instinto le decía que la estaba observando.

Tenía un aura oscura y peligrosa. Feroz. Casi siniestra.

Se frotó el cuello con nerviosismo, deseando que el tipo regresara de nuevo al trabajo.

—¿Pasa algo? —preguntó Blaine.

—No —se apresuró a responder con una sonrisa. Si mencionaba algo, sin duda alguna montaría una escena y conseguiría que despidieran al pobre muchacho, y seguramente necesitaba el trabajo—. Estoy bien. —Pero la sensación no la abandonó. Además, era tan intensa y salvaje que la ponía muy nerviosa.

Wren ladeó la cabeza mientras miraba a esa desconocida que parecía tan fuera de lugar que no entendía cómo había acabado en el bar. Irradiaba sofisticación y dinero por todos los poros de su cuerpo. Esa no formaba parte de la clientela habitual.

También era evidente que su intenso escrutinio la incomodaba. Aunque eso le sucedía a todo el mundo, razón por la que apenas establecía contacto visual con la gente. Hacía mucho que había aprendido que nadie, ni persona ni animal, podía aguantar su mirada demasiado tiempo.

Y, sin embargo, era incapaz de apartar la vista de ella. Su largo cabello castaño, que llevaba recogido en una coleta, tenía reflejos cobrizos. Ese detalle, sumado al tono dorado de su piel, delataba su herencia cajún. Llevaba un conjunto rosa de jersey y rebeca de punto, una falda larga beis y unas cuñas de esparto del mismo tono rosa que la rebeca.

Sin embargo, lo mejor era ese cuerpo voluptuoso que instaba a un hombre a abrazarlo y saborearlo.

Aunque había visto mujeres más guapas, tenía algo que llamaba su atención. Tenía algo que le decía que estaba perdida y dolida.

Triste.

En los páramos de Asia donde nació, semejante criatura habría muerto y habría sido devorada por otra más fuerte. Más salvaje. Cualquier vulnerabilidad era una invitación para morir. Y, sin embargo, no sentía el conocido subidón de adrenalina que lo instaba a atacar a los débiles.

Sentía un inexplicable deseo de protegerla.

De acercarse a ella y ofrecerle consuelo, pero ¿qué sabía él de consolar a un humano? Era un depredador feroz en forma humana. Solo sabía acosar y matar.

Pelear.

No sabía nada sobre consolar. No sabía nada de las mujeres.

Estaba solo en el mundo por decisión propia y le gustaba que fuera así.

Marvin, el mono que vivía como mascota del Santuario, se acercó corriendo a él y le ofreció un paño limpio para las mesas. Lo cogió y se obligó a regresar al trabajo. De todas formas, siguió sintiendo la presencia de la desconocida, y no pasó mucho tiempo antes de que volviera a clavar la vista en ella para observarla mientras hablaba con sus amigos.

Marguerite tomó un sorbo de cerveza mientras Elise y Whitney se comían con los ojos a los hombres del bar. Extendió el brazo para coger una galletita salada, pero Blaine le dio un tortazo y la miró espantado.

—¿Estás loca? A saber cuánto llevan aquí fuera y cuántas manos sucias las han toqueteado. Además, es posible que nuestra arisca camarera las haya envenenado en venganza.

El irrazonable temor de Blaine hizo que pusiera los ojos en blanco. Miró de nuevo al ayudante que estaba un poco más cerca. Estaba ocupado limpiando mesas, pero presentía que ella seguía siendo su principal objetivo. Frunció el ceño al ver que un monito corría por su brazo y se encaramaba en su hombro.

El muchacho sacó una pequeña zanahoria del bolsillo del delantal y se la dio al mono, que se la comió mientras él regresaba al trabajo. Reprimió una sonrisa cuando cayó en la cuenta de quién era. Ese muchacho debía de ser Wren, a quien Nick mencionaba de vez en cuando. Según él, al principio creyó que era mudo porque nunca hablaba con nadie. Pasó todo un año antes de que Wren lo saludara con un tímido «hola» un día que fue a ver a su madre.

Si no recordaba mal, Wren era un solitario que se mantenía apartado y que se negaba a participar en el mundo. Lo había reconocido por el mono, porque Nick le había dicho que era el único amigo de Wren y que le encantaba robarles las bolas de billar mientras jugaban.

El mono se llamaba Marvin...

Blaine la pilló mirándolo y se giró en la silla. Wren parecía estar observándola de nuevo, aunque seguía teniendo el pelo sobre los ojos, de modo que no estaba segura.

—¿Te está molestando?

—No —se apresuró a responder, ya que temía lo que Blaine pudiera hacer. En cierto modo, se sentía casi halagada. Los hombres no solían prestarle atención a menos que supieran quién era su padre. Era su madre la que hacía volver las cabezas.

Ella nunca.

—¿Qué miras? —le gruñó Todd al muchacho.

Vio que Wren hacía oídos sordos a la pregunta y se acercaba a la mesa que tenía al lado, que estaba llena de vasos y tenía un plato de nachos a medio comer.

Presentía que quería hablar con ella y se descubrió imaginándose cómo sería bajo esa mata de pelo rubio. Irradiaba cierto peligro y a la vez parecía contenido, como si no quisiera llamar la atención de nadie.

Como si quisiera fundirse con el papel de la pared pero fuera incapaz de hacerlo.

De repente, se imaginó a un tigre sentado en un zoo. ¡Eso era! Wren le recordaba a un enorme tigre que contemplaba atentamente a quienes lo rodeaban, distante pero al mismo tiempo seguro de poder derrotar a cualquiera que lo retara.

—Vaya pintas... —dijo Blaine cuando se dio cuenta de que Wren los observaba—. ¡Oye, tío!, ¿y si te lavas ese pelo tan asqueroso? —Le lanzó unos billetes—. ¡Para que te cortes esas rastas, anda!

Wren pasó por completo de Blaine y del dinero.

El mono comenzó a chillar como si lo estuviera protegiendo. Sin mediar palabra, Wren le dio unas palmaditas en la cabeza y le susurró algo para tranquilizarlo. El mono saltó de su hombro y se acercó a la barra.

Vio a Wren soltar la bandeja y se le desbocó el corazón al percatarse de que se acercaba hacia ella. De cerca era mucho más alto de lo que parecía. Caminaba un poco encorvado, lo que le restaba altura, pero si enderezara la espalda, estaba segura de que se acercaría al metro noventa.

Lo rodeaba un aura de poder absoluto. Un aura que hablaba de velocidad y agilidad.

Era, simple y llanamente, fascinante.

Desde esa distancia por fin podía verle los ojos. Eran de un azul turquesa brillante tan claro que resultaban escalofriantes.

Por su color y por su crueldad.

Lo vio señalar su vaso vacío con la barbilla.

—¿Ha terminado, señorita?

Su voz era grave e hipnótica. Le provocó un escalofrío.

Sonrió al escuchar la forma tan educada en la que se había dirigido a ella.

—Sí —respondió y le acercó el vaso.

Lo vio limpiarse la mano en el delantal como si no quisiera ofenderla ni mancharla antes de extender el brazo.

Al principio creyó que sus manos se tocarían, pero Wren apartó la suya como si le diera miedo un contacto tan íntimo. La invadió una extraña decepción.

Cabizbajo, Wren cogió el vaso, lo sostuvo como si fuera una joya valiosísima y se apartó. Dejó el vaso en la bandeja y volvió a mirarla.

—Oye, tú, el de las rastas —dijo Todd de malos modos—, deja ya de mirarla, gilipollas. Está muy por encima de ti.

Wren lo miró con una expresión aburrida que dejó muy claro que no lo consideraba una amenaza.

—¿Wren? —dijo la camarera rubia, confirmando así su identidad. La chica se detuvo para echarles una mirada de advertencia antes de mirar a Wren—. Es hora de tu descanso, ¿vale, cariño?

Wren asintió con la cabeza.

Cuando hizo ademán de apartarse, Blaine tiró de la bandeja que llevaba en las manos.

—Eso, cariño, vuelve con tu gente al vertedero.

Y con eso, le arrojó la cerveza a la cara de forma inesperada.

Wren dejó escapar un sonido, una mezcla de siseo y gruñido

que no parecía del todo humana. En un abrir y cerrar de ojos, dejó caer la bandeja y se abalanzó sobre Blaine.

De repente, apareció un grupo de hombres de la nada que se encargó de apartar a Wren. Los cuatro tíos, que eran los porteros del bar, tuvieron problemas para contenerlo pese a la diferencia de tamaño. Lo rodearon de modo que lo perdió de vista, como si quisieran protegerla a ella y a sus amigos.

La camarera estaba que trinaba.

—¡Fuera! —soltó—. ¡Largaos de aquí!

—¿Por qué? —preguntó Blaine—. Nosotros somos los clientes.

Un tío rubio que se parecía mucho a la camarera se acercó a ellos. Debía de ser el hermano que la chica había mencionado antes, el que dirigía el bar.

—Será mejor que le hagas caso a Aimée, chaval. Acabamos de salvarte la vida, pero no podremos contenerlo mucho tiempo. A ver si ya te has ido cuando se calme, porque si no, no nos hacemos responsables de lo que pueda suceder.

Blaine lo miró con desdén.

—Si me toca, os demando.

El hombre soltó una carcajada amenazadora.

—No creo que quede mucho de ti como para que puedas demandar a nadie. Ahora largaos de mi bar antes de que os eche a patadas.

—Vamos, Blaine —dijo Todd mientras tiraba de él hacia la puerta—. Ya llevamos demasiado tiempo aquí.

Whitney y Elise se quejaron por tener que irse, pero se levantaron como zombis bien educadas y los siguieron.

Ella se quedó donde estaba.

—¿Margaux? —la llamó Todd.

—Marchaos, nos vemos luego.

Blaine meneó la cabeza.

—No seas idiota, Margaux. Nosotros no pintamos nada aquí.

Estaba hasta el gorro del rollo ese del «nosotros, ellos». Ya había tenido más que suficiente y para absoluta consternación de su familia, era de la opinión de que solo había dos clases de personas en la vida: las buenas y las malas.

Y estaba harta de aguantar a malas personas.

—Cierra el pico, Blaine. Y lárgate antes de que sea yo quien te dé.

Blaine puso los ojos en blanco antes de que echara a andar hacia la puerta seguido de Elise y Whitney.

—¿Estás segura de que quieres quedarte? —le preguntó Todd.

—Sí. Volveré a casa en taxi.

Todd no parecía muy convencido, pero debió de comprender que estaba decidida a quedarse.

—Vale. Ten cuidado.

Asintió con la cabeza y esperó a que se marchara antes de encaminarse hacia el lugar al que los porteros se habían llevado a Wren. Todo ese desastre era culpa suya. Lo menos que podía hacer era disculparse por ser tan idiota como para salir con esa panda de gilipollas.

Dio con un pequeño pasillo que conducía a los servicios y a una zona con un cartel que ponía PRIVADO. SOLO EMPLEADOS. Al principio creyó que habían entrado en la zona privada, pero después escuchó voces procedentes del servicio de caballeros.

—No vuelvas a echarle agua en la cara, Colt, si no quieres que te arranque el brazo.

Volvió a escuchar ese gruñido salvaje y primitivo, y otro ruido, como el que haría una persona al empujar a otra.

—Te lo dije —escuchó que decía la misma voz de antes—. Estúpidos humanos. Ese niñato tiene suerte de que no dejáramos que Wren lo despedazara. No le tiras del rabo a un tigre a menos que quieras que te coma.

—¿Y qué coño hacías hablando con esa chica? —preguntó otra voz—. Joder. Además, ¿desde cuándo hablas con la gente, Wren?

Escuchó otra vez el gruñido, seguido por el ruido de un cristal al romperse.

—Vale —dijo la primera voz—. Sigue con tu pataleta. Te esperaremos fuera.

Cuando la puerta del servicio se abrió, salieron dos hombres que superaban con creces el metro ochenta. Los dos eran morenos, pero uno tenía el pelo corto y el otro lo llevaba recogido en una larga coleta. Se interpusieron entre la puerta y ella, y la miraron sin saber muy bien qué pensar.

—¿Está bien? —les preguntó.

El del pelo largo la miró con expresión extraña.

—Deberías largarte de aquí. Ya has causado bastantes problemas esta noche.

Sin embargo, y por extraño que pareciera, no quería marcharse.

—Yo… —Se quedó sin palabras cuando la puerta del servicio volvió a abrirse y Wren apareció en el pasillo.

Tenía la camisa mojada, de modo que se pegaba a su musculoso pecho. Llevaba una toalla echada sobre el hombro y la cabeza gacha. La postura le recordó a un depredador que observara con cautela a su alrededor, a la espera de atacar, más que a alguien avergonzado o tímido.

Wren se acercó a ella sin prisa, pero sin pausa. Sus movimientos le recordaban a los de un gato antes de restregarse contra su dueño para marcarlo.

Lo vio secarse la cara con el dorso de la mano mientras miraba a los otros de forma amenazadora.

—Largo —les gruñó.

El del pelo largo se tensó como si detestara que le dieran órdenes.

—Vamos, Justin —dijo el del pelo corto, que debía de ser Colt, con afán conciliador—. Wren todavía necesita un poco de tiempo para calmarse.

Justin dejó escapar un gruñido ronco y siniestro antes de regresar al bar.

Colt le echó una miradita de advertencia antes de volver a la barra.

Cuando se quedaron a solas, tragó saliva mientras se acercaba a Wren despacio. A esa distancia se percató de que la camisa cubría un cuerpo atlético y musculoso. Su piel tenía un tono bronceado que debería ser declarado ilegal.

Había algo en él que le otorgaba un aire salvaje. Incluso daba la sensación de que durmiera con la ropa puesta. Era evidente que pasaba por completo de la opinión de los demás. No seguía ninguna moda ni ninguna regla cívica. A juzgar por lo que había escuchado desde el pasillo, parecía que ni siquiera era sociable.

En teoría debería repelerla, pero no era así. Ansiaba con todas sus fuerzas apartarle el pelo rubio de la cara para comprobar si era tan guapo como sospechaba.

—Lo siento —dijo en voz baja—. No me esperaba algo así de Blaine.

No le contestó. Se limitó a dar un paso hacia ella para quedarse tan cerca que podía sentir el calor de su cuerpo. Extendió el brazo para tocarla. Detuvo la mano justo cuando entró en contacto con su mejilla y la dejó allí, quieta, mientras esos misteriosos ojos azules la abrasaban.

Wren deseaba tocarla con tantas ganas que casi podía saborearla. Jamás había deseado nada con tanta fuerza. Aunque sabía que no podría satisfacer su deseo.

Era humana.

Y también era preciosa. Su cabello parecía de seda. Sentía la cálida vitalidad de su piel. Daría cualquier cosa por saborear esa piel, por comprobar si era tan sabrosa como parecía.

Pero no podía.

Un animal como él jamás podría tocar a un ser tan frágil como ella. Su naturaleza era la de destruir, no la de proteger. Dejó caer la mano.

—¿Eres el amigo del que Nick solía hablar tanto? —preguntó ella en voz baja.

Ladeó la cabeza al escuchar la inesperada pregunta.

—¿Conocías a Nick?

La vio asentir con la cabeza.

—Éramos compañeros de universidad. Solíamos estudiar juntos. Decía que tenía un amigo llamado Wren que siempre le daba una paliza al billar. ¿Eres tú?

Miró hacia las mesas de billar y asintió con la cabeza mientras recordaba a su amigo. Nick no sabía demasiado sobre él, pero al menos había intentado ser su amigo. Había sido un cambio muy agradable.

—Sí —susurró, sin saber muy bien por qué le respondía cuando apenas hablaba con nadie.

Sin embargo, quería hablar con ella. Adoraba ese acento tan suave y melodioso. Parecía muy dulce. Muy femenina. Una parte desconocida de su ser, desconocida hasta entonces, quería acurrucarse con ella.

Se inclinó un poco hacia delante para poder inhalar su aroma sin que se diera cuenta. Su piel desprendía un aroma dulce y suave a polvos de talco y perfume amaderado. Lo puso a cien.

Jamás había besado a una mujer, pero por primera vez deseaba hacerlo. La vio separar los labios de forma incitante.

Deliciosa…

—¿Wren?

Giró la cabeza al escuchar la voz de Nicolette Peltier tras él, acercándose desde su despacho. Se percató de que Nicolette quería extender las manos y apartarlo de la humana; pero, al igual que todos los residentes del santuario, le tenía miedo. Su especie era impredecible. Letal.

Todo el mundo le tenía miedo. Salvo la mujer que tenía delante.

Claro que ella no tenía ni idea de que era un cruce entre tigre y leopardo que caminaba en forma humana.

—Debo irme —le dijo a la muchacha al tiempo que se apartaba de ella.

La chica extendió la mano y le tocó el brazo. Su miembro respondió a la abrasadora caricia. Le costó la misma vida controlar al animal que ansiaba reclamarla, porque, por regla general, cedía a sus impulsos.

Esa noche no podía. Porque le haría daño al hacerlo, y eso era lo último que deseaba.

—Siento muchísimo lo sucedido —dijo ella en voz baja—.

Ha sido algo inexcusable. Y espero que mis amigos no te hayan metido en problemas ni te hayan hecho daño.

Guardó silencio mientras ella miraba a Nicolette un instante antes de dar media vuelta y marcharse.

Y entonces desapareció. Su ausencia lo atravesó como un cuchillo.

—Vamos, Wren —dijo Nicolette—. Creo que es mejor que termines tu turno ahora y vayas a descansar.

No discutió con ella. Necesitaba abandonar su forma humana un tiempo, sobre todo porque estaba a punto de perder el control. Era como si tuviera el cuerpo electrizado. Al rojo vivo. Jamás se había sentido así.

Sin pronunciar palabra, se encaminó a la cocina, pues allí se encontraba la puerta de acceso al edificio contiguo, que era donde los arcadios y katagarios habían establecido su hogar.

La casa de los Peltier llevaba mucho tiempo siendo refugio de criaturas como él... criaturas que habían sido expulsadas de sus clanes por un sinfín de motivos. Como solía decir Aimée, todos eran refugiados e inadaptados.

Él más que nadie. Jamás había pertenecido a un clan animal. Ningún tigre ni leopardo toleraría su presencia. Era un híbrido mutante al que no deberían haber permitido vivir.

Últimamente hasta los osos comenzaban a mostrarle su desprecio. No confiaban en él ni de coña, pero no se lo demostraban abiertamente. Apartaban a sus cachorros cuando jugaban con él. O hacían como esa noche, lo apartaban cuando creían que estaba a punto de enfadarse.

Por eso había valorado tanto la amistad con Nick. Porque él siempre lo trataba como si fuera normal.

—¡Qué cojones! —solía decir Nick—. Todos tenemos nuestros defectos. Al menos tú te lavas, y además no tengo que pelearme contigo por las tías. Con eso ya eres un tío legal para mí.

Nick tenía una visión única de la vida.

Se pasó la camisa mojada por la cabeza mientras subía la escalera. Marvin subió corriendo tras él. Apenas iba por la mitad cuando tuvo un mal presentimiento.

La chica…

Estaba en peligro.

Utilizó la magia para ponerse una camiseta negra. La sensación de que la chica corría un peligro inminente se negaba a desaparecer. Sin decirle una palabra al mono, se transportó fuera del edificio, a la calle.

2

Marguerite aminoró el paso, asaltada de nuevo por la sensación de que alguien la observaba desde las sombras. Caminaba por Chartres Street en dirección a Jackson Square, donde tenía pensado coger un taxi para volver a casa antes de que fuera más tarde.

Echó un vistazo a su alrededor casi esperando descubrir a Wren.

No fue así. Eran cuatro hombres con aspecto desaliñado que la observaban con demasiado interés. Se mantenían ocultos entre las sombras, como si no quisieran que los identificara. El miedo se apoderó de ella. El interés que demostraban por su persona era demasiado intenso. Bastante intenso y amenazador, puesto que iban directos a por ella.

Volvió a mirar a su alrededor en busca de otras personas, pero a esas horas de la noche no había nadie.

Ni siquiera un grupo de turistas...

No pasa nada, pensó. No te alejes de la luz y sigue caminando. No te harán nada si no te apartas de la luz.

Apretó el paso cuando se dio cuenta de que habían echado a correr.

Estaba convencida de que iban a pasar de largo junto a ella cuando uno la agarró y la metió en un patio cuya verja estaba entreabierta.

Intentó zafarse de él y salir corriendo, pero lo único que logró fue que la abofeteara con fuerza.

—¡Dame el bolso, zorra!

Estaba tan asustada que ni siquiera fue capaz de quitarse la correa del brazo.

Los otros tres entraron en el patio a la carrera y cerraron la verja de un portazo. Uno de ellos le quitó el bolso de un tirón, desgarrándole la camisa en el proceso.

—Oíd —les dijo a los demás—, ¿qué tal si pasamos un buen rato con ella?

Antes de que pudieran contestar, el tipo que había hablado acabó desmadejado en el suelo. Alguien salió de la oscuridad y le tendió el bolso.

Al alzar la vista para mirar al recién llegado estuvo a punto de echarse a llorar. Era Wren. Ya no estaba encorvado, sino que iba erguido y su porte era imponente. Intenso. Sus ojos relampagueaban con un brillo feroz y algo enloquecido mientras se interponía entre ella y sus asaltantes. Parecía capaz de matarlos a todos sin despeinarse siquiera.

Los hombres se abalanzaron sobre él.

Trastabilló hacia atrás y observó fascinada a Wren, que luchaba con una increíble habilidad. Uno de los asaltantes lo amenazó con una navaja. Él lo agarró por la muñeca y se la retorció hasta romperle los huesos, haciendo que la navaja cayera al suelo. Acto seguido, le dio un revés con tal fuerza que el tipo rebotó contra la pared.

Otro trató de abalanzarse sobre él cuando estaba de espaldas, pero acabó volando por encima de su cabeza. Un tercero se aproximó también por la espalda y logró golpearlo con saña, pero Wren ni siquiera pestañeó por la fuerza del impacto. Se dio la vuelta y le asestó un puñetazo.

El alivio la inundó hasta que vio que uno de los ladrones sacaba una pistola y los apuntaba.

Contuvo el aliento al ver que Wren se quedaba petrificado.

En un abrir y cerrar de ojos el tipo disparó. Wren cayó sobre él y lo golpeó para que soltara la pistola. Los otros tres se largaron a la carrera mientras su compinche recibía un buen puñetazo y caía al suelo, tras lo cual se escabulló como pudo.

—¿Estás bien? —preguntó mientras corría hacia Wren—. ¿Te ha alcanzado el disparo?

—Estoy bien —contestó él al tiempo que cogía la pistola del suelo. Abrió el tambor y le quitó las balas antes de estamparla contra la antigua pared de piedra. Una vez que la tiró al suelo se giró para mirarla al tiempo que arrojaba las balas hacia la parte más oscura del patio—. ¿Te han hecho daño?

—No. Estoy bien gracias a ti. —El increíble alivio que la inundaba la había dejado tan temblorosa que no estaba segura de cuánto tiempo podría seguir en pie antes de que le fallaran las piernas. Ansiaba extender el brazo y tocarlo como muestra de gratitud, pero había algo en él que decía bien claro que no quería que lo tocaran.

Vio cómo se ensombrecían esos ojos azul turquesa al percatarse de que tenía la camisa desgarrada. Percibió su deseo de perseguir a los asaltantes para vengarla y eso la conmovió enormemente.

—No suelo cometer este tipo de estupideces —le aseguró en voz baja—. Pedí un taxi por el móvil, pero me dijeron que tendría que esperar una media hora y pensé que tardaría menos si cogía uno en la plaza, donde podría esperar a salvo en el Café du Monde. Justo después me di cuenta de que me seguían... Gracias a Dios que has aparecido en el momento oportuno.

Su gratitud pareció incomodarlo.

—Ven —le dijo Wren al tiempo que señalaba la calle con un gesto de la cabeza—. Ya te acompaño yo a casa. Podemos ir andando.

Titubeó a la hora de aceptar.

—Vivo cerca del zoológico. Está demasiado lejos para ir andando.

Wren parecía dispuesto a contradecirla.

—Te llevaré a casa. No te preocupes.

Se colocó la correa del bolso en el hombro mientras lo observaba meterse las manos en los bolsillos y echar a andar hacia la calle. Se había cambiado la camisa blanca por una camiseta negra que se ajustaba como un guante en torno a su musculoso torso.

Aunque muy alejados del voluminoso aspecto de un culturista, los contornos de sus músculos quedaban claramente delineados bajo la prenda.

Era un hombre increíblemente atractivo y muy sexy. Su héroe en ese momento. Jamás le había estado tan agradecida a nadie como le estaba a Wren. Si supiera que en ese mismo instante podría hacerle todo lo que le apeteciera sin que ella pusiese impedimento alguno... A decir verdad, estaba deseando que la abrazara para ayudarla a recobrar la calma, pero no parecía interesarle lo más mínimo.

Volvió a sentir la dolorosa punzada que la asaltaba cuando reconocía que para los chicos solo era una buena amiga. Deseaba que al menos una vez en la vida un hombre la mirara con pasión. Que la encontrara sexy y atractiva. Pero no parecía gustarle a ninguno, salvo cuando querían echarle los tejos a su padre y la utilizaban para llegar hasta él.

Bien podría ser invisible. Cruzó los brazos por delante del pecho y suspiró al tiempo que la conocida tristeza le inundaba el corazón.

Wren no dijo ni pío mientras caminaba con la cabeza gacha y la mirada clavada en el suelo. Aun así, sabía que estaba pendiente de todo lo que sucedía a su alrededor.

Ojalá estuviera tan pendiente de ella.

Wren apretó los dientes. Podía oler el deseo, la inseguridad y el nerviosismo que exudaba la chica. Pero no sabía cómo tranquilizarla. Nunca había sido muy dado a charlar con la gente. Muchos preferían que se mantuviera calladito y los demás pasaban de él por completo. Cosa que por regla general le parecía estupendo.

Por si eso fuera poco, mantenerse en forma humana mientras estaba herido requería una enorme concentración. El disparo le había dado en el hombro derecho y le dolía a rabiar. Estaba utilizando gran cantidad de energía mágica para ocultar el desgarrón de la camiseta y la sangre.

Sin embargo, no quería que ella lo supiera. Podía sentirse mal si llegaba a enterarse de que lo habían herido mientras la defendía. O, que los dioses no lo quisieran, podía insistir en buscar ayuda médica y eso sería impensable.

O, aún peor, podía pasar de todo y eso lo enfurecería muchísimo más. Los humanos albergaban emociones muy extrañas que no alcanzaba ni siquiera a imaginar.

—¿Llevas mucho trabajando en el Santuario? —la escuchó preguntar.

—Un poco.

Eso no aplacó su curiosidad.

—¿Vas a la universidad o trabajas a tiempo completo en el bar?

—Voy a la universidad. —Era mentira, pero no estaba seguro de por qué lo había dicho. Kyle Peltier, el miembro más joven de los osos Peltier, y un par de camareros más sí asistían a la universidad, pero él no se había relacionado con los humanos lo suficiente como para molestarse en estudiar.

Lo que él necesitaba saber para sobrevivir no se enseñaba en un aula.

No obstante, por algún motivo que no acertaba a comprender, quería parecer normal a sus ojos. Quería que lo viera como a cualquier otro tío normal y corriente al que acababa de conocer.

El hecho de ser diferente nunca le había importado, pero esa noche le importaba. Y era una tontería. Porque realmente era diferente incluso en su mundo, habitado por arcadios y katagarios. En el mundo humano… acabaría encerrado en una jaula si alguna vez lo descubrían.

—¿A cuál? —preguntó ella de forma inocente.

—A la UNO. —La Universidad de Nueva Orleans era siempre una apuesta segura. Tony y Mark, dos de los camareros, estudiaban allí y los había escuchado hablar lo bastante como para poder mentir sobre horarios de clases, profesores y detalles del campus si fuera necesario. Por no mencionar que la chica parecía un poco pija como para ir a una universidad pública. Lo más lógico era que estuviera matriculada en Tulane o en Loyola.

La vio detenerse y sonreír de tal modo que le provocó una erección inmediata.

—Por cierto, me llamo Marguerite Goudeau.

Reconoció el nombre al instante. Porque lo había escuchado un montón durante los dos últimos años.

—Eres Maggie, la compañera de universidad de Nick.

Ella sonrió de nuevo.

—Supongo que Nick me ha mencionado alguna vez.

Ajá. Nick había estado coladísimo por ella. Quiso invitarla a salir y eso, pero nunca lo hizo.

«Es igualita que Afrodita, y como cualquiera que vea a la diosa, sé que ningún mortal tiene derecho a tocarla.»

Suponía que lo mismo podía aplicarse a los tigres. Nick tenía razón. Maggie tenía algo muy especial.

—Decía que eras la mujer más inteligente que había conocido en la vida, pero que eras una negada para estudiar.

El comentario le arrancó una carcajada. Su risa era musical y delicada y lo afectó más de lo que sería prudente.

—Ese comentario era típico de Nick.

Marguerite carraspeó al ver que Wren la atravesaba con esa mirada tan penetrante. El aura salvaje que lo rodeaba resultaba un poco amenazadora. Tenía la impresión de estar en la jungla, acorralada por una bestia hambrienta.

—Lo siento —dijo él, devolviendo la mirada al suelo—. No tenía intención de ponerte nerviosa otra vez. Sé que a la gente no le gusta que la mire.

La impasible afirmación hizo que frunciera el ceño. A pesar de la fingida indiferencia, percibía que se sentía dolido.

—A mí no me importa —le aseguró.

—Sí que te importa. Mientes por educación. —Echó a andar de nuevo.

¿Cómo lo había averiguado? Los hombres no solían ser tan intuitivos.

Apresuró el paso para ponerse a su altura.

—¿El mono que tenías en el bar es tu mascota?

Lo vio negar con la cabeza.

—Marvin es dueño de sí mismo. Pero le gusta estar conmigo.

Lo entrañable de sus palabras le arrancó una carcajada.

—Es la primera vez que conozco a alguien que tiene a un mono por amigo.

Wren resopló para expresar su desacuerdo.

—No sé qué decirte. Los dos tíos que estaban contigo eran dos primates en toda regla, pero claro, decir eso es insultar a los primates y no quiero que Marvin se cabree conmigo. Es muy sensible para esas cosas, ¿sabes?

El comentario le hizo gracia.

—Tal vez tengas razón. Pero no son mis amigos, son compañeros del grupo de estudio, nada más.

—¿Por qué estudias con gilipollas?

Tal vez debería sentirse ofendida porque hubiera insultado a su grupo, claro que bien pensado... estaba de acuerdo con él.

—Por costumbre. Conozco a Todd y a Blaine desde que éramos pequeños. No han tenido una vida sencilla y los dos tienen problemas con los vínculos afectivos por culpa de la ausencia y el desinterés de sus padres.

Su explicación para excusar el mal comportamiento de sus compañeros no pareció impresionarlo en lo más mínimo.

—¿Sus padres intentaron matarlos alguna vez?

—No —contestó, pasmada por la simple posibilidad—, ni mucho menos.

—¿Sus madres les dijeron alguna vez que eran abominaciones de la naturaleza que deberían haber servido de alimento para otros nada más nacer?

—Por supuesto que no.

—¿Intentaron venderlos a un zoológico?

Estaba exagerando a propósito y tuvo que hacer un esfuerzo para no poner los ojos en blanco.

—Ningún padre haría tal cosa.

La mirada que le echó Wren le dejó bien claro que era tonta por pensar algo así.

—En ese caso, sus vidas no han sido tan malas, créeme.

Se detuvo y lo dejó caminar a solas. ¿Estaría hablando en serio? No. Estaba quedándose con ella. Seguro. Ningún padre intentaría vender a su hijo a un zoológico. Era absurdo.

Wren estaba diciendo barbaridades para dejar claro su punto de vista.

Echó a correr para alcanzarlo.

—¿Y tus padres? —le preguntó en un intento por seguir con la broma—. ¿Intentaron alguna vez hacer algo de eso?

No le respondió, pero algo en sus ademanes le dijo que tal vez no fuera una conclusión tan desacertada...

No, se dijo para sus adentros. Ningún padre le haría eso a su hijo. Su padre siempre había sido un imbécil de campeonato, pero ni siquiera él había ido tan lejos.

—¿Wren? —lo llamó al tiempo que lo agarraba del brazo para que se detuviera—. Dime la verdad. ¿Es cierto que tus padres intentaron venderte a un zoológico? Vamos. Déjate de coñas.

Se zafó de sus manos con brusquedad.

—Hay una canción de los Dead Milkmen que los Howlers suelen tocar mucho cuando actúan en el Santuario. Se llama «VFW: Veterans of a Fucked Up World».* ¿La conoces?

—No.

—Deberías escucharla. Dice verdades como puños. —Algo extraño pasó por su mirada, como una pesadilla que estuviera intentando olvidar. La profunda tristeza que dejó a su paso la desgarró—. La vida nos deja cicatrices a todos, Maggie. Olvídate de lo que he dicho. Vamos a tu casa para que puedas asearte. —Dio media vuelta y comenzó a andar de nuevo.

Lo siguió mientras se preguntaba cuáles serían esas cicatrices de las que hablaba. Para ser tan joven, sus ojos encerraban la sabiduría propia de un anciano. Una sabiduría que dejaba claro que había vivido mucho más de lo que podía pensarse dados los veintipocos años que aparentaba tener.

—Pues deja que te diga que hablar de esas cosas ayuda. En serio. Es mucho más fácil liberarse del pasado si lo compartes con otra persona.

Wren la miró con una ceja enarcada.

* En español «Veteranos de un mundo bien jodido». *(N. de las T.)*

—Todavía no me has contado nada de tu infancia, Maggie. Y es evidente que no te conozco lo suficiente como para entrar en detalles sobre la mía.

Ahí la había pillado. Ella misma guardaba tanto dolor en su interior que no podía menos que preguntarse por lo que guardaría Wren. Tenía toda la pinta de haberse criado en la calle. Como esos niños a los que sus padres obligaban a buscarse la vida desde la más tierna infancia. Poseía la feroz dureza que los caracterizaba. La expresión cínica de aquellos de los que alguien se había aprovechado antes de abandonarlos.

Y era eso lo que la hacía desear abrazarlo. Aunque después de haber visto cómo las gastaba, sabía que no sería bien recibida. A decir verdad, debía reconocerle el mérito. No era un hombre cruel. Tenía trabajo e iba a la universidad. Eso decía mucho de sus principios morales. Que ella supiera, casi todos los que tenían que apañárselas solos desde pequeños acababan siendo criminales que se cebaban en los demás.

Wren le había salvado la vida y se estaba asegurando de que nadie más la molestara esa noche. Era un ser humano decente.

La condujo hasta Decatur Street, frente a Jackson Square, y allí detuvo al instante un taxi que la llevaría hasta su apartamento, situado a dos manzanas del Zoológico Audubon.

Percibía su mirada sobre ella mientras atravesaban las calles del Barrio Francés, aunque no podía distinguir sus ojos en la oscuridad. La sensación resultaba erótica e inquietante.

Oculto en las sombras, callado y sin moverse, Wren parecía un depredador al acecho que observara su próximo almuerzo. Su completa inmovilidad le ponía los pelos de punta. De no estar segura de lo contrario, habría jurado que hasta dejó de respirar. Era como una estatua humana.

Nerviosa, se limitó a observar de reojo la parte inferior de su rostro a la luz de las farolas. Estar con un hombre que irradiaba esa ferocidad tan atávica sin poder ver su expresión era muy inquietante.

Lo único que rompía el silencio eran los rítmicos acordes del zydeco que sonaba desde el CD. Quería decir algo, pero ya que

Wren no hacía el menor esfuerzo por entablar una conversación, creyó que sería mejor seguir su ejemplo.

Cuando por fin llegaron a su calle, Wren le dijo al taxista que lo esperara mientras la acompañaba a la puerta.

Sus acciones denotaban una extraña ternura, totalmente incongruente con el aura de peligro que lo rodeaba.

—En fin, ya hemos llegado —dijo al tiempo que rebuscaba las llaves en el bolso—. Hogar, dulce hogar.

Nada más abrir la puerta y entrar en la casa, la asaltó la duda de si debía invitarlo a pasar o no. En parte quería hacerlo, pero temía un posible rechazo. Por regla general, los chicos la veían como una amiga, nunca como una chica atractiva. Siempre le había molestado y esa noche no se sentía con fuerzas para lidiar con un rechazo después de lo que le había pasado. Además, quería estar a solas un rato para tranquilizarse.

Wren percibió la incertidumbre de Maggie desde el vano de la puerta. Su parte animal se puso en guardia. Dada su naturaleza, sus instintos lo urgían a atacar a la menor muestra de debilidad, pero con ella era distinto. Quería consolarla.

Y eso le ponía los pelos como escarpias.

—Buenas noches —le dijo a tiempo que se alejaba. Necesitaba apartarse de ella.

—Wren...

Se detuvo para mirarla por encima del hombro.

—Muchas gracias. Jamás podré pagarte por lo que has hecho.

—Tranquila —replicó, asintiendo con la cabeza—. Limítate a no meterte en problemas. —Echó a andar hacia el taxi.

—¿Cuánto te debo por el taxi? —la escuchó gritar.

Alzó una mano y la agitó en el aire a modo de respuesta. Estuvo a punto de soltar una carcajada por el ofrecimiento. ¿Creía que iba a pasarle la factura por haberla acompañado a casa?

Mujeres... jamás las entendería.

Se detuvo al llegar al taxi y se atrevió a mirar por encima del hombro. Maggie estaba todavía en el vano de la puerta. Parecía muy frágil y estaba preciosa. El deseo de besarla era tan fuerte que casi podía sentir el sabor de esos labios carnosos y sensuales. Aunque lo que más deseaba era saborear el resto de su cuerpo. Ansiaba descubrir cada curva y cada aroma…

Sus hormonas estaban revolucionadas. Tenía la sensación de que todo su cuerpo estuviera en llamas, de que hubiera cobrado vida de repente. No sabía muy bien cómo lidiar con todo ello. A decir verdad, esas sensaciones lo asustaban. Si perdiera el control, podría hacerle daño o incluso matarla.

Era fácil imaginársela desnuda. Atrapada bajo su cuerpo mientras la hacía suya no como un animal, sino como un hombre…

¡Vete!, se dijo.

No tenía más remedio que hacerlo. Su lugar no estaba en ese mundo, y mucho menos junto a Maggie.

No había ningún lugar para él. Por mucho que deseara que las cosas fueran de otro modo, jamás cambiarían. Su sino era vivir solo.

Marguerite hizo un gran esfuerzo para no reaccionar a la ardiente mirada con la que Wren acababa de devorarla. Nunca se había sentido tan atraída por un hombre y mucho menos por uno cuyo aspecto era un enigma.

Era absurdo, pero no podía negar las sensaciones que se habían apoderado de su cuerpo. Al menos le podía haber pedido el teléfono o el correo electrónico…

Lo vio meterse en el taxi y cerrar la puerta con tal decisión que el sonido reverberó por su cuerpo.

Observó cómo el taxi se alejaba al tiempo que la invadía un deseo inexplicable de pedirle que volviera. La soledad que irradiaba la había conmovido hasta lo más hondo.

Pero ya era demasiado tarde. Se había ido. Y seguramente jamás volvería a verlo.

Wren estaba sudando por el esfuerzo de mantenerse en forma humana mientras pagaba al taxista a menos de una manzana del edificio de Maggie. Tenía que largarse de ese sitio y volver a casa lo antes posible. Si perdía el conocimiento en forma humana, recuperaría su verdadera forma al instante. Y lo único que le hacía falta era estar sin conocimiento en su enorme forma felina.

Eso le garantizaría una entrada para cualquier laboratorio gubernamental. Había visto demasiados episodios de *Expediente X* y de *Buffy Cazavampiros* como para no saber que ese era el último lugar donde le gustaría estar.

Al amparo de las sombras de la entrada de un garaje, se transportó a Peltier House, más concretamente a la sala de curas de Carson Whitethunder.

Carson, un halcón arcadio, era el veterinario y el doctor de todos los habitantes no humanos que residían en el santuario de Nicolette Peltier... y había muchos. El santuario llevaba abierto unos cien años con la finalidad de ser un refugio para cualquier especie. Los Peltier eran osos katagarios, aunque también había leopardos, panteras, lobos e incluso un dragón. Los únicos que no tenían representación en casa de los Peltier eran los chacales, pero había que tener en cuenta que los chacales eran muchísimo más excéntricos que cualquier otra especie, razón por la que guardaban las distancias con todos los demás.

Como era habitual, Carson estaba en su oficina, leyendo un artículo de medicina. Su apariencia humana era la de un indio americano, herencia de su padre. Siempre llevaba su pelo negro recogido en una larga coleta. Sus cejas negras se cernían sobre unos ojos de un extraño tono castaño verdoso. Esa noche llevaba un jersey de cuello vuelto de color verde oscuro, una americana y unos vaqueros.

Se acercó a la oficina y llamó a la puerta de cristal antes de abrirla.

Carson alzó la vista.

—Un momento, Wren.

Lo intentó, pero le fallaron las piernas. Al instante recuperó su verdadera forma, mitad tigre blanco, mitad leopardo blanco. Una forma que lo asqueaba. Normalmente solía elegir una de las dos, pero herido como estaba...

No pudo hacer nada.

Carson soltó un taco mientras se ponía en pie y se acercó a él a la carrera.

—¿Qué ha pasado?

No podía responderle. Estaba intentando mantenerse consciente, pero en cuanto le tocó la herida y el dolor se extendió por su cuerpo, lo engulló la oscuridad.

Carson soltó otro taco al ver la sangre que cubría completamente la parte inferior del torso de Wren. Se sacó el teléfono del bolsillo para mandarle un mensaje a su ayudante.

«Margie, sube a la sala de curas. Parece que han disparado a Wren.»

También avisó a unos cuantos osos para que lo ayudaran a subirlo a la mesa de operaciones. Aunque su naturaleza dual le otorgaba una fuerza superior a la de los humanos, Wren era demasiado grande y pesaba casi cuatrocientos kilos en su forma animal. Ni de coña podría levantar al gigantesco gato sin ayuda.

Papá Peltier fue el primero en aparecer. Sus dos metros y trece centímetros de altura en forma humana le conferían una presencia imponente. Llevaba el pelo suelto y los rizos rubios enmarcaban un rostro que aparentaba una edad humana de cuarenta años. En realidad, el oso se acercaba a sus quinientos años de vida. Ataviado con una camiseta azul marino y unos vaqueros, su aspecto era hosco y fornido... el tipo de hombre o de oso al que solo un imbécil se enfrentaría.

Frunció el ceño al ver al tigre en el suelo.

—¿Qué coño ha pasado?

—No lo sé —contestó él mientras presionaba la herida de Wren con una venda—. Es una herida de bala, está claro. No tengo ni idea de lo que le ha pasado. Llamó a la puerta y se cayó redondo al suelo.

Un segundo después llegaron tres de los cuatrillizos y lo ayudaron a dejar a Wren en la mesa de operaciones. Margie apareció al instante y comenzó a preparar el instrumental quirúrgico.

Margie Neely era una de las pocas personas que sabían lo que eran realmente los habitantes del Santuario. Era una pelirroja bajita que había trabajado en el bar como camarera hasta que descubrió a los katagarios por casualidad. Aceptó las cosas con tal tranquilidad que la acogieron como a un miembro más de la familia y le pagaron los estudios para que se convirtiera en su ayudante.

Dev Peltier, que al igual que sus hermanos era una copia más joven de su padre, se apartó de Wren para dejarle sitio.

—Se enzarzó en una pelea esta noche con unos humanos —dijo—. Los separé y los envié a casa. No creerás que uno de ellos volvió y le disparó, ¿no?

—Qué va —contestó Rémi, otro de los cuatrillizos, mientras se apartaba de la mesa sobre la que descansaba Wren—. Eran unos pijos de mierda. No se arriesgarían a perder sus fideicomisos de esa manera.

Dev suspiró.

—Tratándose de Wren, vete tú a saber a quién ha cabreado. Al menos sabemos que fue un humano. Ni los katagarios ni los arcadios utilizarían una pistola. Nadie se rebajaría de esa manera.

Papá Peltier le dio la razón asintiendo con la cabeza.

—Vamos, chicos, dejemos que Carson haga su trabajo y ya descubriremos lo que pasó cuando Wren se despierte.

Los osos se marcharon mientras él se lavaba las manos.

Vio a Margie rozar el costado de Wren durante los preparativos de la operación y este se despertó con un salvaje rugido y la atacó.

Ella se apartó al punto y soltó un taco mientras se acercaba el brazo herido al pecho.

Miró a Wren con el ceño fruncido al darse cuenta de que acababa de desgarrarle el brazo.

—Joder, tigre —masculló justo antes de inyectarle un tranquilizante. Wren no cejó en su intento de atacarlos hasta que el medicamento le hizo efecto—. Menudo carácter tienes…

—Estoy bien —le aseguró Margie, que en ese momento se estaba envolviendo el brazo herido con una toalla—. La culpa ha sido mía. No me di cuenta de que podría volver en sí. Debería haber estado más atenta.

Se acercó a inspeccionar el daño que Wren le había ocasionado y meneó la cabeza. Definitivamente la herida iba a necesitar puntos.

—Tenía que haberte advertido. Los felinos son extremadamente feroces cuando están heridos. Por regla general evitan a los demás, y se sabe que son capaces de destrozar a cualquiera que se les acerque.

—Ya, estaba en el bar cuando los humanos le tiraron la bebida a la cara. Todavía no sé cómo Justin y Colt se las arreglaron para apartarlo de esos chicos antes de que se abalanzara sobre ellos.

—Cada día es más inestable —dijo con un suspiro—. No sé hasta cuándo podrá seguir aquí.

Margie alzó la vista y se percató de la preocupación que se reflejaba en sus ojos.

—Eso fue lo que dijo Nicolette después de decirle a Wren que se metiera en casa. Si vuelve a reaccionar de ese modo, lo echará del santuario.

—Que los dioses se apiaden de él en ese caso —rogó al tiempo que lo miraba de nuevo—. Lo mejor que podemos hacer es quitarle sus poderes y dejarlo en una selva tropical del pasado. Probablemente eso es lo que deberían haber hecho en lugar de traerlo aquí.

—Nicolette ya está encargándose de los preparativos. Puesto que su padre enloqueció, está convencida de que Wren sufrirá el mismo destino.

Clavó los ojos en Wren con el corazón en un puño. Lo conocía desde hacía casi veinte años, cuando lo llevaron al santuario. La violenta y macabra muerte de sus padres había tenido lugar justo cuando él entraba en la pubertad, lo que le dejó traumatizado. Sus poderes en aquella época eran inestables y poco fiables. No obstante, también eran demasiado grandes como para que cualquiera de ellos pudiera quitárselos, sobre todo porque nunca bajaba la guardia. Puesto que no confiaba en nadie, no permitía que nadie se le acercara y, en consecuencia, no encontraron el modo de controlarlo.

Sin embargo, a esas alturas...

A esas alturas Wren había bajado la guardia entre ellos. Al menos la mayor parte del tiempo. Sería fácil pillarlo desprevenido y quitarle los poderes.

Ese era el último recurso entre los miembros de su especie. Se reservaba para aquellos que eran incapaces de pasar desapercibidos en el mundo humano. O para los que amenazaban con sacar a la luz la existencia de los arcadios y katagarios.

Wren jamás había querido mezclarse con los humanos. Se enorgullecía de ser un inadaptado y un proscrito. A nadie le importaba, puesto que hacía su trabajo en el bar y jamás intentaba hablar con los humanos.

Esa noche todo había cambiado. Había ido tras una humana. El contacto con las humanas no estaba prohibido. Muchos tenían amantes humanas de vez en cuando, pero debían ser muy cuidadosos a la hora de elegirlas.

Si la indiscreción de Wren los ponía en peligro, no les quedaría alternativa.

Lo sacrificarían sin pensárselo dos veces.

3

—Joder, tigre. ¿Qué coño has estado haciendo? Aparte de dejar que te disparen, claro está.

Wren, que seguía en forma de tigardo, abrió los ojos cuando Dev entraba en su dormitorio. Le echó un vistazo al despertador que descansaba en la mesita de noche y vio que solo era mediodía. Demasiado temprano para que se levantara, sobre todo estando malherido.

Le sorprendió mucho que el oso estuviera despierto y hubiera entrado en su dormitorio en forma humana a esas horas. La mayoría de los katagarios tenía dificultades para mantenerse en forma humana durante el día. De modo que por regla general eran criaturas nocturnas.

Además de todo eso, le extrañó que entrara en su habitación porque los habitantes del santuario sabían que a los tigres no les gustaba que los molestaran, mucho menos cuando estaban durmiendo.

Sin cambiar de forma, alzó la cabeza de la almohada y siguió con la mirada a Dev mientras este se acercaba a la cómoda. Le gruñó a modo de advertencia, pero el oso pasó de él por completo y se limitó a dejar un enorme ramo de flores sobre el mueble.

En ese momento intentó cambiar de forma sin moverse de la cama, pero todavía estaba muy dolorido. De modo que acabó soltando un rugido amenazador.

—Tranquilo, tigretón —dijo Dev, claramente irritado—. Si alguien tiene derecho a estar cabreado, somos nosotros. ¿Has captado el detalle de que soy yo quien está en forma humana? A ver si te crees que me gusta estar despierto y caminando sobre dos piernas a estas horas...

Ahí llevaba razón.

—¿Y sabes por qué estamos levantados?

Como si le importara... Si estuviera en forma humana, habría estado mirando con sorna al oso.

Dev, que claramente no acababa de descifrar de qué humor estaba, titubeó antes de contestar a su propia pregunta.

—Porque creímos que estas flores eran para Aimée. Nadie ha visto a unos osos moviéndose tan rápido como lo hemos hecho nosotros cuando *maman* nos ha dicho que acababa de llegar una camioneta de reparto cargada de ramos de flores. Estábamos a punto de rifar la caja de las hostias entre los clientes cuando el repartidor nos dijo que eran para ti... —Se acercó a la cama y se sacó una tarjeta de uno de los bolsillos traseros de los vaqueros—. Dice: «Gracias por lo de anoche». —Su expresión se tornó burlona—. A ver, confiesa. ¿Has encontrado por fin a alguna desesperada a quien echarle un polvo rápido?

Comenzó a gruñir a modo de respuesta y el oso se alejó de la cama de un salto con los ojos entrecerrados.

—O controlas ese genio o lo controlamos nosotros. Me da igual que estés herido, paso de tonterías.

—*Lo mismo digo, gilipollas* —dijo de forma telepática.

Dev lo miró sorprendido.

—¡Vaya! El tigre acaba de soltar una frase completa con polisílabas y todo. ¿Quién iba a imaginarlo? Quienquiera que fuese la afortunada, debía de tener mucho talento para que haya conseguido hacerte hablar. No me extrañaría que su próxima hazaña sea resucitar a los muertos. Voy a llamar a algún Cazador Oscuro. Seguro que a alguno le interesa resucitar de nuevo.

Gruñó otra vez, pero antes de que pudiera abalanzarse sobre el oso, cuatro de sus hermanos entraron en el dormitorio con más ramos de flores. Con muchísimos ramos de flores. Al cabo de unos minutos su habitación parecía una sala de velatorios.

En cuanto las flores estuvieron colocadas alrededor de la cama y sobre la cómoda, los osos se marcharon salvo Dev y Serre, su hermano pequeño, que se detuvo a los pies de la cama para mirarlo al tiempo que meneaba su rubia cabeza.

—Tío, estoy impresionado. Ninguna mujer me ha dado las gracias con flores.

Dev resopló.

—No es para tanto. Creo que no se las ha mandado para darle las gracias. Para eso habría bastado un ramo. Tantos significa que lo dio por muerto. Que pensó que iba a matarlo. —Echó un vistazo a su alrededor con expresión interrogante—. Mmm... No sé, no sé. Se llevó el tigre al huerto, pero la dejó a medias. Lo que necesita es un oso.

En ese momento se abalanzó sobre él, pero antes de que pudiera alcanzarlo, Serre apartó a su hermano.

—Corta ya, Dev. No creo que quieras interponerte entre el tigre y su mujer.

—¿Por qué no?

Wren se mantuvo agazapado y listo para saltar. Esa vez no pensaba fallar.

—¡Por eso! —masculló Serre. Sacó a su hermano de la habitación a empujones y se giró para mirarlo—. Descansa, tigre. Ya te guardamos nosotros las espaldas.

Volvió a tenderse mientras el oso cerraba la puerta, pero los escuchó hablar en el pasillo.

—¡Madre mía, Dev! ¿Es que se te ha ido la olla? ¿¡Cómo se te ocurre cabrear a un tigre que está como un cencerro!? Un poco más y se pone a echar espumarajos por la boca. La gente va a creer que está rabioso.

—Sí —admitió Dev con sorna—, pero pincharle es como tirarle carne a Kyle. Casi se me saltan las lágrimas de la risa.

Serre chasqueó la lengua, disgustado.

—Podrías dejar de tirarle carne a Kyle cuando está en la barra. El pobre es incapaz de resistirse. Cuando menos te lo esperes, cambiará de forma, a *maman* le dará un ataque y los demás tendremos que controlar a la clientela y asegurarnos de que no recuerdan haber visto a un tío transformarse en un animal. Nos tienes ya un poquito hartos con la broma.

—Ya, pero es que no puedo evitarlo.

El gruñido amenazador que Serre le lanzó a su hermano llegó a oídos de Wren.

—Como no te controles, papá acabará haciéndote pedazos cualquier día de estos.

—Pero hasta que llegue ese día, pienso seguir partiéndome el culo a vuestra costa.

Serre suspiró.

—Hasta entonces, haznos el favor de mantenerte alejado del tigre. Sé que has hecho todo lo imaginable en forma humana... y en forma animal hasta lo que se escapa a la imaginación, pero esta chica es distinta en lo que a Wren se refiere. Controla la libido por una vez en tu vida y limítate a tirarte a alguna de tus habituales.

—¿Es que estás mal de la cabeza? A ver si te crees que me gusta la Barbie Universitaria Pija. Joder. Acabaría con un trozo de sus chinos en los dientes. ¿Te lo imaginas? En la vida me he puesto unos chinos y no pienso estar con ninguna mujer que los lleve. Me dan repelús.

Sus voces se alejaron hasta perderse en la distancia. Wren se dejó caer en la cama aliviado al comprender que Dev solo estaba haciendo el gilipollas, como de costumbre, y que pasaba de Maggie. Eso le había salvado la vida.

Claro que él también debería pasar de ella. ¿Qué tendría la chica?

Daba igual lo que tuviera. No pensaba volver a verla. Tal vez estuviera como un cencerro, pero no tenía tendencias suicidas. Mezclarse con una humana no le acarrearía nada bueno. Nada.

En cuanto acabó la última clase, Marguerite puso rumbo al Barrio Francés. Había cancelado su cita con el grupo de estudio porque quería ver a Wren. Quería darle las gracias en persona por haberla salvado.

Era lo menos que podía hacer.

Cuando llegó al Santuario ya eran las seis y acababa de oscurecer. Echó un vistazo al sombrío interior del bar y vio que un tío moreno y alto estaba atendiendo las mesas. Con el pelo grasiento y el cuerpo lleno de coloridos tatuajes no podía decirse que fuera muy atractivo…

No encontró ni rastro de Wren mientras echaba un vistazo al local, pero sí vio a la camarera de la noche anterior, caminando con la bandeja cargada de bebidas.

Se acercó a ella y dejó que sirviera las bebidas a los clientes, que se la estaban comiendo con los ojos.

—Hola —la saludó cuando se apartó de la mesa—. ¿Wren trabaja esta noche?

La chica la miró con expresión ceñuda, como si fuera la peor de las alimañas.

—Eres la que estuvo aquí anoche con esos dos capullos.

El comentario hizo que se sonrojara.

—Sí, y siento mucho lo que pasó.

—Ya te vale. Metiste a Wren en un buen lío.

La información le provocó un nudo en el estómago.

—No era mi intención. Por favor, dime que no lo despidieron por eso. Él no tuvo la culpa de nada. Yo tampoco sabía que iban a ponerse así.

La chica siguió mirándola con recelo.

—Mira, lo siento mucho, de verdad. —Alzó el regalo que llevaba en las manos—. Solo quería darle esto a Wren como agradecimiento, ¿vale?

—¿Agradecimiento?

Se le cayó el alma a los pies al darse cuenta de que no pensaba ayudarla. Y luego se extrañaban de que fuera tan tímida… Costaba mucho abrirse a los demás cuando la gente podía ser tan brusca y desagradable. Desde luego que lo más fácil era estar sola.

—Por favor, lo único que te pido es que se lo des a Wren.

Estaba dando media vuelta para irse cuando la chica la detuvo.

—Oye, ¿estabas anoche con Wren cuando le dispararon?

La pregunta la dejó helada. ¿Había escuchado bien?

—¿Cómo dices?

—No importa —dijo la rubia al tiempo que echaba a andar con la bolsa en la mano—. Me aseguraré de que esto llegue a sus manos.

En esta ocasión fue ella quien detuvo a la camarera, muerta de preocupación. Wren no podía estar herido. Evidentemente se habría dado cuenta si el disparo lo hubiera alcanzado.

—¿Qué has querido decir? —le preguntó—. Wren no estaba herido anoche. La bala no lo alcanzó, ¿verdad?

La expresión de la chica confirmó sus peores temores. La bala sí lo alcanzó.

—¿Qué le pasó? —quiso saber Aimée.

Tragó saliva, sofocada por la culpa.

—Me estaban asaltando cuando él apareció de la nada y consiguió espantar a los ladrones. Uno de ellos sacó una pistola y disparó, pero Wren me dijo que no estaba herido. No vi ninguna herida. —De haber recibido un balazo, habría visto la herida, ¿no?

De haber estado herido de gravedad, habría dicho algo. Al fin y al cabo, ningún hombre recibía un disparo sin decir ni pío…

—¿Wren te salvó? —le preguntó la chica como si no lo creyera capaz de tal cosa.

Le contestó asintiendo con la cabeza.

—La bala lo rozó sin más, ¿verdad?

—No —contestó la camarera rotundamente—. Estuvo a punto de morir.

La noticia le revolvió el estómago. Aquello no podía ser real. Esa chica estaba tomándole el pelo.

—¿En qué hospital está?

Se percató de que la chica se debatía consigo misma entre si contestarle o no, aunque no podía culparla. ¡Madre del amor hermoso! En una sola noche había logrado que insultaran a Wren, que lo atacaran y que le dispararan. No, ¡en menos de una hora! El pobre no querría volver a verla en la vida.

Aimée entrecerró los ojos al tiempo que retrocedía unos pasos.

—Tú eres la que le has mandado todas esas flores, ¿verdad?

—Sí. Y si hubiera sabido que estaba herido, habría enviado muchas más.

Eso pareció hacerle gracia.

—Espera —le dijo, devolviéndole la bolsa antes de conducirla a una puerta situada tras la barra—. Espera aquí. No tardo.

Asintió con la cabeza, consciente de las miradas hostiles que los camareros que atendían la barra le estaban lanzando. Iban vestidos con camisetas y vaqueros y, aunque eran guapos, había algo muy peligroso en ellos. Parecían enfadados por su presencia tan cerca de la barra, aunque no entendía el motivo.

A menos que supieran lo de Wren y le echaran la culpa de lo sucedido.

Nerviosa e insegura, se giró y vio al tío moreno del pelo largo. Justin, si no le fallaba la memoria. Al igual que los otros, la estaba mirando con cara de pocos amigos mientras colocaba en silencio los vasos limpios.

Aimée tardó lo que le pareció una eternidad en regresar y le indicó que la siguiera por la puerta.

—Ven conmigo.

Suspiró aliviada mientras la chica la conducía a una amplia cocina de aspecto industrial. Había cinco cocineros revoloteando sobre las ollas y los hornos, y otros dos lavando platos en un enorme fregadero. Nadie les prestó la menor atención.

Al menos hasta que dejaron atrás las largas mesas de acero inoxidable y llegaron a otra puerta, emplazada en el otro extremo de la estancia. Frente a ella había un tío rubio que no parecía muy contento con la idea de que la camarera la invitara a pasar. Aunque era idéntico al que los echó del bar la noche anterior, no pareció reconocerla.

—¿Qué haces, Aimée? —le preguntó con voz amenazadora.

—Quítate de en medio, Rémi.

—Y una mierda.

Aimée colocó los brazos en jarras.

—Quítate o te doy una patada donde más te duela, hermanito.

El tipo la miró con los ojos entrecerrados.

—No me asustas, guapa. Podría arrancarte la cabeza de cuajo sin despeinarme.

—Y yo podría dejarte lisiado… para los restos —lo amenazó, bajando la vista hacia su entrepierna—. Muévete o te los pongo de corbata.

El tal Rémi se apartó a regañadientes.

—No le hagas caso —le dijo Aimée mientras abría la puerta—. La expresión enfurruñada viene de serie. Aunque te resulte increíble, está mucho mejor así. Cuando sonríe, da repelús.

Confundida, siguió a Aimée mientras la conducía por un salón decorado con muebles antiguos. La casa era preciosa. Tenía la extraña sensación de haber viajado al pasado o algo así. No había ningún objeto moderno en la estancia. Nada de nada.

Clavó la mirada en la puerta que acababan de dejar atrás y vio que estaba equipada con cinco cerrojos de seguridad y con un sistema de alarma que podría rivalizar con el de la NASA.

Vale, eso sí era moderno. Pero salvo por dichos objetos, era como caminar por un plató decorado para una película de época.

Subieron a la planta alta por una escalera con pasamanos tallado y descubrió un pasillo flanqueado por numerosas puertas de caoba. Aimée se detuvo al llegar a la mitad del pasillo y llamó a una de las puertas antes de abrirla.

—¿Estás visible? —preguntó, ocultando la rendija con su cuerpo para evitar que viera el interior de la estancia.

No hubo ninguna respuesta.

—En fin, tienes visita. Así que compórtate como un ser humano un ratito, ¿vale? —Tras un breve momento de incertidumbre, se apartó y abrió la puerta de par en par—. Estaré aquí hasta que acabéis. Llámame si necesitas algo. —Y añadió en voz baja—: Un cura, un poli, un domador de leones…

El extraño comentario hizo que frunciera el ceño, pero bueno, ya estaba acostumbrada a que la gente fuera un poco rara en ese sitio.

Pasó junto a Aimée para entrar en la habitación y se quedó de piedra al ver a Wren en un largo camastro, arropado con una colcha negra a juego con las cortinas que ocultaban las ventanas.

Estaba más blanco que el papel. Las flores que le enviara esa mañana descansaban en una cómoda y en el suelo, pero aparte de eso no había nada personal en el dormitorio que lo identificara como suyo. Parecía una simple visita pasajera que se marcharía al cabo de un par de noches.

El corazón se le disparó mientras se acercaba a la cama. Wren respiraba con dificultad y tenía el hombro y la parte superior del torso vendados. Su desnudez, aunque quedaba cubierta de cintura para abajo por la colcha, dejaba patente la excelente forma física de su torso y sus brazos. Sus músculos estaban tonificados y lucía una buena tableta de chocolate... No tenía vello salvo por una delgada línea oscura que partía del ombligo y desaparecía bajo la colcha.

Sin embargo, lo que más llamó su atención fue el dolor que estaba sufriendo.

Se arrodilló junto a la cama, asaltada por la culpa. Ella tenía la culpa de que estuviera así. Toda la culpa.

—¿Por qué no me lo dijiste?

Wren no le contestó. En cambio, alargó un brazo y le apartó un mechón de pelo de la cara.

—No deberías haber venido, Maggie.

El tacto de su mano era áspero. A diferencia de las de los chicos que conocía, que incluso se hacían la manicura, sus manos estaban acostumbradas al trabajo duro.

—Quería darte un regalo de agradecimiento por lo de anoche.

Wren paseó la mirada por las flores que inundaban el dormitorio. Los osos y algunos katagarios llevaban todo el día dándole la brasa sin piedad por su culpa. Pero pasaba de ellos. Para él, esas flores no tenían precio.

Porque nadie le había regalado nada hasta ese momento. Nadie.

Hizo ademán de incorporarse, pero Maggie lo detuvo.

—No deberías moverte.

La preocupación que reflejaba su rostro lo desarmó.

—Estoy bien.

—No —replicó ella, señalando un lugar de la venda donde

acababa de aparecer una nueva mancha de sangre—. ¿Lo ves? Estás sangrando. ¿Quieres que llame a alguien?

Negó con la cabeza.

—Ya parará.

Esos preciosos ojos castaños lo miraron con incertidumbre y cierto enfado.

—Es increíble que no me dijeras que estabas herido. ¡Podías haber muerto!

Resopló para restar importancia al comentario.

—Ya me han disparado demasiadas veces como para saber cuándo una herida no es mortal.

Sus palabras la dejaron pasmada. ¿Estaría hablando en serio? Con él nunca se sabía. Tenía la costumbre de soltarle cosas en medio de una conversación que pondrían los pelos de punta de ser ciertas, y su forma de decirlas, como si fueran lo más normal del mundo, le hacía creer que tal vez no estuviera mintiendo.

—¿Quién te ha disparado?

En lugar de responderle, se alzó sobre un codo. Las rastas le taparon los ojos y ocultaron su rostro. Comenzaba a sospechar que lo hacía a propósito para poder observar el mundo sin ser observado a su vez.

De todas formas, se percató de la gota de sudor que le caía por la sien a causa del esfuerzo de mantenerse despierto.

—No me quedaré mucho —le dijo y le tendió la bolsa que llevaba en la mano.

Wren la miró como si fuera un objeto alienígena. En realidad fue un gesto muy cómico. Cualquiera diría que era la primera vez que le regalaban algo…

—¿Qué es eso? —preguntó.

—Ábrelo.

Creyó atisbar una expresión ceñuda en su rostro mientras cogía el papel de seda y se lo acercaba a la cara. Como si estuviera disfrutando de su tacto…

—¿Qué haces? —le preguntó con curiosidad.

Lo observó soltar el papel en silencio antes de meter la mano otra vez en la bolsa para sacar la sudadera gris. Sonrió al ver la extrañeza que reflejó su rostro.

—Sé que me dijiste que estudiabas en la UNO, pero no te veía con su logo del pirata. Entonces vi el tigre de la Universidad Estatal de Luisiana y no pude resistirme. Sé que es un poco raro, pero siempre me han chiflado los tigres y sabía que te quedaría genial.

Lo vio ladear la cabeza como si sus palabras lo hubieran dejado pasmado o le resultaran curiosas.

—Gracias, Maggie.

Escuchar el diminutivo de sus labios le provocó un escalofrío. Le encantaba su forma de pronunciarlo, tan segura, ronca y tierna. Como si fuera un apelativo cariñoso.

—¿Necesitas algo? —se ofreció.

Wren se tensó por la pregunta y en más de un sentido... Lo único que necesitaba de ella era justo lo que no podía pedirle. Que se metiera desnuda en la cama con él. Y eso le provocaba una extraña e insoportable presión en el pecho.

—No, estoy bien.

—¿Seguro? Si quieres...

—¡Aimée! —exclamó, interrumpiéndola.

La puerta se abrió al instante y tras ella apareció la osa. Su mirada los recorrió a ambos mientras se acercaba a la cama.

—Tiene que irse —dijo él.

La vio asentir con la cabeza antes de alargar el brazo para ayudar a Maggie a levantarse, pero esta se zafó de su mano.

—Wren...

—Necesito descansar, Maggie. Por favor.

La evidente tensión de su voz la hizo titubear. ¿Cómo iba a rebatir su excusa? Estaba sufriendo un dolor atroz por haberle salvado la vida cuando la mayoría de los hombres le habría dado la espalda sin más.

—Vale. —Se inclinó hacia la cama y lo besó con cuidado en la mejilla.

El deseo que lo inundó lo dejó sin aliento. Le costó la misma vida no tirar de ella y meterla en la cama.

Antes de ser consciente de lo que hacía, alzó las manos y la atrapó por la cabeza justo cuando se alejaba. La besó en los labios y la dulzura del contacto, la suavidad de su piel, le arrancó un gruñido. Era la primera vez en su vida que tocaba a una mujer, pero no podía imaginar que hubiera otra tan dulce como ella. Era increíble.

Porque sus labios eran suaves, tentadores y acababan de despertar en él un deseo voraz que solo ella podría satisfacer. Un deseo que lo asustaba y lo excitaba en la misma medida, de una forma que jamás habría creído posible.

No debería estar sintiendo nada de eso. No por una humana. Ni por nadie.

Que los dioses se apiadaran de ellos si era incapaz de controlar sus emociones.

Marguerite gimió al experimentar el feroz roce de la boca de Wren. La caricia de su lengua le provocó un escalofrío. Olía a pachulí y a antibiótico. Pero sobre todo, olía a hombre puro y duro. A noches de deliciosos placeres que se moría por saborear.

Sin embargo, se apartó de ella con una especie de gruñido.

—Vete, Maggie. Antes de que sea demasiado tarde.

Sus palabras la confundieron por completo.

—Tarde... ¿en qué sentido?

—Aimée —lo escuchó decir entre dientes al tiempo que desviaba la mirada de ella.

La camarera la apartó de la cama.

—Vamos, Maggie. Es cierto que necesita descansar.

Wren las siguió con la mirada mientras se marchaban. La separación le partió el corazón. Tenía el olor de Maggie impregnado en la piel. Un olor que lo embriagaba y despertaba a la bestia que llevaba dentro hasta hacerla rugir por el deseo de marcarla como suya. La deseaba con una fuerza casi irresistible.

Se llevó la mano a la entrepierna. La tenía dura y palpitante. En la vida había deseado nada con tanto ahínco como deseaba en esos momentos pasar una noche con ella.

Sin embargo, era imposible y lo sabía muy bien.

Maggie era humana y él era un animal... en más de un sentido. Jamás podría fiarse de sí mismo si se acercaba a una mujer. Si se acercaba a alguien. Podría convertirse en una bestia salvaje en un abrir y cerrar de ojos. Era la maldición de los suyos. Era la maldición de su estirpe.

Su propia madre había acabado atacando a su padre.

Suspiró mientras miraba la sudadera gris que le había regalado Maggie. Sintió la sonrisa que asomaba a sus labios y la sorpresa que el gesto le produjo. No recordaba la última vez que había sonreído. Joder, ni siquiera tenía muy claro haberlo hecho alguna vez.

Un sentimiento desconocido hasta entonces se abrió paso en su pecho. Un sentimiento para el que no tenía nombre. Se llevó el papel de seda a la nariz. Aún guardaba rastros del suave perfume de Maggie. Lo arrugó en una mano al tiempo que lo asaltaba una poderosa oleada de deseo.

Apartó el papel y cogió la sudadera mientras se tendía en la cama.

Alguien llamó a la puerta.

Contuvo el aliento en espera de que fuera Maggie otra vez, pero no se trataba de ella, sino de Aimée.

—¿Estás bien, cachorro?

Asintió con la cabeza. Aimée era la única a la que le permitía llamarlo así. Porque no lo usaba como un insulto, sino como un apelativo amistoso. Ella era la única de toda la gente y de todos los animales del santuario que se comportaba de forma medianamente cordial con él. Pero también le tenía miedo, como los demás. Estaba asustada incluso en ese momento, aunque intentaba disimularlo.

La observó cruzar la habitación y cuando se percató de que iba a coger el papel de seda y la bolsa, dejó escapar un siseo de advertencia y un gruñido. La osa se enderezó al instante.

—Pensé que querrías que los tirara.

—No.

—Para que lo sepas, la he mandado a casa —le dijo, alzando las manos en un gesto de rendición.

Allí era donde debía estar, pero la simple idea le partió el corazón. No quería que Maggie se fuera a su casa. Quería…

La quería a su lado.

¿Podía ser más absurdo?

—¿Por qué no le has devuelto la mochila? —escuchó que Aimée le preguntaba con tono inocente.

Desvió la mirada hacia el rincón donde descansaba la mochila de Prada. Maggie se la había dejado en el bar, debajo de la mesa, durante el alboroto de la noche anterior. Fue Aimée quien la encontró poco después de que se fuera, según le había dicho esa mañana. En cuanto se lo dijo, le ordenó que la dejara en su dormitorio. No quería que nadie tocara un objeto tan personal.

—Se me ha olvidado.

Aimée asintió con la cabeza.

—¿Quieres que...?

—¡No!

La osa le lanzó una mirada acerada.

—A ver si controlas un poco ese genio tuyo, cachorro. Ya sabes lo que ha dicho *maman*.

Le devolvió la mirada con otra de su cosecha.

—No quiero tu olor en sus cosas, ¿queda claro?

Aimée puso los ojos en blanco.

—Los gatos sois unos bichos raros. No sé quién es más territorial, si los lobos o vosotros. Que Artemisa nos proteja de los dos.

La siguió con la mirada mientras cruzaba el dormitorio y cerraba la puerta despacio. En cuanto estuvo solo se llevó la sudadera al pecho y cerró los ojos para recordar el rostro de Maggie. Nick tenía razón, era una chica preciosa. Por fin comprendía lo que Nick quería decir cuando afirmaba que era una chica «de las que valía la pena». Porque lo era, de los pies a la cabeza.

Y él solo era una mierda cuya vida no valía nada.

Sí. Su vida no valía nada. Él no valía nada. Porque siempre destruía lo que tocaba.

Dolorido por esa verdad, dejó que su forma humana desapareciera hasta transformarse en un tigre y clavó la mirada en la enorme garra blanca que descansaba sobre la sudadera. Daría cualquier cosa por ser un humano normal y corriente. Claro que no era de extrañar, porque daría cualquier cosa por ser lo que fuera con tal de librarse de su verdadera naturaleza.

Lo único que siempre había querido era encontrar un lugar en el mundo. Cualquiera le valdría. Pero no estaba destinado a encontrarlo.

En parte ardía en deseos de hacer jirones la sudadera para apartarla de su vista, pero otra parte de sí mismo se lo impedía. Maggie se la había regalado. Se había tomado la molestia de llevársela en persona. Era un regalo. Un regalo de verdad, y lo atesoraría como tal.

Cuando cerró los ojos, descubrió que todavía sentía el sabor de su beso. Y su olor. Seguía impregnado en su piel.

Que los dioses se apiadaran de él. Porque ansiaba mucho más.

Marguerite era incapaz de olvidar el sabor de los labios de Wren. Ningún otro hombre la había besado de ese modo. De un modo pecaminoso y erótico. Sensual. Posesivo y ardiente.

Sin embargo, Wren no era el tipo de hombre en el que debería estar pensando. Era un simple ayudante de camarero. A su padre le daría un ataque si llegaba a enterarse de que había hablado con alguien así. Y si llegaba a enterarse de que lo había besado...

No obstante, eso le daba igual. Porque Wren era maravilloso.

—Y me salvó la vida —añadió entre dientes. Ni Blaine ni Todd lo habrían hecho y, aunque estuviera equivocada, sabía que jamás la habrían acompañado a casa con una herida de bala. Se habrían echado al suelo y habrían pedido a gritos una ambulancia y el mejor cirujano de la Clínica Mayo que sus fortunas pudieran pagar.

Wren, en cambio, no había dicho ni pío sobre su herida. Claro que tampoco podía decirse que fuera muy hablador... De hecho, no conocía a nadie más reservado que él. De todas formas, jamás se había sentido tan atraída por un hombre. Sus silencios comunicaban más cosas que las miles de palabras de cualquier otro.

No pudo evitar preguntarse si parte de su atractivo radicaba en el hecho de que fuera socialmente inaceptable a ojos de su padre. Era fácil imaginarse lo que pasaría si los presentaba: «Hola, papá, te presento a mi novio. Sé que necesita un buen corte de pelo y que trabaja en un bar de moteros, pero ¿a que es genial?».

Su padre caería fulminado por un infarto.

De todas formas, aún tenía el sabor de los labios de Wren en la boca. Aún sentía el firme tacto de sus manos cuando le aferró la cabeza para besarla a placer.

¿Cómo era posible que alguien la excitara tanto?

—Quítatelo de la cabeza.

Sí, eso era más fácil de decir que de hacer. Estaba deseando volver al bar para verlo de nuevo.

—No puedo.

Por mucho que le gustara Wren, quería a su padre, y este jamás de los jamases aceptaría que saliera con alguien como él. No podía hacerle algo así aunque fuera un hijo de puta narcisista más preocupado por sus votantes que por su hija. A pesar de todo, seguía siendo su padre y desde que su madre se suicidó era la única familia que le quedaba.

No podía ver más a Wren. No podía. Por mucho que esos sentimientos que albergaba en su interior se rebelaran e insistieran, su relación había acabado.

4

Marguerite metió los libros en la mochila que le habían prestado. Aún no había encontrado su Prada. No sabía dónde la había metido. Había mirado en el departamento de objetos perdidos de la biblioteca un montón de veces. No solía perder las cosas así como así.

Se levantó del escritorio y se marchó a la biblioteca, donde había quedado con el grupo de estudio.

Salió del edificio y atravesó el césped sin prestar atención a su alrededor hasta que escuchó que alguien la llamaba. Una voz masculina tan grave y ronca que le provocó un escalofrío.

Solo conocía a una persona con semejante voz. Solo había una persona que la llamara Maggie…

Se detuvo y se giró para ver a Wren acercándose. Esa forma de caminar, tan masculina y elegante, la excitó. Llevaba unos vaqueros desgastados con agujeros en las rodillas, botas negras de motero y una camiseta negra debajo de una deslustrada camisa de cuadros roja y negra, que se había dejado desabrochada.

Jamás había conocido a nadie que vistiera con tanta dejadez y, sin embargo, esa ropa le otorgaba un aspecto muy juvenil. Aunque estaba claro que no era un yogurín, porque saltaba a la vista que estaba macizo. Cosa que había comprobado de primera mano, ya que lo había visto sin camisa. Además, irradiaba una confianza en sí mismo que indicaba que era mayor de lo que parecía a simple vista.

Se detuvo delante de ella, pero dejó una mano oculta tras la espalda. Su presencia era tan imponente que sintió un escalofrío. Era mucho más alto que ella, y esos ojos...

A veces no parecían del todo humanos.

—¿No es un poco pronto para que estés recuperado? —preguntó.

Wren se encogió de hombros con una indiferencia que ella no compartía.

—Ya te dije que la herida no era mortal. —Movió la mano que ocultaba tras la espalda y descubrió que llevaba su mochila—. Y pensé que querrías recuperar esto. Te la dejaste la otra noche en el bar.

—¡Gracias a Dios! —exclamó, encantada por haber recuperado la mochila.

—Me sorprendiste tanto cuando apareciste ayer en mi dormitorio que se me olvidó que la tenía.

Le sonrió, agradecida porque se hubiera tomado la molestia de llevársela.

—No hacía falta que me la trajeras. Podrías haberme llamado y yo habría pasado a buscarla.

—No tengo tu teléfono.

—Ah... —dijo ella al darse cuenta de que no se lo había dado. Lo que la llevó a plantearse otra pregunta interesante—. ¿Cómo me has encontrado?

Wren no respondió. De hecho, parecía que la pregunta lo había incomodado mucho.

—Debería marcharme.

—¿Qué coño pasa aquí?

Blaine acababa de aparecer por detrás de Wren con un grupo de chicos de su fraternidad. Contuvo el aliento. Aquello no pintaba bien. Conociendo a Blaine, entendería la presencia de Wren como una intrusión en su territorio, y con el respaldo de sus amigos era imposible saber qué podía hacer. Cuando quería, era un capullo insoportable.

—Nadie te ha dado vela en este entierro, Blaine —le soltó a modo de advertencia—. Lárgate y déjanos solos.

En lugar de hacerle caso, los miró enfadado.

—Vaya, vaya, ¿qué tenemos aquí? ¿La venganza del camarero? Por si no te has dado cuenta, chaval, aquí no hay mesas para que las limpies.

Era muy consciente de la rabia que iba creciendo en el interior de Wren. Por suerte, se estaba conteniendo.

—Déjalo tranquilo, Blaine —le dijo, mirándolo con cara de pocos amigos—. Ahora.

Blaine miró a Wren con gesto desdeñoso mientras se fijaba en su ropa.

—¿Qué pasa? ¿No puedes permitirte unos pantalones decentes? ¿O es que tienes tanto calor que necesitas ventilación para refrescarte?

—Blaine… —masculló de nuevo.

—¿Qué lleva en el pelo? —preguntó otro de los chicos—. ¿Es que no te lo lavas nunca?

—Son rastas, tío —respondió otro fingiendo acento jamaicano—. Va con la maría, que no *t'enteras,* colega.

Blaine chasqueó la lengua y luego la miró con fingida preocupación.

—De verdad, Margaux, ¿qué haces saliendo con esta piltrafa? Sé que no puedes cambiar quién era tu madre, pero por el amor de Dios, pensaba que los genes de tu padre habían ganado la partida.

—Lo siento, Maggie —dijo Wren en voz baja—. No era mi intención avergonzarte.

—Tú no me estás avergonzando —replicó entre dientes—. Lo están haciendo ellos.

De todas formas, Wren no la miró a la cara. Comenzó a alejarse hacia la calzada.

—Eso es, camarero de mierda, lárgate —dijo Blaine con voz desdeñosa—, y que no se te ocurra volver a acercarte a ella.

Lo empujó cuando pasó por su lado. La reacción de Wren fue rápida y violenta. Le plantó el puño en la cara y Blaine cayó redondo al suelo mientras sus amigotes se abalanzaban sobre Wren.

—¡Ya vale! —gritó ella, temiendo que le hicieran daño. Pero la verdad era que Wren estaba dándoles una buena sin apenas despeinarse. Lanzó a uno al suelo por encima de su espalda y luego le dio un buen puñetazo mientras otros dos lo golpeaban.

De repente, los agentes que patrullaban el campus hicieron acto de presencia. Uno de ellos apartó a Wren, que se giró con un gruñido y le asestó un puñetazo antes de darse cuenta de que no era un estudiante.

El otro agente sacó una porra y lo golpeó en el hombro herido. Wren gruñó y lo empujó.

—¡Para ya, Wren! —le gritó, consciente de que estaba a punto de atacarlo también—. ¡Van a hacerte daño!

Se quedó quieto al punto.

—Quiero que arresten a este cabrón por asalto —gritó Blaine mientras se enjugaba la sangre del rostro. Tenía la nariz partida.

—No te preocupes —dijo el agente mientras esposaba a Wren con las manos a la espalda—. Va derechito a la comisaría.

En lugar de defenderse de la acusación, Wren guardó silencio y mantuvo una expresión inescrutable.

El tratamiento que estaba recibiendo la puso furiosa.

—No estaba haciendo nada malo. Ellos lo atacaron primero.

—Y una mierda —protestó uno de los chicos mientras se enjugaba la nariz—. Golpeó a Blaine de repente. Nosotros solo estábamos intentando que este animal no destrozara a nuestro compañero.

—Ni siquiera estudia aquí —añadió Blaine—. Es basura de extrarradio que alguien ha tirado aquí sin permiso.

El agente al que Wren había golpeado apretó las esposas hasta tal punto que se le clavaron en las muñecas.

Pero Wren seguía sin decir nada. Ni se inmutó ni protestó.

—¿Estudias aquí? —preguntó el agente con voz furiosa.

Wren negó con la cabeza.

—¿Y por qué estás en el campus?

Wren no contestó.

El enfado del hombre iba en aumento mientras tiraba de Wren por las esposas.

—Chico, será mejor que me contestes si sabes lo que te conviene. ¿Quién te ha invitado?

Wren mantuvo la vista clavada en el suelo.

—Nadie.

—Yo lo invité —intervino ella.

Wren le lanzó una mirada hosca.

—Mentira. Ni siquiera la conozco.

Se le encogió el corazón al ver que intentaba protegerla, que intentaba evitar que ella también se metiera en problemas. Al ser estudiante de la universidad, era responsable de cualquier persona a la que invitara al campus.

Sin embargo, era imposible saber lo que iban a hacer con él en la comisaría.

Hizo ademán de hablar para contarles la verdad, pero la expresión de Wren la instó a cerrar la boca. Saltaba a la vista que no quería que lo contradijera.

Llegó un coche patrulla.

Sintiéndose completamente inútil, observó cómo lo metían a la fuerza en el vehículo y se lo llevaban.

—Ya veréis cómo mis abogados se lo meriendan —dijo Blaine con una carcajada—. Ese cabrón va a pasarse la vida en la cárcel por esto.

—¡Eres un gilipollas! —exclamó ella, echando chispas por los ojos—. Ya puedes olvidarte del puesto de becario con mi padre. El infierno se congelará antes de que pongas un pie en su oficina.

—Margaux…

Apartó el brazo de un tirón cuando Blaine intentó cogerla y echó a andar hacia su coche. Necesitaba un abogado para Wren. No pensaba dejarlo en la cárcel cuando lo único que había hecho era defenderse de un ataque.

Seis horas más tarde y presa del pánico, estaba en la comisaría sin saber muy bien qué hacer. Nunca había estado en una comisaría. Era un lugar frío y estéril. Espeluznante. No, era mucho más que eso, era aterrador. Ojalá no tuviera que volver jamás.

Por dura que fuera la espera hasta que Wren saliera, no quería ni imaginarse lo que él tendría que estar sufriendo, encerrado en la parte más aterradora del edificio con otros hombres a quienes habrían arrestado sabría Dios por qué.

Tenían que sacar a Wren de allí.

—Le dije que se quedara en casa, señorita Goudeau —repitió su abogado. Era un hombre negro, bajito, con poco pelo y canoso. De ademanes distinguidos y eficientes, era uno de los abogados más renombrados de Nueva Orleans. Además, era discreto, de modo que nadie (ni siquiera su padre) se enteraría de todo aquello.

Tanto Wren como ella estarían cubiertos.

Dudaba mucho que Wren pudiera permitirse un abogado, y a juzgar por lo que sabía de los de oficio, solían estar sobrecargados de casos. Quería asegurarse de que pasaba en la cárcel el menor tiempo posible. Por suerte, ella tenía el dinero suficiente en su cuenta para pagar los honorarios que le cobraría el señor Givry por sacar a Wren de allí.

—Creo que debería volver a casa —insistió el señor Givry mientras la empujaba sutilmente hacia la puerta.

—No —se apresuró a decir—. Quiero ver con mis propios ojos que está bien.

Aunque saltaba a la vista que su obstinación no le hacía ni pizca de gracia, el abogado la condujo al escritorio tras el que se sentaba una agente de policía. La mujer estaba entrada en carnes, pero era evidente que tenía buenos músculos y una condición física envidiable. Su expresión era sobria y rígida. Cuando vio que se acercaban, alzó la cabeza y se apartó un corto mechón castaño del rostro.

—Estamos aquí para pagar la fianza de... esto... —El abogado la miró, expectante.

—Wren —suplió ella.

—Wren ¿qué más? —preguntó la agente con un deje irritado.

Titubeó un momento al darse cuenta de que no tenía ni idea del apellido.

—Esto... no estoy segura.

El señor Givry la miró sin dar crédito. Seguramente le resultaba extraño que estuviera dispuesta a gastar varios miles de dólares para sacar de la cárcel a un hombre al que apenas conocía. Pero para ella tenía sentido, y no se atrevía a decirle al abogado ni a la agente que Wren le había salvado la vida.

Con la suerte que tenía, la noticia saltaría a la prensa y estaría metida en un buen lío.

—Bueno —improvisó—, es más o menos de mi edad, mide alrededor de metro noventa y tiene el pelo rubio con rastas. Lo trajeron hace unas seis horas por una pelea en Tulane.

Un agente negro se acercó a ellos y meneó la cabeza.

—Lo has visto, Marie. Es ese crío al que tuvimos que aislar.

La agente torció el gesto disgustada.

—¿El loco?

—Sí.

—¿Loco? —preguntó ella con el ceño fruncido—. ¿A qué se refiere?

El policía resopló.

—Cuando lo trajeron, lo metimos en una celda con detenidos comunes. Les ha dado una paliza de muerte a tres. Hicieron falta siete agentes para sacarlo y meterlo solo en una celda. Desde entonces no ha dejado de dar vueltas como un animal enjaulado. Si alguien se le acerca, lo mira furioso y gruñe. Pone los pelos como escarpias. Ese chico no está bien.

Su abogado la miró con una ceja enarcada.

—¿Está segura de que quiere pagar la fianza?

—Sí. Segurísima.

El señor Givry no estaba convencido ni mucho menos, pero se giró hacia la agente como era su deber.

—¿A cuánto asciende la fianza?

—A setenta y cinco mil dólares.

Tanto el abogado como ella se quedaron con la boca abierta. Era imposible, ¿no?

—¿Lo dice en serio? —preguntó ella.

—Sí, señorita —dijo Marie sin vacilar—. Agredió a un agente.

La respuesta acabó de indignarla.

—No lo hizo a propósito. No sabía que era policía cuando lo golpeó.

—Sí, claro, eso dicen todos —replicó el otro agente con tono burlón.

La situación la estaba sacando de sus casillas. No tenía esa cantidad de dinero. O al menos no podría disponer de ella sin informar a su padre, a quien le daría un ataque si le contaba para qué la quería. Ya se estaba imaginando la conversación:

«Hola, papá, he conocido a un chico que se dedica a limpiar mesas en un bar de moteros del centro y necesita salir de la cárcel. ¿Que qué ha hecho? No mucho. Agredir a un policía y a Blaine. Te acuerdas de Blaine, ¿no? Su padre es uno de los mayores contribuyentes de tu campaña. Pero no pasa nada, ¿verdad? Wren es un buen chico. Hasta le dispararon cuando me salvó de acabar violada en esa parte del Barrio Francés donde nunca me has dejado ir. ¿Papá? ¿Te está dando un infarto? ¿Voy a por tus pastillas para el corazón?».

Sí… su padre seguro que sería de mucha ayuda…

El señor Givry la miró con compasión.

—¿Qué quiere que haga, señorita Goudeau?

¿Me presta el dinero?, pensó.

Antes de que pudiera responder con algo más razonable, se abrió la puerta de la calle y entraron tres hombres. Conoció a uno de ellos de inmediato. Era el profesor Julian Alexander, su tutor de primero de carrera.

Alto, rubio y guapísimo, estaba con otros dos hombres también muy guapos. Uno de ellos era algo más alto y también rubio, el otro tenía el pelo oscuro muy corto. El de pelo oscuro era de la misma estatura que el profesor Alexander.

—Bill —saludó su abogado a ese hombre en concreto al tiempo que le tendía la mano—. ¿Qué te trae por aquí? Tenía entendido que ya no te encargabas en persona de estas cosas.

El tal Bill se echó a reír mientras estrechaba la mano del señor Givry.

—Y no lo hago.

—En ese caso, estoy teniendo una alucinación.

Bill no perdió la sonrisa.

—Ojalá, pero tengo un cliente muy importante al que sacar

de la cárcel. Dicho cliente tiene asegurada mi atención personal en todo momento, me entiendes, ¿verdad?

La expresión del señor Givry le indicó que sabía perfectamente a lo que Bill se refería. Aunque ella no tenía ni idea de quién era el cliente del que estaban hablando, tenía que estar forrado para conseguir la atención personal de un abogado que no solía darla.

—¿Marguerite? —escuchó que la llamaba el profesor Alexander mientras se acercaba a ella—. ¿Qué haces aquí? Espero que no te hayas metido en ningún lío.

Meneó la cabeza en respuesta.

—La falta de prensa indica que soy inocente. He venido a pagar la fianza de un amigo, pero resulta que no tengo bastante dinero para cubrirla. —Frunció el ceño al darse cuenta de repente de la identidad del hombre de cabello oscuro—. Usted es William Laurens, el primogénito del senador Laurens, ¿no es así?

Bill ladeó la cabeza mientras hacía memoria en busca de su nombre.

—¿Nos conocemos?

—Es la hija del senador Goudeau —explicaron el profesor Alexander y su abogado al mismo tiempo.

—Ah, sí —dijo Bill cuando por fin la reconoció. Le tendió la mano—. Nos hemos visto en las convenciones del partido.

Asintió con la cabeza.

—Adoro a su mujer. Es todo un personaje.

Selena Laurens era mucho más que eso. Extremadamente original, era una persona con poderes psíquicos que poseía una tienda de artículos esotéricos en el centro del Barrio Francés. Su padre la toleraba porque la familia de Bill era una de las más ricas de Luisiana y la familia de Selena tampoco le andaba a la zaga a ese respecto. De ser pobre, Selena solo hubiera sido una loca de atar. Pero tal como estaban las cosas, su padre se refería a la tarotista como «excéntrica».

Bill se echó a reír.

—Sí que lo es. Por eso la quiero. —Señaló al rubio que lo

acompañaba—. Este es mi cuñado, Kirian Hunter, y ya conoces a Julian.

—Es un placer conocerlo —le dijo al tal Kirian, que le estrechó la mano y le devolvió el saludo.

—Si me perdonáis un segundo... —Bill se acercó al escritorio para hablar con la agente.

—Usted es el hombre para quien trabajaba Nick Gautier, ¿no es verdad? —le preguntó a Kirian.

El aludido frunció el ceño.

—¿Eras amiga de Nick?

Asintió con la cabeza.

—Era un chico estupendo.

—Sí que lo era —asintió Kirian con expresión apenada.

Bill se acercó de nuevo.

—Ya lo traen. Joder, el chico tiene que aprender a no meterse en líos.

—¿Qué ha pasado? —preguntó Kirian.

Bill soltó un largo suspiro.

—Bueno, se le olvidó decirme que agredió a uno de los agentes encargados de patrullar Tulane y que lo tuvieron que poner en aislamiento.

—¿Wren? —preguntó ella esperanzada—. ¿Está aquí por Wren?

Kirian se quedó pasmado al escucharla.

—¿También conoces a Wren?

Volvió a asentir con la cabeza.

—Acabamos de conocernos, pero sí, estoy aquí por él. —Miró a su alrededor con expresión contrita—. Me avergüenza tener que decir que yo soy la culpable de que lo arrestaran.

Bill enarcó una ceja al escucharla.

—¿Y eso?

—Wren fue al campus para devolverme la mochila que me dejé en el Santuario. Cuando se iba, un grupo de chicos de una fraternidad comenzó a meterse con él. Después de insultarlo un rato, uno de los chicos lo empujó. Y Wren se defendió. El resto se abalanzó sobre él y luego apareció la policía, que lo arrestó por la pelea.

Saltaba a la vista que Bill estaba procesando la información que acababa de darle con detenimiento, por si podía utilizarla para sacar a Wren del atolladero.

—¿De verdad atacó a un policía?

—Sí, pero fue un accidente. El agente se le acercó por detrás. Estoy segura de que creía que era otro estudiante que iba a atacarlo. No vio quién era hasta después de haberle dado un puñetazo.

Bill la miró con los ojos entrecerrados.

—¿Estás dispuesta a testificar lo que acabas de decirme?

—Por supuesto.

—Bien —dijo con una sonrisa.

A juzgar por esa expresión, supo que Bill iba a sacar del lío a Wren. Gracias a Dios.

—Bueno, ¿y quién es este chico que te ha hecho salir de casa a la hora de la cena? —quiso saber el señor Givry.

—Wren Tigarian.

Su abogado frunció el ceño, al igual que ella.

—¿De qué me suena el nombre? —preguntó el abogado.

—De Tigarian Technologies —explicó el profesor Alexander—. Es el único hijo de Aristóteles Tigarian y el único heredero de su emporio internacional.

Se quedó de piedra al enterarse. Tigarian Technologies solo era superada por Microsoft a nivel internacional.

—¿Por qué trabaja limpiando mesas en un bar?

Julian le lanzó una mirada que hablaba por sí sola.

—¿Por qué va la hija de un importante senador a la universidad de Tulane en vez de a Princeton, Harvard o Yale?

—Me gusta Nueva Orleans.

—Y a Wren no le interesa lo más mínimo dirigir la empresa de su padre —explicó Bill—. Prefiere dejarla en manos del consejo de administración.

Aun así no tenía sentido para ella. Wren no vivía como un hombre rico. Vivía como un vagabundo.

Bill apartó la mirada, la clavó en algún lugar situado tras ella y frunció el ceño.

—¡Un momento! —gritó—. Quítenle las esposas. No hay necesidad de avergonzarlo de esta manera. No es un delincuente.

Los agentes de policía que llevaban a Wren soltaron una risilla siniestra.

—Lo que usted diga, jefe. Pero debería haber visto cómo se ventiló a esos moteros. El «chico» podría darle clases a Mike Tyson.

Se le aceleró el corazón al verlo. Tenía un ojo morado y el labio hinchado. El agente de policía dio un último apretón a las esposas antes de quitárselas. Wren levantó la vista como si hubiera notado su presencia y la atravesó con la mirada.

Su escrutinio la excitó. Tenía algo que la ponía nerviosa, pero al mismo tiempo se sentía atraída por él, incluso en contra de su sentido común.

Bill fulminó a los agentes con la mirada.

—Vaya aspecto tiene. ¿Lo ha reconocido un médico?

—No quiere médicos.

Bill meneó la cabeza.

—¿Estás bien, Wren?

Wren asintió mientras se frotaba las muñecas.

Ella se acercó, agradecida al verlo sano y salvo.

—¿Seguro que estás bien? —le preguntó al tiempo que le apartaba el pelo de la cara para inspeccionar lo que le habían hecho en el ojo.

Wren le frotó la mano con la nariz un instante antes de asentir en silencio.

—Estoy bien. ¿Qué haces aquí?

—Intentaba pagar tu fianza.

Eso pareció sorprenderlo.

—¿De verdad?

Asintió sin despegar los labios y él le correspondió con una sonrisa insegura.

—¿Quieres que llame a Carson? —preguntó Bill.

Wren negó con la cabeza.

—¿Quieres que te lleve a casa? —le preguntó ella.

—Sí, por favor.

La respuesta afirmativa los pilló a todos por sorpresa, no solo a ella, a juzgar por sus expresiones.

Bill carraspeó.

—¿Estás seguro de que no quieres que te lleve yo?

Wren volvió a negar con la cabeza, y en ese momento cayó en la cuenta de que ella era la única persona con la que había hablado.

Mientras rebuscaba las llaves del coche en el bolso, vio que abrían la puerta de la calle. Para su más absoluta sorpresa, Blaine y dos de los chicos que atacaron a Wren aparecieron esposados.

—¡Esto es ridículo! —gritó Blaine—. ¡Mi abogado pedirá sus placas por esto! ¡¡Me están oyendo!? —Cuando vio al señor Givry junto a ella, se quedó de piedra—. ¡Tom! ¡Sácame de esta!

Con expresión preocupada, el aludido se acercó a Blaine y le dijo que se tranquilizara.

—¿Cuáles son los cargos? —preguntó el señor Givry a los agentes.

Fue Bill quien contestó:

—Bueno, a ver: asalto, agresión, incitación a la violencia, injurias, tocamientos indecentes, escándalo público, allanamiento, xenofobia y cualquier otro delito que se me ocurra.

El señor Givry le lanzó una mirada irritada.

—¿Has presentado tú los cargos?

Bill le regaló una sonrisa que solo podía calificarse de satisfecha.

—Ajá. Solicité la orden de arresto en cuanto le colgué el teléfono a Wren. Deberías aconsejarle a tu cliente que se fije mejor en las personas a las que agrede o insulta. No solo atacó a Wren en el campus, sino también la otra noche en un bar del centro, el Santuario, donde tengo un montón de testigos que darán fe encantados del comportamiento agresivo y del estado de embriaguez de tu cliente. ¿Has oído alguna vez eso de que nunca hay que tirarle del rabo a un tigre? Bueno, pues cuando termine con tu cliente, su familia y él tendrán suerte de tener un cepillo de dientes a su nombre.

—Tiene que estar de coña —masculló Blaine.

El señor Givry suspiró.

—No, Blaine, habla en serio. Tengo que llamar a tu padre y…

—No hay prisa —dijo Bill con voz impasible—. Te aseguro que este grupito va a pasar la noche entre rejas.

El señor Givry lo miró con expresión seria.

—No puedes hacer eso, Bill. Son buenos chicos, de buenas familias.

—Wren también. Y ya lo he hecho. Tal vez así se lo piensen dos veces antes de juzgar a la gente tan a la ligera. —Abrió el maletín que llevaba y sacó una hoja de papel que le tendió al otro abogado—. También he pedido una orden de alejamiento para tu cliente que le entregarán cuando salga de aquí. Si vuelve a acercarse a mi cliente, lo lamentará. —Clavó la vista en Blaine—. Y ya que estamos, yo le advertiría de que si insiste en presentar cargos contra mi cliente, involucrará a la señorita Goudeau en este fiasco, ya que fue ella quien invitó a Wren a Tulane. Y no queremos manchar la reputación de la hija del buen senador, ¿verdad?

Blaine se abalanzó contra Wren, pero los agentes lo sujetaron.

—¡Voy a vengarme por esto, gilipollas!

—¡Cierra la boca, Blaine! —gritó el señor Givry—. Ya tienes bastantes problemas.

Bill le lanzó una mirada pensativa a Blaine mientras los agentes lo arrastraban hacia un estrecho pasillo.

—Creo que voy a añadir amenazas a los cargos.

La policía se llevó por fin a Blaine y a sus amigos.

El señor Givry parecía muy disgustado.

—No vas a poner las cosas fáciles, ¿verdad, Bill?

—En absoluto. Te aseguro que te vas a ganar bien tus honorarios con este caso.

El señor Givry dejó escapar un suspiro cansado.

—Muy bien. Te llamaré por la mañana y ya hablaremos.

Bill le colocó la mano a Wren en el hombro, pero la apartó de golpe cuando este le gruñó… literalmente.

—Lo siento —dijo el abogado—. Yo… esto… Te llamaré más tarde.

Kirian y Julian los miraron fijamente.

—¿Estás seguro de que no prefieres que te llevemos nosotros a casa? —le preguntó Kirian a Wren.

Él negó con la cabeza.

—Como quieras. No te metas en líos.

—¿Nos vamos? —preguntó ella al tiempo que hacía un gesto hacia la puerta.

Wren asintió con la cabeza. Mientras salían de la comisaría, se percató de que se frotaba el hombro herido.

—¿Quieres que vayamos al hospital?

—No, solo tengo que descansar un poco.

—¿Estás seguro?

—Desde luego. Tú llévame a casa, ¿vale?

De modo que lo condujo hasta su Mercedes, que estaba aparcado bajo una farola.

—No sabía que estuvieras relacionado con Tigarian Technologies.

Wren la miró por encima del coche.

—¿Importa?

—La verdad es que no.

—¿Y por qué tendría que hablarte de eso?

Ahí llevaba razón.

—¿Por qué vives en Nueva Orleans si la empresa tiene su sede en Nueva York?

Lo vio encogerse de hombros.

—No me gusta Nueva York. Demasiada gente. Demasiado ruido. Demasiado frío en invierno. No me gusta pasar frío.

Supuso que eso tenía sentido. Le sonrió, se metió en el coche y esperó a que él hiciera lo mismo. Wren se metió deprisa, cerró de un portazo y se puso el cinturón.

—¿Te han dado algo de comer ahí dentro? —le preguntó—. ¿Quieres que nos paremos en algún sitio de vuelta a tu casa para comer algo?

Wren asintió con la cabeza.

—¿Dónde?

—Me da igual. Me comería cualquier cosa que no fuera paracetamol o chocolate.

—Una lista muy rara.

—No para mí.

Vale… era un tío muy raro.

Dejó atrás el aparcamiento mientras Wren sacaba sus cosas del sobre que la policía le había dado.

—¿Ha sido muy duro?

Wren dejó lo que estaba haciendo para mirarla.

—No ha sido el mejor momento de mi vida.

Sonrió al escuchar el sarcasmo.

—¿Por qué te has peleado en la celda?

Lo vio meterse la cartera en el bolsillo.

—Los otros detenidos pensaron que sería divertido darle una paliza al «chico» para demostrar lo machos que son. Y yo pensé que sería divertido darles una paliza a un par de moteros.

Bueno, eso tenía sentido. La verdad era que Wren tenía una manera única de ver las cosas.

—¿Sueles meterte en peleas con tanta asiduidad?

—No —respondió él en voz baja mientras se colocaba el Timex—. No me gusta pelear. Prefiero que me dejen tranquilo. Pero si alguien empieza…

—Tú terminas.

Wren asintió con la cabeza.

—Mi padre solía decir que no basta con repeler a un atacante. Hay que hacerle tanto daño que aprenda a no volver a meterse contigo. Aunque lo mejor sería matarlo.

—Para mí que nuestros padres tienen muchas cosas en común.

Wren no dijo nada, se limitó a señalar hacia la izquierda.

—El McDonald's estaría bien.

Arrugó la nariz ante la idea.

—¿De verdad comes en ese sitio?

—Tienen cosas buenas.

La idea le puso la carne de gallina. Solo había visto la comida que servían en los anuncios y nunca se le había pasado por la cabeza probarla.

—No sé yo. Creo que la comida rápida no va a gustarme.

Sin embargo, se puso en la cola para hacer el pedido desde el coche.

Wren la miró con expresión curiosa.

—No me digas que nunca has comido en un McDonald's.

—Jamás.

—¿Y dónde comes?

—En restaurantes o en el comedor del campus. —Se acercó al micrófono y bajó la ventanilla—. Me resulta rarísimo pedir comida así.

Wren le sonrió antes de inclinarse sobre ella y contestar a la voz femenina que les había preguntado lo que querían.

—Yo quiero doce Big Macs, dos filetes de pescado McFish, tres cuartos de libra con queso, cuatro pasteles de manzana, seis patatas grandes y un batido de vainilla grande. —La miró—. ¿Tú quieres algo?

Le clavó la mirada con las cejas enarcadas, sin dar crédito a todo lo que había pedido.

—Es imposible que vayas a comerte todo eso tú solo... ¿verdad?

Sus palabras parecieron sorprenderlo.

—¿He hecho algo malo?

—No —se apresuró a responderle—. No, si tienes hambre. Es que nunca he visto a nadie comer tanto.

Wren la miró con expresión confundida.

—Pues yo lo hago siempre.

—¿Y sigues tan delgado? Yo me habría puesto como una foca.

—¿Quieren pedir algo más? —preguntó la chica por el altavoz.

Ojeó el menú.

—Yo quiero una hamburguesa con queso y una Coca-Cola.

Se quedó de piedra cuando la chica le dijo el total antes de pedirles que dieran la vuelta para recoger el pedido. ¿Cómo era posible que la comida rápida fuera tan cara?

Wren sacó la cartera y le dio el dinero para pagar la cuenta. Después se echó hacia atrás en el asiento y observó el brillo que la luz le arrancaba a su cabello. Para él era preciosa.

Mientras esperaban el pedido, extendió la mano para tocarle

la mejilla con el dorso de los dedos. La suavidad de su piel lo maravilló. Y también lo puso a cien. Giró la cabeza para mirarlo y le sonrió. Esa sonrisa fue como un mazazo que lo dejó aturdido. La vio ladear la cabeza como si también estuviera observándolo.

—¿Cómo consigues que se te quede el pelo así?

—No sé. Retuerzo los mechones y aguantan así.

—¿Cómo te lo lavas?

Se encogió de hombros.

—Como todo el mundo. Me echo champú y luego me lo aclaro con agua.

Maggie frunció el ceño y extendió la mano para tocar un mechón. Sonrió y arrugó la nariz.

—Es raro. Como si fuera lana. —Dejó caer la mano y subió la ventanilla.

Sus palabras lo hicieron meditar en silencio. Comenzó a llevar rastas para mantener alejados a los demás, y había funcionado. La mayoría de la gente torcía el gesto asqueada y daba un rodeo para evitarlo, cosa que le parecía estupenda. Jamás le había gustado que lo tocaran. Pero no le importaría que Maggie le acariciara el pelo.

La piel…

Ella le dio el cambio y luego la comida. En cuanto tuvo la bolsa en la mano, abrió un Big Mac y se esmeró para comer como un humano, aunque le costó la misma vida. Su especie solo comía cada tres o cuatro días, y él estaba hambriento. La verdad era que no había pedido bastante comida. Solo lo suficiente para matar el gusanillo hasta que pudiera volver al santuario y comer todo lo que necesitaba.

Cogió una patata frita y se la ofreció a Maggie.

Ella la aceptó con una sonrisa y se la comió.

La observó atentamente. No tenía ni idea de la importancia del gesto que acababa de hacer. Los miembros de su especie no compartían la comida cuando estaban hambrientos. Lucharían a muerte por la migaja más insignificante. Sin embargo, quería cuidarla. Era una sensación de lo más peculiar.

De no estar seguro de lo contrario, pensaría que era su pareja. Pero los katagarios no podían emparejarse con humanos. Era imposible.

Marguerite condujo por las atestadas calles mientras observaba a Wren por el rabillo del ojo. Estaba comiendo en silencio. Claro que tampoco solía hablar mucho en otras circunstancias.

Era una contradicción fascinante. Seguía sin poder creer que tuviera a uno de los abogados más caros de Nueva Orleans a su entera disposición.

—¿Qué piensan tus padres de tu empleo como ayudante de camarero? —le preguntó. Su padre se moriría si alguna vez se le ocurría hacer algo semejante. Siempre había analizado al detalle los empleos que ella aceptaba para que no dañaran su posición social ni su carrera política.

Wren se terminó la hamburguesa.

—Llevan mucho sin pensar.

Esperó a que elaborara el comentario, pero se limitó a seguir comiendo.

—¿Por qué no piensan? —volvió a preguntar, frunciendo el ceño.

—Sería un poco difícil, ya que están muertos.

Se le encogió el corazón al escucharlo.

—¿Los dos?

Lo vio asentir con la cabeza.

—¿Cuánto hace?

—Unos veinte años.

Eso quería decir que él solo era un bebé cuando murieron. Qué horrible debía de ser no llegar a conocer a tus padres.

—Lo siento.

—No lo sientas. Yo no lo hago.

Eso la dejó de piedra.

—Eran un par de gilipollas —siguió él en voz baja—. Ninguno me soportaba. Ni siquiera podían mirarme sin poner cara de asco. Mi madre siempre se refería a mí como «ese».

—¡Dios, Wren! Eso es… espantoso.

Él se encogió de hombros.

—Acabas por acostumbrarte. Tuve suerte de ser hijo único. Si hubiera tenido más hermanos, seguro que me habrían matado.

La indiferencia de su voz la dejó pasmada.

—Estás de broma, ¿no?

No le contestó con palabras, pero la expresión de sus ojos le indicó que no bromeaba. Y pensar que cuando se enfadaba llamaba a su padre cabrón egoísta… De repente, le pareció que era un padre modelo.

—Bueno, si tus padres murieron cuando eras pequeño, ¿quién te crió?

—Me crié solo.

—Sí, pero ¿quién era tu tutor?

—Bill Laurens. Mi padre y el bufete de Bill trabajaban juntos en aquel entonces. Después de la muerte de mis padres, un hombre me trajo con Bill y él acordó con Nicolette Peltier que me quedaría en el Santuario y que trabajaría para pagar mi manutención.

—¿No tienes más familia?

—Pues no. Los pocos que siguen vivos no me quieren cerca.

—¿Por qué no?

—Porque no estoy bien.

El comentario le provocó un escalofrío. ¿Habría algo que necesitara saber?

—¿A qué te refieres con eso?

Wren bebió un poco de batido antes de contestar:

—Padezco una malformación.

Le echó un vistazo rápido mientras conducía. A simple vista no parecía padecer ninguna malformación. De hecho, parecía la viva imagen de la salud.

—¿Cuál?

En lugar de contestar, él abrió otro Big Mac para comérselo.

—Wren…

—No me hagas más preguntas, Maggie. Estoy muy cansado, tengo hambre y me duele todo el cuerpo. Si me conocieras un poco, te darías cuenta de que es un milagro que esté aquí sentado tan tranquilo sin intentar arrancarte la cabeza. Y hablo literalmente. Solo quiero volver a casa, ¿vale?

—Vale —accedió aunque se moría por escuchar su respuesta.

Permanecieron en silencio hasta que llegaron al Santuario. Cuando por fin paró el coche en el pequeño aparcamiento situado detrás del edificio, Wren casi había dado cuenta de toda la comida.

Salió del coche y se acercó a él para ayudarlo con las bolsas.

Lo siguió hasta una puerta roja, donde se encontraron con el mismo rubio de expresión malhumorada que había intentado cortarle el paso cuando Aimée la llevó a ver a Wren.

—Ella no tiene permiso para entrar.

—Apártate, Rémi —dijo Wren entre dientes.

—Ya conoces las reglas.

—Sí, las conozco. Según la ley de la selva, el tigre se come al oso.

Vio que Aimée aparecía por detrás de Rémi.

—No pasa nada, Rémi, déjalos pasar.

Rémi la miró estupefacto.

—¿Te has vuelto loca?

Aimée tiró de su hermano.

—Vamos, pasad, chicos.

Subieron la escalera hasta el dormitorio de Wren en silencio.

—¿A qué ha venido eso? —preguntó en cuanto Wren cerró la puerta.

—A Lo no le gusta que haya desconocidos en la casa.

—Bueno, entonces debería irme…

—Quédate… Por favor. —Sabía que no debería pedírselo. Necesitaba descansar. Joder, necesitaba cuidados médicos. Pero nada de eso importaba. Solo quería estar con ella un poco más. El peligro no importaba. Nada importaba salvo poder olerla. Poder verla.

Poder tocarla.

Inclinó la cabeza hacia ella hasta que sus labios se rozaron. La pegó contra la puerta y comenzó a besarla.

Sin pensar en lo que hacía, Marguerite le enterró la mano en el pelo. Lo escuchó sisear y apartarse como si le hubiera hecho daño. Se le habían enredado las rastas en los dedos.

—Lo siento. Lo siento —se disculpó al tiempo que intentaba desenredarle el pelo sin hacerle más daño.

Wren la miró con el ceño fruncido mientras se frotaba la cabeza y se apartó de ella en cuanto hizo ademán de ayudarlo. Acababa de alejarse de la puerta cuando esta se abrió de golpe. Se giró y descubrió a la mujer que vio la noche de la pelea en el bar. Wren emitió un extraño gruñido.

—Tiene que marcharse —dijo la mujer con un tono que no admitía discusión—. Ahora mismo.

—Quiero que se quede.

—Lo que tú quieras me da igual —replicó la mujer con acento francés—. Esta es mi casa y…

—Y yo te pago más que de sobra.

—No —lo contradijo con voz venenosa—, no lo haces. No para esto.

—No pasa nada, Wren. Me iré —dijo ella, porque lo último que quería era meterlo en problemas.

La furia que vio en su rostro la asustó. Wren le lanzó una mirada asesina a la mujer antes de acompañarla a ella escaleras abajo, en dirección a la puerta trasera por la que habían entrado.

—Lo siento mucho —le dijo mientras la sacaba de la casa en dirección a su coche.

—No pasa nada. Nos veremos otro día.

Wren asintió con la cabeza antes de abrirle la puerta del vehículo. Una vez que cerró, lo vio colocar la mano en el cristal y el anhelo que asomó a sus ojos le partió el corazón.

Levantó la mano hasta colocarla al otro lado del cristal y le sonrió.

Cuando puso en marcha el coche, Wren retrocedió y se quedó mirando las luces hasta que se perdieron de vista.

Volvió a casa y vio a Nicolette esperándolo en el salón. Aimée estaba detrás de su madre y lo miraba con expresión contrita.

—Si vuelves a amenazar a alguno de mis hijos, tigre, te mataré.

Soltó una carcajada al escucharla.

—Puedes intentarlo, osa. Pero no lo conseguirás.

Nicolette mantuvo el control hasta que Wren se fue, rumbo a su cuarto.

—No ha sido culpa suya, *maman* —dijo Aimée—. Yo le dije que podían entrar...

Nicolette le dio una bofetada.

—Si vuelves a poner en peligro la seguridad de esta casa, te echaré a patadas. ¿Me has entendido?

Aimée asintió con la cabeza.

—¿¡Papá!? —gritó Nicolette, reclamando la presencia de su pareja.

—*Oui?* —dijo Aubert, que entró por la puerta de la cocina.

—Reúne al consejo. Creo que ya va siendo hora de que nos quitemos al tigre de encima.

5

Wren estaba en el pequeño cuarto de baño contiguo a su dormitorio, soltando tacos mientras Marvin le echaba agua.

—¡Ya vale, Marvin! —masculló, y el travieso mono le hizo una mueca burlona—. Ya sabes que me repatea que me entre agua en los ojos.

La idea de no ver nada le resultaba insoportable. Lo mismo les pasaba a todos los miembros de su especie, cosa rara si se tenía en cuenta lo mucho que les gustaba jugar en el agua.

Simplemente aborrecían cualquier debilidad. Un tigre débil era tigre muerto.

Su padre era la prueba.

La puerta, que había dejado entreabierta al entrar, se abrió del todo. Aimée estaba en el pasillo.

—¿Qué estáis haciendo?

Se quitó el peine del pelo mientras buscaba algún escondite con la mirada, pero la única salida era la puerta en cuyo vano estaba la osa. Le reventaba que lo hubiera pillado. No quería que nadie supiera lo que estaba haciendo.

Aimée entró en el cuarto de baño y cerró la puerta a su espalda. Ladeó la cabeza mientras lo observaba con una expresión tan penetrante que lo puso en guardia de inmediato.

Marvin seguía brincando y parloteando en el inodoro.

—Estás intentando desenredarte el pelo, ¿verdad?

Intentó apartarse de ella y salir de la habitación, pero la osa le bloqueó el paso.

—No pasa nada, Wren —lo tranquilizó en voz baja—. No le hablaré a nadie de Maggie. Sé mucho sobre relaciones imposibles, de verdad.

Sí, él mismo la había pillado con Fang, el lobo, hacía una semana cuando estaban a punto de besarse. Si los hubiera descubierto otro, Fang estaría muerto o gravemente herido. Pero por suerte para ambos, a él le importaba un comino con quién se acostara Aimée. No era de su incumbencia.

La vio coger el peine que había dejado en el lavabo.

—¿Quieres que te ayude?

Una parte de sí mismo quería gruñirle para que se largara, pero otra era consciente de que sería un detalle que lo ayudara.

—Inténtalo si quieres —musitó—, pero creo que es imposible.

Llevaba más de una hora intentando desenredarse el pelo y hasta el momento solo había conseguido hacerse daño y empeorar el asunto.

Y todo porque quería…

Porque quería un imposible. Por una vez en la vida, por efímero que fuera el momento, quería sentir las manos de una mujer en el pelo y no precisamente las de Aimée.

Sino las de Maggie.

La expresión de la osa se suavizó cuando se topó con un mechón enredado. Tras unos minutos intentando desenredarlo, acabó partiendo el peine y soltando un suspiro de frustración.

—Muy bien. Wren, necesitamos un especialista. Déjame que llame a Margie para que nos ayude. Es la mejor deshaciendo enredos. Si alguien es capaz de hacer algo con este pelo, es ella.

La detuvo justo cuando echaba a andar hacia la puerta.

—¿Por qué estás siendo tan amable conmigo? —Ninguno de los osos le había demostrado la menor amabilidad desde que llegó al santuario. Se limitaban a tolerar su presencia.

Aimée, en cambio, siempre había sido amable.

Le regaló una sonrisa.

—Me caes bien, cachorro. Siempre me has caído bien. Sé que no eres peligroso… A ver, sé que podrías matarnos, que eres peligroso en ese sentido, pero estoy convencida de que solo eres una amenaza para ti mismo.

—Pero me tienes miedo.

Cuando lo miró, se percató de que su expresión se había suavizado.

—No tengo miedo de ti. Tengo miedo por ti. Hay una gran diferencia.

Sus palabras lo dejaron confuso.

Aimée soltó un suspiro cansado.

—No te gusta que nadie se te acerque, cachorro. Sé que haces cosas desagradables solo para que te dejen tranquilo y me da miedo lo que puedas llegar a hacer para que los demás te den la espalda definitivamente. —Desvió la mirada hacia Marvin, que la estaba observando como si la entendiera y compartiera su opinión—. Sé que tu clan es muy feroz. Sé que Bill te trajo para evitar que el clan de tu padre te matara antes de que pudieras defenderte. Lo creas o no, no quiero que te hagan daño. Todo el mundo merece ser feliz. Hasta los tigardos.

Esas palabras lo conmovieron profundamente. Con razón el lobo se sentía tan atraído por ella. Para ser una osa, tenía un gran corazón.

—Gracias, Aimée.

Ella asintió con la cabeza antes de marcharse. Marvin comenzó a parlotear de nuevo al ver que cogía el peine otra vez. Al parecer, el mono no comprendía sus intentos por cambiar de apariencia. Para él, no tenía sentido.

—Lo sé —le dijo—. Pero quiero que pueda tocarme sin darle asco. Algún día encontrarás a una Marvina y lo entenderás.

—¡Dios mío, Margaux! ¡Ven a ver lo que hay en el pasillo!

Marguerite, que estaba guardando los libros en su mochila, miró ceñuda a Whitney, cuya siguiente clase se impartía en un aula situada otras tres puertas más abajo del pasillo.

—¿El qué?

—El tío más mono del mundo. Te lo juro, en la vida he visto

a un tío tan bueno. Seguro que es gay. ¡Ningún hetero está tan buenísimo!

—¡Ay, Dios! ¿No te pone de los nervios? —le preguntó Tammy, que estaba sentada a su lado—. Pues si llegas a estar en Bellas Artes… Lo único que se ve en la facultad son tíos mirando a otros tíos. Por eso lo dejé y me pasé a Derecho. Necesito un trabajo donde encuentre hombres a quienes les interesen las mujeres.

Whitney la miró con desprecio por el simple motivo de haber hablado sin que nadie se lo pidiera. Ella, en cambio, adoraba a su compañera, una chica que vestía con estilo gótico y que todos los lunes por las mañanas llegaba cargada de historias interesantes para compartir.

—Muy bien, Tammy —replicó con una sonrisa—, ya que eres nuestra experta en hombres, ve a echarle un vistazo y dime en qué equipo juega.

Ya tenía la mochila al hombro cuando Tammy regresó con una expresión pensativa y extrañada en el rostro.

—No lo sé. Es difícil decantarse. La pija loca tiene razón, está como un tren. Así a bote pronto yo diría que es hetero por esa pinta que tiene de «soy todo tuyo, nena» que te deja con ganas de comértelo a bocados. Pero también hay que tener en cuenta que lleva una camisa de seda negra desabotonada en el cuello, con las mangas enrolladas y los faldones por fuera de los pantalones. Tiene un tatuaje muy chulo en el brazo izquierdo. Pero no sé yo… —Arrugó la nariz—. Lleva pantalones de pinzas negros y unos zapatos italianos carísimos. Creo que son unos Ferragamo. Eso ha sido lo que ha hecho saltar todas las alarmas de mi radar gay. Los heteros no suelen vestir tan bien. Luego está el detalle del corte de pelo, que es fantástico, pero un poco descuidado. No se fija en nadie mientras anda, ni chicos ni chicas. Y eso es raro. Así que yo diría que hay un cincuenta por ciento de posibilidades de que sea hetero. O a lo mejor hace a pluma y a pelo…

—¡Ooooh, un misterio! —exclamó ella mientras caminaba hacia la puerta del aula para verlo con sus propios ojos—. Voy a verlo y te doy mi opinión.

El pasillo estaba lleno de chicas que lo miraban boquiabiertas y otras que se lo comían con los ojos de forma más disimulada. Al principio solo alcanzó a ver la coronilla del recién llegado por encima de la multitud.

Fue difícil atravesar el mar de estrógenos, dado que todas querían mirarlo de cerca. A medida que iba acercándose a él, reconoció que estaba como un tren. El aura de «soy todo tuyo, nena» que había mencionado Tammy la estaba afectando como a todas las demás.

Su rostro era perfecto. Labios carnosos y sensuales que pedían un beso ardiente a gritos. Pómulos afilados y nariz patricia. Pelo rubio oscuro más corto por detrás que por delante, ya que tenía unos cuantos mechones estratégicamente colocados para ocultarle los ojos que le otorgaban cierto aire misterioso. Llevaba un ramo de rosas y una caja enorme de bombones Godiva y saltaba a la vista que estaba muy incómodo. Su piel tenía un oscuro tono dorado.

No lo reconoció hasta que dio un paso hacia ella y se percató del azul turquesa de sus ojos.

Era imposible.

—¿Wren?

Siguió caminando hasta detenerse frente a ella, momento en el que le regaló esa titubeante sonrisa tan suya y le frotó la mejilla con la nariz antes de darle un casto beso.

Tammy se acercó y carraspeó antes de hablar.

—¿Hace a pluma y a pelo?

La pregunta le arrancó una carcajada.

—Ni de coña. Este es todo nuestro, te lo aseguro.

Tammy alzó la mano para chocar los cinco.

—Adelante. Deja el pabellón bien alto, ¿vale?

Wren frunció el ceño cuando Tammy se alejó.

—¿Puedo saber a qué ha venido eso?

—No —respondió con una risa nerviosa—. Definitivamente, preferiría que no lo supieras.

La expresión ceñuda se acentuó mientras le ofrecía las flores y los bombones.

—Son para ti.

Por muy trillado que estuviera el gesto, le aceleró el corazón. Ningún hombre le había regalado nunca flores ni bombones.

—Gracias.

Se mordió el labio y alzó una mano para acariciarle el pelo con su nuevo corte. Los mechones se deslizaron entre sus dedos con el tacto de la seda. La suave textura parecía más propia del pelaje de un animal que del cabello humano.

El corte le sentaba fenomenal, pero en cierto modo echaba de menos al antiguo Wren.

—¿Qué te has hecho?

La incertidumbre oscureció esos ojos azul turquesa.

—¿Te gusta?

—Sí, creo que sí. —Sabía que era muy mono, pero no se imaginaba que pudiera ser tan sexy. Había algo en ese nuevo Wren que la excitaba mucho más que el antiguo. ¿Quién iba a imaginarse que un corte de pelo podía suponer semejante diferencia?

—No lo habrás hecho por mí, ¿verdad?

Lo vio apartar la mirada con timidez.

La invadió una oleada de ternura.

—No tenías por qué cortarte el pelo, Wren. También me gustabas de la otra manera.

—No quería volver a avergonzarte nunca más —le confesó al tiempo que echaba un vistazo a las chicas que se iban dispersando poco a poco.

Le aferró la cara y le acarició una mejilla con la suya. El olor tan masculino de su piel, sumado al de la loción para después del afeitado, hizo estragos entre sus hormonas. Pero fue el sacrificio lo que le robó el corazón.

—Nunca me has avergonzado, Wren —le susurró al oído—. Jamás podrías hacerlo.

El aroma de Maggie le robó el aliento. Le costó la misma vida controlarse. Sentir el roce de su piel contra la suya, las caricias de sus manos en las mejillas, era maravilloso. Además de abrasarlo, conmovía profundamente esa parte diminuta de su ser que po-

94

día considerarse humana. Pero lo más importante era que conmovía su corazón animal, incluso lo domesticaba. Jamás creyó poder sentir algo así.

Se sentía en paz. Tranquilo. Relajado. No había dolor. Ni pasado. Las burlas ya no resonaban en su mente.

Lo único que había en su interior era Maggie y una alegría embriagadora y desconocida para él.

Un sentimiento que no quería que desapareciera jamás.

Para su desilusión, Maggie se separó y lo miró a la cara.

—Dime, ¿cómo sabías que estaba aquí? ¿Me estás vigilando o qué?

La pregunta le arrancó una sonrisa. Su parte animal podía rastrear su olor hasta dar con ella en cualquier parte del planeta. Una mezcla inconfundible a mujer, rosa de té y la marca de champú que utilizaba. Pero lo más probable era que le asustara saber que jamás podría esconderse de él.

—Tu horario estaba en la mochila. Le eché un vistazo antes de devolvértela.

La tímida sonrisa que apareció en sus labios lo excitó al punto. La vio inclinar la cabeza para aspirar el perfume de las rosas que le había regalado. Alzó una mano para tocarla.

—¿Quién es tu amigo, Margaux?

La inesperada pregunta le hizo apartar la mano de inmediato. Era una de las chicas que acompañaba a Maggie la noche que se conocieron en el bar.

Marguerite se dio la vuelta y vio que Whitney observaba a Wren con curiosidad.

—Whitney, te presento a Wren.

La presentación pareció confundirla.

—¿Wren? ¿El ayudante de camarero desarrapado que hizo que arrestaran a Blaine?

—Fue Blaine quien empezó la pelea —se aprestó a decir en defensa de Wren.

De todas formas dudaba mucho que Whitney la estuviera escuchando porque tenía los ojos clavados en él como una tigresa hambrienta que acabara de ver una chuleta en un plato. El único problema era que dicha chuleta era de su propiedad y no tenía la menor intención de compartirla con nadie.

Lo tomó del brazo y lo apartó de su compañera.

—Wren y yo hemos quedado. Hasta luego.

En ese momento, él se inclinó para hacer ese gesto tan típico de frotarle la mejilla con la nariz, tras lo cual le cubrió la mano con la suya y la condujo hacia la salida.

Wren seguía sin comprender qué lo había llevado a ir en busca de Maggie. Los humanos nunca le habían llamado demasiado la atención y, como todo macho katagario, no debería sentirse tan atraído por ella de otra forma que no fuera física.

Sin embargo, le resultaba fascinante y no paró de observarla mientras conducía en dirección a su apartamento. Ardía en deseos de acurrucarse en su regazo y ronronear. Cosa que no tenía el menor sentido porque lo normal era que quisiera arrancarle el brazo de cuajo a cualquiera que cometiera la estupidez de acercarse a él.

Maggie se pasó todo el trayecto mirándolo de reojo y sonriéndole de ese modo tan tierno y tímido que le resultaba novedoso en el rostro de una mujer. No obstante, era el deseo que percibía en ella lo que estaba haciendo estragos con su autocontrol. Porque lo deseaba en la misma medida que la deseaba él y eso hacía que su parte salvaje entrara en erupción.

El felino que moraba en él ansiaba rugir y acecharla.

Ansiaba copular con ella.

Cuando llegaron a su calle, le palpitaba todo el cuerpo. Tenía todos los nervios en estado de alerta.

La ferocidad del deseo que despertaba en él le ponía los pelos de punta. A esas alturas era imposible que la dejara marchar antes de haberla saboreado a placer.

Marguerite abrió la puerta del coche y salió. Wren estaba a su lado antes de que tuviera oportunidad de sacar la mochila.

—Yo la llevo —se ofreció en voz baja.

Se había movido con una rapidez sobrenatural...

Asintió con la cabeza antes de inclinarse de nuevo para coger las rosas y los bombones, y llevarlos a casa. Wren la siguió hasta el porche y esperó tras ella hasta que abrió la puerta y lo invitó a entrar.

Acababa de dejar el ramo de rosas en el taquillón cuando lo sintió a su espalda. Notó que inclinaba la cabeza y le enterraba la nariz en el cuello para aspirar su perfume como si estuviera saboreándola. Jamás había sentido nada igual. Se había acercado tanto que apenas quedaba espacio entre ellos. La sensualidad del momento le provocó un escalofrío.

Se descubrió apoyándose en él al tiempo que la abrazaba por la cintura, momento en el que notó la evidencia de su deseo al pegarse a su cuerpo. Estaba muy bien dotado...

—Hueles tan bien que podría comerte ahora mismo —lo escuchó susurrar junto a su oído.

No pudo replicar porque su cercanía la estaba abrasando. Colocó las manos sobre sus antebrazos y trazó con un dedo el tatuaje que adornaba el izquierdo. Un tigre blanco acechando tras la maleza de la jungla. Sus brazos eran tan fuertes y poderosos que la invadió una extraña debilidad y se echó a temblar. Jamás había conocido a ningún hombre que le provocara algo así.

Wren la instó a que se diera la vuelta para mirarla. Un brillo electrizante y sensual iluminaba sus ojos. Le aferró la cara con las manos y la besó con fiereza.

Lo abrazó mientras sus hormonas entraban en erupción. Nunca había conocido una excitación semejante. Nunca había sentido esa atracción por un hombre. La lengua de Wren rozó la suya al mismo tiempo que la estrechaba con fuerza, pegándola por completo a ese cuerpo musculoso y duro. El roce de sus enhiestos pezones contra su torso le arrancó un gemido y acrecentó el deseo de tocarlo sin el impedimento de la ropa.

Nunca había sido dada a meterse en la cama con hombres a los que apenas conocía. De hecho, solo se había acostado con dos. Al primero lo conoció durante su primer año en la universidad y con el otro estuvo saliendo algo más de un año. Con ambos había disfrutado del sexo, pero no hasta el punto de tirar cohetes.

Ninguno había logrado que se sintiera como se sentía en ese momento. Como si estuviera a punto de morir si no lo tocaba. Ninguno la había hecho arder en deseos de tenerlo dentro.

Como Wren.

Tenía los pezones tan endurecidos que el más mínimo roce le resultaba doloroso. Sus entrecortados alientos se mezclaban mientras se besaban.

Sintió que le alzaba la falda muy despacio, tanto que apenas cabía en sí de la expectación. Gimió al sentir el áspero roce de sus manos sobre la piel. Al sentir el calor de su cuerpo en contraste con el frescor del aire a medida que esas manos firmes y seguras la acariciaban. Ese era sin duda el momento más erótico de su vida. Sabía que estaba húmeda y palpitante de deseo. Necesitaba mucho más de él. Le costó la misma vida no implorar clemencia.

Ansioso por devorarla, Wren exploró la boca de Maggie a conciencia. Jamás había sentido un deseo semejante. Tan voraz. Tan intenso. Tan exigente. Cerró los ojos y aspiró su aroma mientras le alzaba la falda un poco más para disfrutar de la suavidad de esos muslos. Eran un refugio cálido y perfecto.

Nunca había tocado a una mujer, al menos no de ese modo, y comenzaba a comprender por qué mientras escuchaba los feroces rugidos del animal que moraba en su interior. Una bestia peligrosa que quería devorarla. Rugía y sacaba las uñas, exigiendo que lo liberara.

Deseando hacerla suya.

En ese momento sintió que lo invadía un afán posesivo sorprendente e inesperado. Por fin comprendía por qué los animales mataban a los intrusos que invadían su territorio. Como alguien se atreviera a ponerle alguna vez un dedo encima...

Lo haría pedazos.

Abandonó los labios para besarle el cuello y sentir los desbocados latidos de su pulso. Lamió y besó esa piel suave al tiempo que introducía una mano bajo el elástico de sus braguitas azul oscuro. Temía que Maggie lo detuviera en cualquier momento, pero no lo hizo. En cambio, se aferró a sus hombros y separó las piernas un poco más para facilitarle el acceso a esa parte de su cuerpo que tanto deseaba.

Sí, eso era lo que necesitaba. Percibió el escalofrío que la recorrió cuando comenzó a acariciarla con una ternura de la que nunca se había creído capaz. Si alguien le hubiera dicho que podía abrazar a una mujer sin hacerle daño, habría estallado en carcajadas; sin embargo, ahí estaba, abrazando a Maggie.

No. Haciéndole el amor. Porque acababa de comprender lo que significaba ese término humano. Y lo más sorprendente era que lo estaba disfrutando al máximo.

El crespo vello de su entrepierna le rozaba los dedos a medida que profundizaba sus caricias en busca del lugar más íntimo. Separó esos delicados pliegues hasta dar con la parte que ansiaba encontrar y cerró los ojos mientras la penetraba con un dedo.

Maggie dio un respingo y gimió contra sus labios.

Siguió acariciándola con un gruñido triunfal. Estaba tan mojada, era tan suave... Los sonidos guturales que escapaban de su garganta lo embriagaban y excitaban aún más.

Las caricias de Wren la estaban volviendo loca. Cuando notó que otro de esos largos y bronceados dedos la penetraba creyó que le fallarían las rodillas.

—Tengo que hacerte mía, Maggie —lo escuchó susurrar entre dientes.

Le respondió desabotonándole la camisa para poder sentir el tacto de esa piel tan tentadora y maravillosa. No obstante, tuvo un momento de indecisión al ver la venda que todavía le cubría el hombro donde lo habían herido mientras la protegía. Una extraña ternura se apoderó de ella un momento antes de que reclamara sus labios de nuevo.

Le quitó la ropa en un frenesí de pasión, ansiosa por verlo desnudo. Ansiosa por sentirlo bien dentro. Jamás había deseado nada con tanta desesperación.

Tenía que sentirlo dentro. Era una especie de locura desconocida para ella.

Ni siquiera llegaron al dormitorio, se limitaron a tumbarse en el suelo allí donde estaban.

Wren le quitó la camisa y frotó la nariz contra sus pequeños senos, haciéndola sisear. Aunque siempre se había mostrado muy susceptible con su talla de sujetador, en esos momentos le importaba un comino el tamaño de sus pechos. ¿Por qué iba a importarle cuando él parecía estar encantado con lo que saboreaba? Se los frotó con la nariz y de allí pasó a la garganta y subió hasta la frente. Repitió el gesto varias veces y acabó dándole un lento y erótico lametón a uno de sus enhiestos pezones.

—¿Qué estás haciendo? —le preguntó con voz temblorosa.

Él se limitó a acercarse al otro pecho y a soplar sobre el pezón, que se endureció aún más al sentir la sensual y abrasadora caricia de su aliento. Esos ojos azules se clavaron en los suyos.

—Quiero impregnarme de tu olor. Quiero olerte hasta embriagarme de ti.

Repitió el proceso sobre el otro pecho, arrancándole un gemido y haciendo que su cuerpo se estremeciera, presa de un deseo voraz. Le resultaba extraño sentirse tan cómoda con su cuerpo, bajo sus caricias. No estaba nerviosa ni había rastro de inseguridad en ella. Lo deseaba sin el menor asomo de duda.

Notó el áspero roce de su lengua sobre la piel y cada lametón le provocó el aleteo de un millar de mariposas en el estómago. Hasta que por fin le quitó la camisa y la falda. Cuando vio que le quitaba las braguitas con los dientes la invadió un placer tan intenso que estuvo a punto de correrse.

Sin embargo, Wren se tomó su tiempo. Exploró sus piernas centímetro a centímetro, lentamente, mordisqueándolas y lamiéndolas desde los dedos de los pies hasta los muslos. Como si no hubiera estado nunca con una mujer. Como si quisiera reclamar cada célula de su cuerpo.

Y lo estaba haciendo de vicio. El uso que le daba a su lengua era magistral.

Wren se detuvo para observarla. Le apartó los muslos, ansioso por acariciar su empapada entrepierna mientras la miraba, asombrado. Ese cuerpo era distinto por completo al suyo. Era delicado e incitante.

Así que eso se sentía al acariciar a una mujer...

Apretó los dientes al tiempo que presionaba la palma de la mano sobre su sexo. Ni en sus sueños más salvajes se había imaginado que fuera así. El deseo lo abrumó y la penetró con dos dedos. La vio estremecerse en respuesta.

Estaba más que preparada para recibirlo.

Sin embargo, no quería tomarla como lo haría un humano. Quería reclamarla como el animal que era. A los tigres les encantaba jugar con sus hembras...

Marguerite emitió un débil gemido de protesta al sentir que Wren se apartaba.

—¿Qué haces? —quiso saber al ver que la alzaba del suelo.

—Voy a hacerte el amor, Maggie —le susurró al oído mientras la colocaba de espaldas contra su cuerpo.

Insegura de sus intenciones, lo dejó hacer. Wren se tumbó en el suelo de espaldas con ella encima. Era raro estar tendida sobre su cuerpo desnudo de esa forma, con la espalda apoyada sobre su torso. Sentía el roce de sus muslos en el trasero. En ese momento introdujo los pies entre sus piernas y la instó a separarlas.

—Wren... —Se interrumpió con un pequeño grito en cuanto la penetró desde atrás. Y siseó cuando por fin lo sintió dentro. La llenaba por entero.

Apoyó la cabeza sobre uno de sus hombros mientras él comenzaba a mover las caderas, embistiéndola lentamente pero hasta el fondo. Jamás se había sentido tan indefensa. Pero debía reconocer que era una experiencia increíblemente erótica.

Wren capturó sus pechos con las manos sin dejar de penetrarla con un ritmo salvaje que amenazaba con enloquecerla de placer.

En un momento dado, le cogió una mano, entrelazó sus dedos y la instó a bajarla hasta el lugar donde sus cuerpos se unían.

—Tócame, Maggie —le dijo con voz ronca—. Quiero que me toques mientras te hago mía.

¿Cómo iba a negarse? Sentía la dureza de su miembro cada vez que la llenaba con sus poderosas embestidas.

Mientras lo tocaba, él le soltó la mano para acariciarla al compás de sus envites.

Las continuas oleadas de placer la embriagaron. Ese era el momento más increíble de su vida. Porque no parecía un acto meramente físico, de algún modo se sentía unida a Wren a otro nivel. Como si le estuviera ofreciendo algo que solo ella pudiera darle. No tenía sentido, pero así se sentía.

Wren apenas podía respirar mientras sentía la delicada humedad que lo rodeaba. Lo único que quería era seguir dentro de su Maggie. Escucharla gritar en la cúspide del placer y saber que había sido él quien la había llevado hasta allí. Aumentó el ritmo de sus movimientos al tiempo que presionaba la mano sobre ella y le mordía la nuca con delicadeza.

Ella echó la cabeza hacia atrás y gritó mientras se estremecía de placer.

Llevarla al orgasmo le arrancó una carcajada triunfal. Aunque la risa no tardó mucho en morir en su garganta cuando experimentó su propio clímax.

La abrazó con fuerza mientras se derramaba en su interior. Jamás había sentido nada semejante.

Apoyó la cabeza en el suelo, ahíto de placer y encantado de sentir su delicado peso sobre él. Quería quedarse en su interior para siempre. Sin embargo, su miembro no tardó en recuperar el tamaño normal y salir de ella.

Marguerite se dio la vuelta sobre él para mirarlo.

—Ha sido increíble.

Lo vio esbozar una sonrisa. Acto seguido, le cogió una mano y se la llevó a los labios para chuparle los dedos.

—Me encanta tu sabor, Maggie.

Sus palabras le aceleraron el pulso mientras lo veía lamerle la palma de la mano.

—Nunca había tocado a una mujer antes de conocerte —le confesó, atravesándola con la mirada.

—¿Cómo dices?

—Lo que has oído, mi dulce Maggie —respondió, incorporándose para poder mordisquearle el cuello—. Eres la única mujer a la que he hecho mía.

¿Estaría hablando en serio?

—¿Cómo es posible que fueras virgen y me hayas hecho el amor así?

—Instinto animal... —le contestó con una sonrisa.

Arqueó una ceja cuando bajó la vista y vio que volvía a tener una erección.

—¿Wren?

Sin embargo, él no le prestó atención. Se limitó a tumbarla de espaldas en el suelo y a colocarse entre sus muslos.

—Enséñame cómo le hace un hombre el amor a su mujer, Maggie. Quiero sentirte bajo mi cuerpo.

Sus palabras le hicieron fruncir el ceño, pero la perplejidad se esfumó en cuanto la penetró con una poderosa embestida que la puso a doscientos. Le aferró el trasero con las manos y soltó un suspiro satisfecho.

—¿Cómo es posible que la tengas dura otra vez?

—Tengo que recuperar todo el tiempo que he perdido —le contestó, mordisqueándole el mentón.

Y procedió a demostrárselo durante unas cuantas horas.

Estaba acostado junto a Maggie, con el corazón desbocado. Su aroma lo embriagaba y despertaba en él el deseo de quedarse así para siempre, acurrucado tras ella mientras Maggie dormía en sus brazos. Estaba cansado, pero el sueño lo haría recuperar su verdadera forma animal.

Y lo último que quería era que ella descubriera lo que era en realidad. No le cabía la menor duda de que le aterraría descubrir que se había acostado con un animal.

Cerró los ojos, encantado al sentir el roce de su trasero en la entrepierna. Su pelo le hacía cosquillas en los labios.

Por primera vez desde que alcanzara la madurez, deseó poder tener una compañera. Pero no se le ocurriría hacer algo así. Era el último de su estirpe. Al menos por vía materna.

Por la paterna...

Ninguna tigresa que se preciara de serlo se dignaría tocarlo. Para ellos era una abominación. Por si no tuviera bastante con ser un híbrido, ser un tigre blanco se consideraba la peor de las malformaciones entre los suyos.

No encajaba en el mundo katagario del mismo modo que tampoco lo hacía en el de los humanos.

Estaba solo y no podía hacer nada para remediarlo. Era la maldición de los suyos y hacía mucho que se había resignado a sufrirla.

Suspiró y se apartó a regañadientes de la única mujer con la que se había acostado. Estaba seguro de que sería la única en su vida. No obstante, se detuvo un momento para darle un beso en la mejilla.

Era mejor dejarla y no mirar atrás. Ya sabía lo que se estaba perdiendo. La había saboreado una vez..., bueno, más de una vez para ser exactos. Pero con eso tendría que bastar. Era hora de dejarla seguir su vida en su mundo mientras él volvía al suyo.

Marguerite sintió el movimiento en el colchón cuando Wren salió de la cama. Abrió los ojos y lo vio inclinarse para coger la toalla que esa mañana había arrojado al suelo con las prisas para no llegar tarde a clase.

¡Madre mía!, pensó. Ese era el mejor culo que había visto en la vida.

—¿Ya te vas? —preguntó.

—Tengo que trabajar —le respondió, enderezándose para mirarla.

Se echó a reír por la idea de que un hombre forrado de dinero como Wren se preocupara por un empleo con un sueldo mínimo.

—¿Por qué no llamas para decir que estás enfermo?

—Si no estoy a mi hora, Tony se perderá su primera clase. No sería justo.

La idea de que se preocupara de ese modo por sus compañeros de trabajo le provocó un extraño nudo en el estómago. Ninguno de los hombres que conocía miraría por los intereses de otra persona, solo lo haría por los propios.

Volvió junto a la cama para besarla y se derritió nada más sentir el roce de sus labios. Estuvo a punto de pedirle que se quedara, pero se negaba a hacerle algo así. Ya habría más momentos como ese que compartir en cuanto pudiera pasar más tiempo con él.

Notó que metía una mano bajo la sábana para acariciarle delicadamente la cadera. El calor de su piel le arrancó un suspiro y la llevó a devolverle el beso con frenesí.

Él se apartó con un gruñido.

—Si seguimos así, no conseguiré marcharme.

—¿Tan malo sería?

Su expresión se tornó pétrea.

—Sí, Maggie. Sería fatal.

Se apartó tan rápido que sintió un escalofrío. Había algo extraño en él. Algo que no entendía. Como si se estuviera distanciando en parte de ella.

—¿Qué pasa?

—Nada —respondió con brusquedad mientras entraba en el cuarto de baño.

No tardó en salir de la cama y en ponerse el albornoz antes de seguirlo.

—¿Wren? —lo llamó. Estaba en la ducha—. Dime qué te pasa.

Esos ojos azul turquesa la abrasaron.

—No puedo. Además, si te lo dijera, no me creerías.

—Inténtalo.

Rehusó, meneando la cabeza.

—Mira, Maggie, lo de hoy ha sido muy divertido… has estado increíble. Eres increíble. Pero no podemos seguir viéndonos.

—¿Por qué no?

—Eres la hija de un senador —respondió después de soltar un suspiro cansado.

—Y tú eres el hijo de un empresario millonario. Es normal que nos relacionemos.

—No, Maggie —la corrigió él con una amarga carcajada—. No es normal. Mi vida está llena de mierda que jamás entenderías.

—¿Como qué?

Observó que una expresión atormentada velaba sus ojos al tiempo que extendía un brazo para acariciarle una mejilla con la mano mojada.

—Ojalá fuese el hombre que te mereces. Pero no soy digno de ti. En más de un sentido. —La soltó con el arrepentimiento pintado en la cara y cerró la cortina de la ducha.

Se quedó plantada en el sitio, escuchando correr el agua mientras rememoraba todo lo que había pasado entre ellos desde la noche que se conocieron. Siempre había creído que había algo especial entre ellos, sobre todo desde esa tarde, cuando vio que se había cortado el pelo.

Sin embargo, desear algo no lo convertía en realidad y Wren no estaba dispuesto a confiar en ella, así que poco podía hacer. Ella no era de las que suplicaba en busca de afecto.

De todas formas, había algo en su interior que amenazaba con hacerse pedazos al pensar que jamás volvería a verlo. Apenas lo conocía, pero aun así…

No sabes nada de él. Nada, se recordó.

Cierto. No le había contado nada de sí mismo. Así que ¿por qué la atraía de ese modo?

Por favor, no puedo creer que me esté convirtiendo en una de esas que van detrás de los chicos malos, se dijo. Siempre se había enorgullecido de su sensatez. No obstante, había pasado toda la tarde en la cama con un hombre al que apenas conocía.

¡Vaya mierda!, exclamó para sus adentros.

El agua dejó de correr un segundo antes de que se abriera la cortina. Le resultó imposible apartar la mirada de la estampa que presentaba allí desnudo en su ducha, con esa piel dorada resplandeciente por el agua.

Su mirada la abrasó mientras alargaba el brazo en busca de la toalla que descansaba en el toallero. De repente, la invadió un inexplicable impulso de restregarse contra él.

—Voy a… mmm… voy a darme una ducha antes de llevarte en coche al Santuario.

—Gracias.

Se percató de que se le había aflojado la venda y frunció el ceño. Sin embargo, lo más sorprendente fue ver que la herida estaba completamente curada.

—¿Cómo...?

No pudo echarle un buen vistazo porque él se apartó al instante.

—Wren... —le dijo y lo siguió hasta el dormitorio—, deja que te vea el hombro.

—No hay nada que ver.

—La herida... parece curada.

Ni siquiera le dio opción a replicar porque se apresuró a darle un tirón a la venda. Sin prestar atención al siseo que soltó ni al gruñido, clavó la vista en la cicatriz que tenía en el hombro, más propia de una herida que llevara meses curada que de una tan reciente.

Era tan irreal que se quedó boquiabierta.

—¿Cómo es posible?

—Me curo muy rápido.

—¿Qué eres Wren? —insistió al tiempo que rechazaba su explicación meneando la cabeza.

Él la miró con expresión burlona.

—¿Qué crees que soy? ¿Un vampiro con una increíble rapidez para curarse? ¿Un hombre lobo?

Su sarcasmo le hizo poner los ojos en blanco.

—No seas ridículo.

—Exacto. La herida no fue tan grave y me curo muy rápido, ¿vale? Eso es todo.

—No hace falta que te pongas tan a la defensiva.

Lo vio dar un paso hacia ella con un gesto tan feroz que llegó a asustarla por un instante.

—Está en mi naturaleza atacar cuando me presionan o me acorralan. Es esa, además de otras muchas cosas, la razón por la que no puedo tener una relación ni contigo ni con nadie. No confío en mí si te tengo cerca, Maggie. Nací en el seno de una familia conocida por sufrir episodios de extrema violencia y, si te soy sincero, no sé cómo lidiar con las emociones que despiertas en mí. —Su mirada se tornó dolorida mientras se clavaba en ella—. No quiero hacerte daño; pero si me quedo contigo, eso es lo que pasará. Lo sé.

Se negaba a creer algo así. ¿Cómo iba a hacerle daño un hombre tan protector? No tenía sentido.

—¿Alguna vez le has hecho daño a una mujer?

Observó cómo aferraba la toalla que llevaba a la cintura con fuerza antes de apartarse de ella.

—Contéstame —le ordenó.

—No —respondió con un tic nervioso en el mentón.

—Entonces, ¿por qué crees que acabarías haciéndomelo?

Su mirada se tornó atormentada antes de apartarse de ella.

—No tienes ni idea de lo que soy capaz de hacer, Maggie. Ni siquiera yo lo sé, y te juro que no quiero averiguarlo. Mi familia tiene una historia bastante negra en cuanto a las relaciones de pareja se refiere.

Sus palabras le provocaron un escalofrío.

—¿Cómo murieron tus padres?

—No te gustaría saberlo. De verdad que me gustaría que las cosas fueran distintas. Me gustaría ser distinto, pero no lo soy. —Se inclinó y le dio un beso fugaz en la mejilla—. Ojalá tenga la fuerza necesaria para mantenerme alejado de ti. Por el bien de los dos.

—¿Y si yo no quiero que lo hagas?

La angustia que asomó a sus ojos la abrasó.

—Maggie, por favor, no me pidas un imposible.

—Cuéntame qué les pasó a tus padres.

Había tal sufrimiento en su mirada, tanta pasión, que su fría respuesta la sorprendió cuando por fin habló.

—Se mataron el uno al otro en un arranque de furia. ¿Lo entiendes ahora?

La respuesta la dejó tan alucinada que por un momento ni siquiera pudo respirar.

—Mi temperamento es una mezcla de los dos, y ahora ya sabes por qué no puedo estar cerca de nadie. No quiero hacerte daño, Maggie. No quiero, pero si me quedo contigo, sé que al final haré algo malo.

Seguía sin poder creerlo.

—No creo que puedas hacerme daño.

—No es que yo lo crea, es que lo sé. Hazme caso, Maggie. Tengo que mantenerme alejado de ti.

Aunque sus palabras le estaban destrozando el corazón, aún albergaba un rayito de esperanza. Tal vez Wren solo necesitara un tiempo para aclarar sus ideas. No era la primera vez que decían que no volverían a verse y ahí estaban. Desnudos. El uno frente al otro.

Lo imposible podía suceder y Wren podía cambiar de opinión.

Sin embargo, si no era así, no pensaba obligarlo a quedarse. Se negaba a ser una de esas mujeres que se aferraban a un hombre y lo perseguían incesantemente. Ella era mucho más fuerte.

De repente, le pasó por la cabeza el viejo dicho que rezaba: «Si quieres a alguien, déjalo marchar. Si regresa, sabrás que era tuyo y siempre lo será. Si no, sabrás que jamás lo tuviste». Qué palabras tan ciertas.

Claro que al punto recordó la acotación preferida de Tammy: «Si en lugar de largarse cuando lo dejas marchar te lo encuentras sentado en el salón y lo único que hace es comer lo que tú cocinas, ponértelo todo manga por hombro, usar tu teléfono y dejarte sin blanca… sabrás que o te has casado con él o lo has traído al mundo».

De vez en cuando Tammy tenía una visión de la vida muy interesante.

No ganaría nada intentando mantener a Wren a su lado a la fuerza.

—Vale, pero si alguna vez necesitas una amiga, ya sabes dónde vivo.

Lo vio sonreír antes de frotarle la mejilla con la nariz. Su aliento le rozó la piel, poniéndola a cien y aflojándole las rodillas. Le costó la misma vida no llevárselo de vuelta a la cama.

—Si alguna vez necesitas que alguien te proteja, ya sabes dónde vivo.

Sus palabras le arrancaron una carcajada, aunque se le estaba rompiendo el corazón por la posibilidad de no volver a verlo jamás.

—Vamos —lo escuchó decir mientras la empujaba hacia el baño—, dúchate. Te espero fuera.

Asintió con la cabeza y lo observó mientras se alejaba. Se duchó y se vistió echándolo de menos antes de llevarlo de vuelta al Santuario.

Una vez en la puerta del bar, Wren se giró en su asiento antes de salir del coche.

—Gracias —le dijo.

—¿Por qué? —quiso saber ella.

—Por estar conmigo.

La extraña respuesta le hizo fruncir el ceño. ¿A qué venía que le diera las gracias por algo así?

—Ni que hubiera sido un castigo…

—Jamás te olvidaré —susurró. Le cogió la mano para darle un beso en la palma.

Y después salió del coche.

Antes de que se alejara, alargó el brazo para bajar la ventanilla y llamarlo.

—¡Wren!

Él dio media vuelta.

—Se acabó, Maggie. Tiene que ser así. —Sin darle opción a que dijera nada y sin mirar atrás, desapareció en el interior del bar.

Siguió sentada en su asiento, dejando que la canción *I'll Be* de Edwin McCain llenara suavemente el vacío provocado por su ausencia.

Sin embargo, en lo profundo de su corazón sabía que nada llenaría el vacío que sentía en su interior. Nada salvo Wren, pero estaba decidido a mantenerse alejado de ella.

Tal vez fuera lo mejor, se dijo. Había algo oscuro y siniestro en él. Tal vez sus temores fueran ciertos. Tal vez hubiera algo malo en él.

Los periódicos estaban plagados de noticias de mujeres que habían elegido mal a sus novios o maridos. Muchas de ellas no vivían para arrepentirse.

Claro que Wren jamás le haría daño. Su instinto se lo decía.

—Sí, pero a menos que decida confiar en mí, no hay vuelta de hoja.

Wren quería su libertad y ella se negaba a ir tras él.

Era Marguerite Goudeau. Y siempre le quedaba el orgullo de ser quien era.

—Adiós, Wren —musitó—. Espero que volvamos a encontrarnos algún día, cuando aprendas a confiar en los demás.

6

Wren entró por la puerta trasera del Santuario sintiéndose como una auténtica mierda. Se obligó a cerrar la puerta con cuidado en lugar de estamparla contra el marco con todas sus fuerzas. No quería estar en ese lugar. Lo único que quería era estar con Maggie.

Todavía llevaba su olor impregnado en la piel y aún sentía el roce de su cuerpo pegado al suyo. La deseaba con tanta desesperación que ardía en deseos de adoptar su verdadera forma y seguir su rastro hasta dar con ella.

Sin embargo, no podía ser.

En su vida no había lugar para ella.

—Llegas tarde, tigre —masculló Rémi en cuanto entró en la cocina—. ¿Dónde coño estabas?

Hizo oídos sordos a la pregunta mientras cogía el delantal blanco de la percha situada junto a la puerta y se lo pasaba por la cabeza, tras lo cual se lo anudó en torno a la cintura. Marvin se acercó corriendo, parloteando con tono airado como si estuviera molesto con él por haberlo dejado solo con los osos tanto tiempo.

—Lo siento, mono —se disculpó en voz baja—. He estado ocupado esta tarde.

Marvin hizo un mohín antes de saltar hasta su brazo y encaramarse a su cuello para alborotarle el pelo. En lugar de reñirle, se pasó la mano para ordenarlo un poco.

Rémi le lanzó una hosca mirada antes de ir al almacén en busca de otro barril de cerveza.

En ese momento entró Tony procedente del bar con un montón de platos. Lo miró aliviado antes de dejar su carga en el enorme fregadero de acero inoxidable.

—Tío, esto está hasta la bola hoy. Ni que fuese Mardi Gras... —dijo.

Al mirar el reloj que colgaba en la pared, se dio cuenta de que llegaba un cuarto de hora tarde y Tony aún tenía que sortear el tráfico.

—No te preocupes —lo tranquilizó su compañero—, llegaré a tiempo. Pero ten cuidado con Rémi, lleva todo el día con un humor de perros.

La advertencia le arrancó un resoplido. Ese era el estado normal de Rémi. Vivía con un síndrome premenstrual continuo.

—No corras demasiado —le aconsejó a Tony mientras lo observaba quitarse el delantal y sacarse las llaves del bolsillo trasero de los pantalones—, hay un poli en la esquina.

—Gracias por el aviso.

En cuanto se marchó, Rémi apareció con el barril y lo miró con la misma mala leche que antes.

—Vaya... ¿ahora hablas con los demás?

Pasó de él y se limitó a coger un barreño vacío.

El oso ladeó la cabeza.

—Apestas a humano, tigre. ¿Dónde has pasado la tarde?

Sabía que Rémi ansiaba atacar; su naturaleza se lo dictaba, al igual que le sucedía a él. Por suerte, el oso demostró tener un poco de sentido común y se contuvo, de modo que él pasó a su lado sin hacerle el menor caso camino del bar, dispuesto a limpiar las mesas.

La clientela era la típica de cualquier noche: turistas y moteros amenizados por el heavy metal que sonaba desde los altavoces. Los Howlers no subirían al escenario hasta mucho más tarde. Salvo Colt, que era el guitarrista, los miembros del grupo solían dormir todo el día y se levantaban bien entrada la noche. Para un katagario era difícil mantener la forma humana durante el día.

Solo los más fuertes lo lograban.

Puesto que era la hora de la cena, la zona de las mesas estaba atestada de gente comiendo. No había muchos katagarios en el bar todavía. Él era uno de los pocos que aparecían tan temprano. Claro que la luz del sol nunca había sido una molestia. Aunque en términos katagarios era joven, nunca le había resultado difícil mantenerse en forma humana antes de la puesta de sol. No sabía muy bien por qué.

Tal vez porque requería el mismo esfuerzo que mantenerse en forma de tigre o de leopardo puros y él llevaba haciéndolo desde que era pequeño, en un intento por encajar mejor con el resto de los animales. Por desgracia, había sido en balde, ya que su olor delataba su condición de híbrido. Y era lo único que la magia no podía camuflar. Cosa que le repateaba, por cierto.

En cuanto llenó el barreño con los platos sucios, volvió a la barra para regresar a la cocina. Fang, que estaba atendiendo la barra, le sostuvo la puerta para que pasara.

Le dio las gracias con un gesto de la cabeza.

Fang era un lobo que había llegado al santuario un año y medio antes. Los primeros meses de su estancia los pasó sumido en un coma provocado por el salvaje ataque de un grupo de daimons que lo dejó totalmente indefenso. A diferencia de los vampiros de Hollywood, los daimons no solo bebían sangre, sino que también absorbían las almas de aquellos a los que atacaban con el propósito de alargar sus vidas. Puesto que los katagarios y los arcadios poseían poderes mágicos, los daimons los tenían en el punto de mira ya que si lograban hacerse con sus almas, también se hacían con dichos poderes.

Ser víctima de un ataque semejante era algo muy duro para los de su especie, así que entendía muy bien por qué Fang había quedado en coma. El lobo tenía mucha suerte de seguir con vida.

Desde aquel extraño día de Acción de Gracias en el que Fang consiguió levantarse de la cama por primera vez, había ido haciendo progresos poco a poco, aunque aún seguía sufriendo las terribles secuelas del ataque.

—¿Qué le ha pasado a tu pelo, tigre? —lo escuchó preguntar.

—Se ha caído.

Su respuesta le hizo menear la cabeza mientras pasaba a su lado camino de la cocina. Se detuvo junto al fregadero para dejar los platos del barreño y Marvin saltó desde su hombro hasta una estantería cercana.

—¿Qué tal ha ido la tarde?

Cuando giró la cabeza descubrió a Aimée tras él. Como siempre, estaba despampanante, vestida con una ceñida camiseta roja de manga corta y unos vaqueros. Sus labios esbozaban una enorme sonrisa. Parecía esperanzada.

—No ha estado mal —le contestó, encogiéndose de hombros.

La sonrisa desapareció.

—¿Las flores no surtieron efecto?

—Al contrario.

—Entonces, ¿por qué no estás contento?

Volvió a encogerse de hombros.

Aimée lo agarró del brazo y lo llevó a un rincón donde nadie pudiera oírlos.

—Wren, habla conmigo.

Era la única persona con la que había hablado en toda su vida, aunque decirlo así tal vez fuera exagerado porque solo había intercambiado unas cuantas frases con ella.

—Mi lugar no está junto a una humana.

—Sí —convino ella, echando un vistazo hacia la puerta de acceso a la barra donde Fang estaba trabajando—, desear algo que no deberías anhelar duele. Pero...

—No hay peros que valgan, Aimée —replicó—. Los katagarios no se emparejan con humanos y tú lo sabes. ¿Cuándo fue la última vez que uno de nosotros lo hizo?

—Ha pasado alguna vez.

Eso no era ninguna justificación y él lo sabía muy bien.

—Aunque sucediera, sería una unión estéril. Un animal no puede tener hijos con un humano. —Cosa que no sería tan grave. Bien sabían los dioses que lo único que le hacía falta era engendrar más abominaciones como él. Aunque eso no era lo importante. Lo importante era que Maggie estaba fuera de su alcance. Era lo único decente que había conocido en la vida mientras que él era el protagonista de las peores pesadillas de los humanos. Era imposible. Suspiró resignado—. Paso de ella. Tengo que trabajar.

El problema era que no pasaba de ella. En cualquier caso, estaba mucho más obsesionado con ella que antes. No entendía el deseo voraz que lo consumía. El anhelo.

La bestia que moraba en su interior ansiaba seguir su rastro. Babeaba por ella, hervía de deseo por ella. Menos mal que había aprendido a controlar esa parte de sí mismo porque era imposible saber de lo que podría ser capaz.

Dejó a Aimée y volvió al fregadero en busca del barreño.

—Wren... —la escuchó decir y se detuvo.

Lanzó una mirada elocuente hacia la barra, donde Fang la estaba esperando.

—Deja de soñar, Aimée. Nuestra realidad es demasiado dura para tener sueños.

Se percató de la duda que asomaba a esos ojos azules.

—Pero es la esperanza de conseguir algo mejor lo que nos hace seguir adelante.

Esa muestra de ciego optimismo le arrancó un resoplido.

—Yo abandoné toda esperanza el mismo día que mi madre se me tiró al cuello para matarme —replicó, mirándola con dureza—. En tu caso, lo tendría muy presente. Nuestras madres no son humanas. Si crees que Nicolette jamás se volvería en tu contra, estás loca.

—Soy su única hija.

—Y yo era el único hijo de mi madre, el último miembro de su estirpe, y aun así no vaciló a la hora de atacarme. Piénsalo. —Pasó a su lado y volvió a la barra.

No obstante, las palabras de Aimée siguieron resonando en su cabeza.

Esperanza, repitió para sus adentros con desprecio. La esperanza era para los humanos. No para los animales ni para las abominaciones.

—Hola.

Cuando alzó la vista, vio a una chica muy joven ataviada con una minifalda cortísima y un top ajustado que le dejaba el ombligo al aire acercándose a él. La chica echó la cabeza hacia atrás y apuró su bebida.

—Se me ha ocurrido que podía hacerte ahorrar tiempo si te traía el vaso —dijo, comiéndoselo con los ojos. Se pasó el vaso vacío por el pecho antes de ofrecérselo.

Sorprendido por el hecho de no sentir absolutamente nada por ella, inclinó la cabeza mientras cogía el vaso y se alejó hasta otra mesa. La chica hizo un mohín antes de regresar a su silla.

—¿Qué cojones te pasa, tigre? —escuchó que le preguntaba Justin cuando llegó a su lado—. ¿Qué animal le daría la espalda a «eso»?

—Ve a por ella, pantera —le dijo—. Toda tuya.

—Sí, ya lo creo que voy.

Siguió con la mirada a Justin, que se acercó a la mesa de la chica y entabló conversación con ella. Al cabo de unos minutos ambos iban de camino al almacén emplazado cerca del escenario. Uno de los osos lo había insonorizado por si a alguien le apetecía echar un polvo rápido, o dos, con alguna humana.

La indiferencia con la que había respondido a la chica era rara. Ni un simple cosquilleo. De no estar seguro de lo contrario, juraría que estaba emparejado. Sin embargo, no tenía la marca en la mano y, aunque la tuviera, jamás se emparejaría con una humana. Mucho menos con Maggie. Su padre era un hombre demasiado importante.

La idea era que su mundo siguiera siendo un secreto para los humanos. Emparejarse con uno de los miembros de la familia de un político era un suicidio.

Marvin se acercó corriendo para dejar un vaso en el barreño antes de alejarse de nuevo a la carrera.

Nicolette se detuvo en el vano de la puerta de su despacho con la vista clavada en Wren, que estaba limpiando mesas. Todos sus instintos animales le decían que había llegado el momento de que abandonara el santuario. Bien sabían los dioses que nunca lo había querido en su casa.

Si alguna vez se salía con la suya, allí solo estarían los miembros de su familia. Pero sus leyes decían otra cosa. Era la necesidad la que dictaba que abriera sus puertas a otros y que estos entraran y salieran a su antojo y que incluso vivieran en su querido hogar.

Aunque la situación no tenía por qué hacerle gracia.

Su mirada se suavizó al posarse sobre su hijo Dev, que estaba hablando con otro de sus retoños, Cherif. Había perdido dos hijos a manos de los centinelas arcadios que en otra época los persiguieron hasta los confines el mundo y más allá por el simple motivo de haber nacido siendo animales. Se negaba a perder más hijos en esa sangrienta guerra que enfrentaba a arcadios y katagarios.

Haría todo lo necesario para proteger a su familia.

—¿Lo?

Giró la cabeza al escuchar que su pareja la llamaba. Aubert la observaba visiblemente preocupado.

—*Oui?*

Aubert desvió la mirada hacia Wren.

—El tigre no le hace daño a nadie.

Frunció los labios mientras giraba la cabeza para mirarlo.

—Su simple presencia me molesta. No está bien y lo sabes perfectamente.

—No tiene otro sitio adonde ir.

—Ni nosotros. —Hizo un gesto con la barbilla hacia el mono, que en ese momento se acercaba al tigardo saltando—. Eso tampoco es natural. Odio a ese dichoso mono. Es asqueroso. Nosotros nos alimentamos de esos animales. No deberían considerarse mascotas.

—Marvin no es una mascota —le recordó Aubert en voz queda—. Wren no es su dueño. Son amigos y el mono lo ayuda a mantener la calma. Por eso le permitimos que se quede.

Soltó un resoplido asqueado antes de replicar:

—¿Por qué tenemos que aguantarlo? Somos osos. Somos los más poderosos. Un zarpazo y el tigre estaría muerto.

Aubert le dio la razón con un gesto breve de la cabeza.

—En la naturaleza, bestia contra bestia, sí. Pero Wren es humano en parte, al igual que nosotros. Sabe que no puede atacarnos sino por la espalda. La fuerza que le falta la suple con la rapidez y la agilidad. Podría matarnos. No me cabe la menor duda.

Miró a su pareja con rencor.

—¿Le tienes miedo?

—No —masculló él—. Pero no soy tonto. No permitas que el odio te ciegue, *ma petite*. Es mejor tener su fuerza de nuestro lado que tenerlo de enemigo.

Consideró la idea un momento.

—Tal vez, pero no es como los demás. Sabe muy bien que nuestra hospitalidad solo es una fachada.

—*Oui*, pero se calla lo que sabe. Rara vez habla con alguien.

De todas formas, no confiaba en él. Percibía el nerviosismo que lo embargaba. El estado volátil de sus emociones. Podía convertirse en una bestia salvaje en el momento más inesperado.

—Creo que deberíamos trasladar nuestros temores al Omegrion.

El Omegrion era el consejo que regía a katagarios y arcadios. Dictaba y aplicaba las leyes, y sus miembros podían decretar que se le diera caza a cualquiera que juzgaran peligroso para los demás.

Vio que Aubert ponía los ojos en blanco.

—No hace falta llegar a esos extremos. Wren no es un asesino.

—Pero lo será. Lo presiento.

Wren soltó el aire despacio mientras acababa de limpiar una de las mesas. Estaba llamando demasiado la atención con su nuevo corte de pelo y eso no le gustaba nada. Prefería pasar desapercibido entre la multitud. Tal vez la gente también lo miraba antes, pero no tardaban en desviar la vista hacia otro lado. O en hacer una mueca de asco.

Cualquiera de las dos cosas era preferible al escrutinio al que lo estaban sometiendo las mujeres. A las miradas amenazadoras de los hombres, celosos porque sus parejas se lo estuvieran comiendo con los ojos.

Los tigres eran criaturas solitarias por naturaleza. Vivían solos durante toda su vida.

Sin embargo, sus pensamientos rememoraban sin cesar los acontecimientos de la tarde. El rostro de Maggie.

Tengo que olvidarla, se dijo.

El problema era que no sabía cómo hacerlo.

Marguerite suspiró mientras hacía la cama. Era difícil no pensar en Wren haciendo lo que estaba haciendo, puesto que ese era el sitio donde habían pasado la mayor parte de la tarde.

—Es mejor que se haya ido —se recordó en un susurro.

Era cierto. Derecho no era una carrera fácil. Las clases eran arduas y requerían mucha concentración. Lo último que necesitaba era la distracción que suponía tener un novio problemático.

Lo último que le hacía falta era fracasar en la carrera. A su padre le encantaría...

Cuando se alejó de la cama, se tambaleó al pisar algo que había en el suelo. Frunció el ceño al ver una cartera de hombre.

—Joder —soltó al punto con una mueca. Menuda suerte la suya. A Wren se le debía de haber caído del bolsillo mientras se ponía la ropa.

La cogió para echarle un vistazo y encontró su carnet de conducir y dinero. Sí. Era suya. Evidentemente no podía ser de ningún otro, pero siempre quedaba la esperanza de que fuera de algún ladrón torpe...

—Debería mandársela por correo.

Sin embargo, lo normal era que la necesitara, y el servicio de correos no era muy rápido.

—Soy capaz de solucionar esto como una adulta.

La llevaría al bar, se la dejaría a la camarera y se largaría antes de que él la viera.

Vale, eso era cobarde y no muy adulto, pero se ahorraría una herida a sus sentimientos. Si Wren no quería verla, ella tampoco quería dejarse ver.

Wren estaba en la cocina colocando platos cuando sintió algo extraño. Una emoción intensa y electrizante. Como si algo acabara de rozarle el alma.

Con los ojos entrecerrados, alzó la cabeza y echó un vistazo por la cocina.

No vio nada fuera de lo normal. Sin embargo, la bestia de su interior percibía algo.

Apretó los dientes y abandonó la cocina en dirección a la barra. Acababa de poner un pie en el bar cuando descubrió la fuente de su incomodidad…

Maggie.

Y estaba hablando con Dev.

Entrecerró los ojos un poco más, asaltado por unos celos totalmente desconocidos hasta ese momento, antes de poder controlarse. Le costó la misma vida mantenerse en forma humana en lugar de transformarse y abalanzarse sobre el oso hasta verlo muerto entre sus fauces.

Sin embargo, sí que atravesó el bar a grandes zancadas.

Marguerite sintió que el aire se cargaba a su espalda. Incluso antes de darse la vuelta sabía que era Wren. Su presencia le resultaba tangible.

Miró por encima del hombro y esos ojos azul turquesa la abrasaron con su pasión. La intensidad de su mirada la estremeció.

—Te dejaste la cartera —se apresuró a explicarle, ya que no quería que creyera que lo estaba acechando. Le quitó la cartera al tipo al que se la había dado y se la entregó a Wren—. Se la había dejado para que te la diera.

Y con eso echó a andar hacia la puerta.

—Espera —le dijo él.

—¿Para qué? —soltó con más brusquedad de la que había

pensado—. No soy un yoyó, Wren. Me has dejado muy claro que todo ha acabado entre nosotros. Solo estaba...

Interrumpió sus palabras con un tórrido beso. Su salvaje sabor le arrancó un gemido.

De todas formas, fue ella la que le puso fin.

—Esto es cruel. —Se percató del amargo deseo que iluminaba su mirada mientras la contemplaba.

—¿Alguna vez has deseado algo que sabías que era perjudicial para ti con tanta fuerza que no podías pensar en ninguna otra cosa?

—Sí, por eso siempre acabo comiéndome la tableta de chocolate entera.

Su respuesta lo hizo reír y agarrarla del brazo de forma más suave. El tío al que le había dado la cartera parecía pasmado.

Wren la acercó, le frotó la mejilla con la nariz y aspiró su aroma con fuerza.

—Pues yo quiero esnifar mi tableta de chocolate, gatita. Aunque me mate.

Frunció el ceño por el comentario.

—Yo jamás te haría daño, Wren.

Notó que se tensaba como si hubiera oído o sentido algo.

—Tienes que irte. Aquí no estás a salvo.

—¿Por qué?

Wren no respondió. Se habían convertido en el centro de atención de los otros katagarios presentes en el bar y no podía permitir que adivinaran lo mucho que esa mujer comenzaba a significar para él.

—Me tomo un descanso —le dijo a Dev antes de coger a Maggie del brazo y conducirla hasta la puerta.

—¿Qué está pasando aquí? —le preguntó ella mientras caminaban.

—No puedo explicártelo. De verdad que no puedo. —No había modo de decirle que los sentimientos que albergaba en su interior eran absurdos. Supuestamente no debía sentir nada por una humana. Al menos no lo que estaba sintiendo en esos momentos.

Porque se sentía como si...

Como si fuera un ser humano. Y estaba claro que no lo era.

La llevó hasta el callejón donde había aparcado el Mercedes y apretó los dientes al notar que todo su cuerpo estaba en llamas, exigiéndole que volviera a hacerla suya.

¿A qué venían esas emociones? Joder, ¡era absurdo!

Alzó una mano y acarició sus sonrojadas mejillas con las yemas de los dedos.

Él no era lo que Maggie necesitaba tener en su vida. Nadie se merecía cargar con él y lo sabía. Sin embargo y por primera vez en su vida, quería estar con alguien.

Y ese alguien era, nada más y nada menos, una humana.

¿Qué le estaba pasando? ¿Serían los efectos de la *trelosa* que atacaba en ocasiones a katagarios y arcadios por igual al llegar a la pubertad? Nunca la había padecido y jamás había sentido esa locura tan semejante a la rabia que podía aparecer con la revolución hormonal.

Sin embargo, la sentía en ese momento. Era una sensación mordaz y exigente.

Tal vez en su caso la *trelosa* se hubiera retrasado por su condición de híbrido. No lo sabía. Sin embargo, se suponía que las humanas no deberían atraerlo de ninguna de las maneras. Salvo como posibles compañeras de cama o como presas, claro estaba.

Esos ojos castaños estaban clavados en él con expresión asesina.

—No comprendo qué está pasando, Wren. Me alejas de ti a empujones, pero me miras como si fueras un mendigo hambriento y yo fuera el único bistec de la ciudad.

—Una descripción bastante buena —comentó en voz baja—. Estás fuera de mi alcance.

—Y eso ¿por qué?

—Porque no estoy bien, Maggie. Desde el punto de vista físico, emocional y social... no puedo estar contigo.

—Eso es una estupidez. No paras de repetirlo y yo sigo sin ver nada raro en ti. ¿Qué es eso tan malo que te pasa y que impide que sigamos saliendo?

Ojalá pudiera decírselo, pero era absurdo y lo sabía. Decirle que era un animal le pondría los pelos de punta. Decidió utilizar una explicación más humana.

—Soy antisocial.

—Y yo. No me relaciono bien con los demás, odio las fiestas y a las personas extrovertidas.

—Yo odio a todo el mundo.

—Si eso es así, ¿por qué sigue tu mano en mi cara?

Tragó saliva al aceptar una verdad innegable.

—Porque a ti no te odio.

—En fin, es un alivio saberlo, sobre todo después de lo de esta tarde.

Apartó la mano de su mejilla y sintió un tic nervioso en el mentón.

—Tengo que volver al trabajo.

—¿Quedamos luego?

Quería negarse, pero su presencia calmaba una parte de sí mismo. Y era la primera vez en su vida que sentía algo así.

¡Por los dioses! Esa mujer lo había domesticado en parte... Aléjala de ti, se dijo.

No podía. Necesitaba sentir su contacto. De modo que en contra de su voluntad, se descubrió asintiendo con la cabeza.

Marguerite suspiró aliviada. No se había percatado de que había aguardado su respuesta conteniendo la respiración.

En esa ocasión no la había rechazado. Era una buena señal.

—¿Wren?

La mujer que la había echado en su anterior visita estaba mirándolos con cara de pocos amigos. Al parecer, sus sentimientos hacia ellos no se habían entibiado en lo más mínimo desde la última vez que la echó de su casa.

Wren la miró por encima del hombro y soltó un gruñido que no pareció muy humano antes de volver a mirarla.

—Tengo que irme.

—Vale.

Se puso de puntillas para darle un casto beso en la mejilla. Cuando se apartó y le vio la cara, se percató de lo mucho que a Wren le había gustado.

Le cogió la mano y se la llevó a los labios para darle un beso húmedo en los nudillos.

—Ten cuidado.

—Tú también.

La vio meterse en el coche y siguió donde estaba hasta que el Mercedes se alejó.

En ese momento dio media vuelta y echó a andar hacia el lugar donde Nicolette lo esperaba. La osa no dijo nada cuando pasó a su lado, pero sintió la intensidad de su mirada.

No le hizo el menor caso y entró en el bar para seguir trabajando.

Nicolette siguió al tigardo hasta el bar y se detuvo al llegar junto a su hijo Dev.

—No es natural que uno de los nuestros se sienta atraído por una humana.

—Se está volviendo muy inestable —comentó él.

Asintió con la cabeza.

—Hace unas horas estuve hablando con un primo suyo.

—¿Y?

—Me dijo que Wren mató a sus padres —respondió, observando al tigardo con los ojos entrecerrados.

Dev pareció quedarse pasmado por las noticias, pero a ella no la habían tomado por sorpresa. Se esperaba una cosa así. Había algo malévolo en él.

—¿Cómo? —preguntó Dev—. Era solo un cachorro cuando lo trajeron.

—Es la maldición de su estirpe. ¿Por qué crees que los leopardos blancos están prácticamente extinguidos? Se vuelven locos y acaban atacando a quien les da de comer. Incluso a sus seres queridos.

—¿Piensas que Wren se está volviendo loco?

—¿Tú qué crees?

Su hijo le lanzó una mirada a Wren, que estaba limpiando una mesa con Marvin encaramado en su hombro.

—Creo que está enamorado de esa chica. Hasta lo he oído reír.

La mera idea la hizo resoplar.

—No es natural que un katagario se enamore de una humana. Mucho menos de esa —matizó, enfatizando la última palabra con desprecio—, que nos va a acarrear la muerte a todos. ¿Te haces una idea de lo que podría pasar si su padre se enterara de nuestra existencia? Nos perseguirían hasta matarnos.

Dev asintió con la cabeza.

—Sin duda cundiría el pánico entre los humanos.

Notó que la consumía una amarga y descarnada oleada de ira y apretó los dientes.

—No permitiré que ese híbrido nos ponga en peligro a todos.

—¿Qué vas a hacer, *maman*?

En lugar de contestar, siguió con la mirada al tigardo, que frunció los labios al verla mientras caminaba con los platos sucios hacia la cocina.

No podía contarle sus planes a Dev. Por alguna extraña razón que no atinaba a comprender, su hijo le tenía cariño al tigardo. Cosa que a ella le ponía los pelos de punta. Pero claro, había que tener en cuenta que casi todos los machos eran débiles. De ahí que las osas fueran las más fuertes de su clan y de ahí que fuera ella quien llevaba las riendas de esa casa.

—No te preocupes, Devereaux. *Maman* se encargará de todo. Tú sigue vigilando la puerta de casa.

Una casa que pronto se libraría de la amenaza que Wren suponía para todos.

7

Marguerite soltó un largo suspiro mientras paseaba sola por el zoo, observando a los animales jugar o descansar. Llevaba tres días sin tener noticias de Wren. Aunque lo peor era que su padre la había llamado dos horas antes para despotricar por el arresto de Blaine y el juicio al que se enfrentaba. Al parecer, ni Blaine ni su padre se habían molestado en decirle quién era realmente Wren. Seguramente porque Blaine se negaba a creerlo. Al fin y al cabo, ¿no era su familia más importante que las demás? Y siguiendo su filosofía, ¿cómo era posible que una persona tan acaudalada como Wren se dedicara a otra cosa que no fuera regodearse en su propia grandeza?

Eso la ponía enferma. La voz furiosa de su padre seguía resonando en su cabeza:

«Tendrá antecedentes que nadie podrá borrar y todo ¿por qué? ¿Por un vagabundo del que decidiste hacerte amiga? ¡Por Dios, Marguerite! ¿En qué estabas pensando? El padre de Blaine ha ayudado a recaudar cientos de miles de dólares para mi campaña y mi hija va y hace que arresten a su hijo. ¿Estás intentando que me muera? ¿Quieres que me dé un infarto fulminante para heredar antes? Pues mejor coges una pistola y me pegas un tiro. Se acabó lo de…».

Después de la perorata, sacó a colación lo único que conseguía partirle el corazón:

«Esto es lo que me pasa por casarme con una cajún en contra de los deseos de mi familia. Nunca debí tener hijos. Ningún político puede permitirse esa responsabilidad».

Ni siquiera había podido meter baza durante los tres cuartos de hora que duró el sermón. Al principio lo intentó, pero se resignó al cabo de unos minutos. Dejó el auricular sobre la encimera para picotear patatas fritas y hojear una revista mientras él se desahogaba a gusto. Cuando terminó, se limitó a disculparse antes de colgar.

Su padre jamás atendía a razones. Claro que podría haberle puesto un punto en la boca en cualquier momento diciéndole quién era Wren y por qué Blaine no había podido untar a nadie para salir del atolladero, pero reconocía que había cierto sadismo en su renuencia a dejarlo en la ignorancia. Que siguiera con sus falsas ideas.

Conociéndolo, su opinión sobre Wren daría un giro completo en cuanto descubriera lo de su fortuna.

Sin embargo, no quería que le cayera bien por su fortuna. Quería que viera al hombre, no a su dinero.

Meneó la cabeza y siguió caminando por el sendero de madera situado entre las jaulas mientras intentaba olvidar la conversación. Pero era imposible. No quería pelearse con su padre.

Solo quería tener un padre que estuviera orgulloso de ella. Que la aceptara. Sin embargo, era un hombre irracional. Jamás había conocido a nadie que pudiera formarse una opinión tan rápido con poquísimos datos y luego fuese capaz de discutir y porfiar hasta quedarse sin aliento como si él llevara la razón y el resto del mundo estuviese equivocado.

—Un día de estos voy a ponerme en mi sitio, papá —susurró. Al menos esperaba hacerlo, pero era difícil. Porque a pesar de todo, lo quería. Era su padre, y también habían compartido momentos de maravillosa ternura...

De vez en cuando.

El problema era que esperaba muchísimo de ella. Quería que fuera como Whitney o como Elise, la perfecta debutante. Una belleza despampanante que pudiera ser la compañera de algún ricachón. Que organizara fiestas estratégicas para que su marido pudiera alcanzar el éxito en cualquier ámbito que escogiese.

Pero esa no era ella. Ella era sencilla y su físico no era ni delgado ni delicado. En cuanto a las fiestas... prefería con mucho quedarse en un rincón leyendo. Odiaba tener que ser agradable con la gente que no le caía bien porque su padre quería que contribuyeran a la campaña. Odiaba ser falsa. Solo quería ser ella misma.

Quería dejar su huella en el mundo al igual que su madre había hecho antes de casarse, no ser la compañera de otra persona. Esa clase de vida había destruido a su madre, y sabía de manera instintiva que también la mataría a ella.

—Solo quiero respirar.

Le daba igual a qué se dedicara siempre que fuera un trabajo o una profesión que ella misma hubiera elegido. No la encerrarían en una jaula como a esos animales. Por mucho que quisiera a su padre, se negaba a dejar que la tratara de la misma forma que a su madre. Tarde o temprano lo obligaría a ver quién era en realidad.

Se detuvo delante de la zona de los tigres blancos. Le encantaba ir al zoo desde pequeña. Era el lugar preferido de su madre. Porque prácticamente había crecido en él. Fue su abuelo materno quien encabezó la cruzada para salvar el zoo durante los años setenta y ochenta. Fue un visionario que sacó el zoológico de la Edad Media y lo convirtió en uno de los más punteros del país.

Allá donde mirase, veía la mano de su familia materna.

De hecho, veía a su madre. Porque mientras estudiaba en Tulane, trabajó en el zoo como guía. Había planeado ser veterinaria o cuidadora en un zoo al terminar la universidad, pero su matrimonio echó por tierra todos esos sueños.

El único momento en el que recordaba a su madre feliz y riendo a carcajadas fue cuando la llevó al zoo y le contó historias sobre los diferentes animales, sobre cómo vivían y cazaban. Y eso le reportaba mucha paz.

Porque en el zoo volvía a sentir la presencia de su madre.

Su padre, en cambio, lo odiaba. Para él, era vulgar, tosco y sucio. Pero para ella era maravilloso.

—Te echo de menos, mamá —susurró mientras observaba a

dos tigres jugar en una minúscula representación de lo que sería su hábitat natural.

Tenía apenas doce años cuando su madre, harta de ser la esposa de un político, se suicidó con una sobredosis de antidepresivos. Como era de esperar, su padre echó tierra sobre el asunto y fingió que se había tratado de un accidente, pero ella sabía la verdad. Su padre se había negado a divorciarse, incluso a separarse. Habría sido perjudicial para su carrera.

Incapaz de soportar la idea de que la machacaran durante el resto de su vida por sus amigos, su ropa y su gusto en todo lo que hacía, su madre acabó rindiéndose. Dejó una carta de despedida en la que le decía que fuera más fuerte de lo que ella había sido.

> Sigue los dictados de tu corazón, Marguerite. No dejes que nadie te diga cómo vivir. Solo se vive una vez, *mon ange*. ¡Vive tu vida por las dos!

Le temblaron los labios cuando el dolor se apoderó de ella. Su madre había sido un alma bondadosa y pura.

Tras su muerte, pasó un largo período de tiempo odiando a su padre. Y la verdad era que también odió a Dios por dejarla sola con él. Pero a medida que fue creciendo, comenzó a entenderlo un poquito.

Al igual que le sucedía a Blaine y a Todd, su padre estaba a merced de las ambiciones de su familia, de las expectativas que habían depositado en él. Su abuelo había controlado su vida desde que nació. De hecho, seguía haciéndolo de muchas maneras. A pesar de ser un senador muy poderoso, siempre recurría a él en busca de consejo. Si el abuelo estaba enfadado, su padre estaba enfadado y avergonzado.

Solo se opuso a sus dictados cuando se casó con su madre.

De todas formas, no estaba segura de que la hubiera amado en algún momento de su relación. Su madre era una mujer que quitaba el hipo. Poseía esa clase de belleza que hacía que la gente se volviera a mirarla. Cualquier hombre la habría deseado.

Evidentemente, su padre se sintió atraído por su espectacular belleza. Además, como antigua Miss Luisiana y como hija del cajún que había salvado el adorado Zoológico Audubon, tenerla como esposa era una gran baza para un hombre con ambiciones políticas. Con ella del brazo, su padre pudo afirmar que comprendía las necesidades de todos los habitantes de Luisiana, tanto ricos como pobres.

Bueno, tal vez comprendiera las necesidades de sus votantes, pero jamás comprendió las necesidades de su hija, y nunca lo haría.

—Hola, Maggie.

El sonido grave e hipnótico de esa voz masculina la dejó petrificada. Miró hacia atrás y vio a Wren. Vestía una camisa holgada y vaqueros, y era lo mejor que había visto en días. Llevaba el pelo un poco revuelto y el azul de la camisa resaltaba el brillo turquesa de sus ojos. La dejó sin aliento.

Antes de que pudiera pensar en lo que hacía, se abalanzó sobre él y lo abrazó con fuerza, ya que necesitaba que alguien la reconfortara.

Su sentido de la oportunidad era excelente.

La reacción de Maggie lo dejó alucinado. La abrazó mientras se pegaba contra su cuerpo. Nadie se había alegrado tanto de verlo. Tragó saliva al verse asaltado por una oleada de emociones desconocidas.

—Me alegro muchísimo de que estés aquí —susurró ella.

—Ya me he dado cuenta.

Maggie se apartó con una mueca y se percató de que estaba avergonzada. La miró con una sonrisa mientras su corazón daba un extraño vuelco.

—Estaba bromeando, Maggie.

Recuperó la expresión alegre al instante.

—¿Cómo sabías que estaba aquí?

Titubeó un momento mientras intentaba pensar en una mentira creíble.

—No estabas en casa.

—Ya, pero podría haber estado en cualquier lugar de la ciudad.

Eso hizo que se frotara el cuello con nerviosismo. Tenía que despistarla antes de que se fuera de la lengua sin querer.

—Me gusta venir aquí. —Era una mentira como una casa. La verdad era que odiaba los zoológicos. No soportaba ver a los animales enjaulados. Al ser uno de ellos, escuchaba sus pensamientos y percibía su incomodidad. Claro que no todos eran infelices en esa situación. Había bastantes animales a los que les gustaba toda esa atención y agradecían tener un hábitat seguro.

Pero otros...

Eran como él. Depredadores. Y odiaban cualquier clase de jaula.

De niño, su madre lo amenazaba con venderlo a un zoológico.

«Es un monstruo. Pagarían una buena suma por mostrarlo al público. Imagina todo el dinero que conseguiríamos.»

Su padre fue quien evitó que acabara en un sitio semejante.

Apretó los dientes y apartó la mirada de los tigres blancos. Eran la atracción principal del zoo. Su madre no se había equivocado.

La odió por eso.

Se desentendió de esos pensamientos y se concentró de nuevo en Maggie.

—¿Por qué estás aquí?

Lo miró con una sonrisa deslumbrante.

—Ya te dije que tengo debilidad por los tigres. —Apartó la mirada de él para clavarla en el lugar donde los tigres jugaban—. Creo que Rex y Zulú son las criaturas más hermosas que he visto en la vida. Me encanta venir a verlos.

Esas palabras le hicieron gracia.

—Así que te gustan los tigres blancos, ¿no?

La vio asentir con la cabeza.

—Daría cualquier cosa por poder acariciarlos.

Sonrió por la ironía de la situación. Lástima que no supiera que ya lo había hecho.

—No cuesta tanto domesticarlos.

Marguerite se echó a reír.

—Lo que tú digas. Seguro que se tragarían la mano de cualquiera lo bastante estúpido como para acercarse.

Tal vez, pero no lo harían si la mano que los acariciara fuera tan dulce y delicada como la suya. Cualquier tigre se echaría a sus pies…

Al menos él lo haría.

Cogió esas preciosas manos. Su piel era como el terciopelo y le recordaba lo suave que era también el resto de su cuerpo. Percibía una terrible tristeza en su interior, lo que hizo que su corazón se apenara.

—¿Por qué no estás estudiando?

La escuchó suspirar como si llevara el peso del universo sobre sus hombros.

—No podía concentrarme. Tuve una llamada espantosa de mi padre hace un rato, así que intenté relajarme en un sitio que me pareciera medianamente feliz.

Se le cayó el alma a los pies al escucharla. No había sido su intención molestarla.

—¿Quieres que te deje sola?

—No —respondió ella al tiempo que negaba con la cabeza—. Encontré ese lugar feliz en cuanto apareciste.

Esas palabras le detuvieron el corazón, porque jamás había creído que llegaría a escucharlas de boca de nadie. Era una relación totalmente imposible. Los arcadios y katagarios no elegían a sus compañeras, lo hacían las Moiras sin preguntarles su opinión.

Cada vez que uno encontraba a su compañera, aparecía una marca de emparejamiento en la mano. Casi siempre aparecía después de haberse dado un revolcón, de ahí que los arcadios y katagarios sin pareja fueran promiscuos. Con cuantas más personas se acostaran, más probabilidades tenían de encontrar a su pareja. Pero no había marca visible que le indicara que Maggie era suya.

La única marca era el anhelo que se había apoderado de su corazón.

Se mantuvo en silencio mientras ella entrelazaba sus dedos

y comenzaba a mover sus manos unidas. La sonrisa que vio en su rostro le llegó al alma.

Llevaba el pelo recogido salvo por un mechón que caía junto a su rostro hasta rozarle el cuello. Ansiaba acariciar ese punto con los labios para poder aspirar su maravilloso aroma.

Sus ojos rebosaban pasión y cariño. Sin duda alguna era la criatura más hermosa que había visto en la vida.

Un grupo de colegiales pasó por su lado entre risas y gritos cuando vieron a los dos tigres.

Apenas si se fijó en los niños.

—¿Qué planes tienes para hoy?

Ella se encogió de hombros.

—Ninguno. ¿Y tú?

—Es mi día libre.

—¿De verdad?

Asintió con la cabeza antes de lanzarle una sonrisa picarona.

—¿Te apetece retozar desnuda?

Marguerite dio un chillido y sintió que se ponía como un tomate por la sugerencia. Pero, sinceramente, eso era justo lo que quería.

—¿Solo me quieres para eso? —preguntó con sorna.

—No —respondió él con un brillo sincero en los ojos—. Significas muchísimo para mí.

Tuvo que tragar saliva al escuchar el deje serio de su voz. Al ver la expresión anhelante de su rostro. La tenía cautivada por completo. Wren le soltó la mano, se la colocó en la cara y la instó a que lo mirara. Ella cerró los ojos a la espera de su beso.

Sus labios se rozaron.

Hasta que escucharon un chillido.

—¡Socorro! ¡Dios mío que alguien llame a los cuidadores! ¡Deprisa!

Wren se apartó de ella cuando los niños comenzaron a chillar y la gente echó a correr a su alrededor.

—¿Qué ha pasado? —preguntó.

—¡Por Dios, ese niño está en la jaula de los tigres! —gritaba una señora, a pocos metros de donde ellos se encontraban.

—¡Se lo van a comer!

Se quedó sin aliento cuando se giró y vio a un niño de unos ocho años en la jaula. Tenía el rostro ensangrentado y las ropas desgarradas por la caída. Intentaba llegar a la valla entre gritos y lágrimas, pero la pared de cemento se lo impedía. Como estaba chapoteando en el agua, se había convertido en el centro de atención de los tigres.

Lo peor de todo era que los animales estaban gruñendo y siseando mientras caminaban hacia la charca que los separaba.

Al igual que todos los presentes, estaba segura de que el niño iba a morir.

De repente, Wren echó a correr hacia la valla de madera que separaba a los visitantes de la cerca. Horrorizada, lo vio saltar al interior del recinto, donde cayó agazapado no muy lejos del niño, en uno de los pilones de hormigón que se alzaban en el agua. Acto seguido, se enderezó despacio salvo por la cabeza, que mantuvo inclinada en ese gesto feroz tan típico, y se giró hacia el niño que seguía chillando y gritando. Se tapó la boca con la mano, segura de que los tigres acabarían comiéndoselos a los dos.

Wren se acercó con cuidado al niño, que parecía haberse hecho daño por la caída.

—No pasa nada, chico —le dijo con voz tranquila y sosegada mientras vadeaba la charca para llegar hasta él—. ¿Cómo te llamas?

—Johnny.

Extendió los brazos para apartarlo de la pared de hormigón, pero el niño se negó a soltarse.

—Confía en mí, Johnny. No van a hacerte daño. No les dejaré.

Johnny cedió sin dejar de llorar. Lo abrazó con fuerza mientras observaba el recinto cerrado en busca de una salida para ponerlo a salvo. Si utilizara su fuerza animal podría saltar sin problemas de vuelta a la cerca de madera, pero eso alertaría a todos los presentes de que no era del todo humano.

Aunque de todas maneras tendrían sus sospechas, ya que iba a salir de la jaula sin que los tigres se los comieran ni los atacaran.

Apretó los dientes al darse cuenta de que varias personas estaban haciendo fotografías.

Joder.

Giró la cabeza y siguió buscando una salida. La mejor era la portezuela situada en la parte posterior de la jaula, la que seguramente utilizaban los cuidadores para dar de comer a los tigres. Echó a andar hacia ella.

Rex y Zulú se acercaron, rugiendo y rodeándolos de forma amenazadora, de modo que giró la cabeza y los taladró con la mirada. Percibía que querían atacarlo, pero estaban confundidos por su forma humana y su olor a tigardo.

Les siseó.

Los tigres retrocedieron.

Johnny gritó.

—Tranquilo —le dijo al niño con voz calmada—. No tengas miedo. Huelen tu miedo y eso hace que quieran atacarte. Imagínate que solo son un par de gatitos.

—Pero son tigres.

—Lo sé. Finge que tú también lo eres. Finge que no pueden vernos.

Las lágrimas del niño cesaron.

—Ven, gatito bonito.

Asintió con la cabeza.

—Eso es, Johnny. Tienes que ser valiente.

Los tigres se acercaron de nuevo, pero se quedaron lo bastante alejados como para que pudieran llegar a la portezuela. Un grupo de cuidadores ya se había encargado de abrirla. En cuanto le tendió el niño a una cuidadora, uno de los tigres se abalanzó sobre él.

—¡Corre! —gritó la mujer.

Sin embargo, no se movió del sitio cuando el tigre saltó sobre él. Se abrazó al animal y giró por el suelo con él. Rex solo quería jugar. Se quedó tendido con el tigre sobre su pecho mientras Rex lo mordisqueaba de forma juguetona. Le dio unas palmaditas en la cabeza.

—Será mejor que dejes que me levante, Rex —dijo en voz baja—, si no quieres que te disparen dardos tranquilizantes.

El tigre le lamió la cara antes de alejarse. Él se puso en pie y se acercó a la salida.

—¿Qué coño ha sido eso? —preguntó uno de los cuidadores.

—Crecí rodeado de tigres —respondió—. Solo son gatos grandes.

—Claro... —dijo el cuidador con incredulidad—. Lo que tú digas. Tienes suerte de no haberte convertido en su almuerzo.

Tras ese comentario, salió de la jaula.

Maggie se acercó mientras el tipo cerraba la puerta y otro se hacía cargo del niño.

—¿Estás bien?

Asintió con la cabeza en respuesta.

Sin embargo, ella lo mantuvo a cierta distancia para poder examinarlo con detenimiento, como si no pudiese creer que siguiera de una pieza.

—Creí que eras hombre muerto cuando ese tigre se te echó encima.

—Solo quería jugar.

—Claro, y el infierno es una sauna gigante. Podrían haberte comido vivo.

Sonrió al escuchar la preocupación en su voz.

—Que te coman vivo no es tan malo... todo depende de quién lo haga.

Maggie se puso roja como un tomate.

—¿Cómo puedes bromear con algo así? Lo que has hecho ha sido increíble.

La gente comenzaba a caminar hacia ellos y a hacer preguntas que él no tenía la menor intención de contestar.

—Vamos —le dijo a Maggie—, salgamos de aquí.

La vio asentir con la cabeza antes de que lo cogiera de la mano para llevarlo hasta la salida. Tuvieron que sortear a un montón de personas antes de llegar a la relativa seguridad de su coche.

En cuanto estuvieron dentro, Marguerite arrancó para ir a su casa.

—¿De verdad te criaste rodeado de felinos? —le preguntó.

—Sí.

—¿En Nueva York?

Su tono de voz le indicó que no se lo tragaba.

—¿No me crees?

—Bueno, Nueva York no es precisamente famoso por sus parques naturales.

—Vale —dijo y le regaló una sonrisa torcida—. La verdad es que soy como el doctor Dolittle. Puedo hablar con los animales. Sé lo que piensan a todas horas. He entrado en esa jaula y les he dicho a los tigres que se aparten. Me han obedecido porque soy uno de ellos.

Marguerite puso los ojos en blanco.

—Menuda sarta de tonterías.

Soltó un suspiro exasperado. Lo suyo era de chiste. Aunque le dijera la verdad se negaba a creerlo.

—Entonces explícame tú lo que ha pasado. ¿Por qué no me han matado los tigres?

—¿Te has relacionado con algún domador de leones?

La pregunta le arrancó una carcajada.

—Me he relacionado contigo. Podría clasificarte en la categoría de domadora de tigres.

—Vale ya. No voy a conseguir una respuesta sincera, ¿verdad?

Lo más irónico era que acababa de decirle la verdad, pero se negaba a escucharla. Claro que tampoco podía culparla. En su mundo, las personas eran personas, no animales disfrazados. Su gente no pertenecía al mundo que él habitaba. Muy pocos humanos llegaban a entenderlo siquiera, mucho menos a sobrevivir en él.

—Te he echado de menos, Maggie —susurró—. Llevo días pensando solo en ti. Cuando estoy en la cama, solo puedo pensar en estar contigo, en tocarte.

En ese momento llegaron a su calle y Maggie aparcó. Percibía que estaba nerviosa e irritada.

—No te entiendo, Wren —dijo y se volvió para mirarlo a la cara—. Eres uno de los hombres más ricos del país, pero vives como si no tuvieras dinero y trabajas como ayudante de camarero en un bar de moteros. Me dices que no quieres volver a verme, pero también me dices que lo que más deseas en este mundo es acostarte conmigo. Que me has echado de menos aunque no he tenido noticias tuyas en días. ¿Cuándo dices la verdad? ¿Estás jugando conmigo? Porque si lo estás haciendo...

—Ni yo mismo me entiendo, ¿vale? Nunca lo he hecho. Hasta la noche que entraste en el Santuario todo era sencillo. Me levantaba, comía, trabajaba y me volvía a acostar. Ahora... Ahora no sé lo que quiero.

No era cierto. Sabía perfectamente lo que quería. Pero no podía conseguirlo.

—Sé que no te convengo, Maggie. Si tuviera dos dedos de frente, me alejaría de ti y te dejaría tranquila. Pero es superior a mis fuerzas, no puedo. Solo quiero estar contigo aunque sé que está mal.

—¿Cómo que está mal?

Apretó los dientes, furioso y deseando poder decirle la verdad, poder obligarla a que lo creyera. Pero no podía. Decírselo seguramente le costaría la vida.

—No hay sitio para mí en tu mundo.

—No lo tengo ni yo.

Eso hizo que la mirara con el ceño fruncido. En ese momento era ella quien decía tonterías.

—Claro que lo tienes.

—No, Wren, no lo tengo. Sí, llevo ropa cara y conduzco un buen coche, pero siento que esta no es mi vida. Me odio a mí misma por permitir que mi padre me haga sentir que no merezco lo que tengo. Odio vivir en la casa que mi padre eligió para mí porque temía que me relacionara con gente inadecuada si vivía en una residencia de estudiantes. He rezado muchísimas veces suplicando reunir el valor para salir corriendo y dejar todo esto atrás. Sin embargo, aquí me tienes, sigo en la casa de papá, sigo estudiando una carrera que odio, y solo porque no sé qué otra cosa podría hacer con mi vida.

Nada lo había conmovido tanto como la tristeza que Maggie irradiaba.

—Si pudieras librarte de tu padre, ¿qué harías?

—No lo sé —contestó, tras soltar el aire lentamente—. Tal vez viajar. Siempre he querido ver las diferentes culturas del mundo, pero mi padre no me lo permite. Dice que es demasiado peligroso y teme que me vea involucrada en un escándalo que lo salpique a él o a su carrera. No sé qué se siente al ser como tú, al no tener a nadie ante quien responder. ¿Qué se siente al tener esa clase de libertad?

Soltó una carcajada amarga.

—Soledad. A nadie le importa lo que me pase. Si me hubieran matado la noche que nos conocimos, me habrían enterrado sin derramar una lágrima y ahí se habría terminado todo. Y no soy tan libre como piensas. Hay un montón de gente a la que le habría encantado que la bala me diera un poquito más a la izquierda y me atravesara el corazón. Gente a la que le encantaría verme muerto.

—¿Por qué?

Lo asaltó una oleada de amargura.

—El dinero siempre está detrás de todo, y hay varias personas que serían muy ricas si yo desapareciera de este mundo.

—Bueno, pues yo sé de una persona que sería mucho más pobre si desaparecieras.

Le dio un vuelco el corazón al escucharla. Se inclinó hacia delante para besarla. Sabía a mujer y a dulzura. A pura lujuria. Y, sobre todo, a paraíso.

Maggie lo apretó con fuerza y se quedaron un rato abrazados en el interior del coche.

La erección fue instantánea. Se sentía consumido por un deseo que solo ella podía saciar. No era solo sexual. Llegaba a una parte recóndita de su ser. A una parte que era tanto humana como animal.

Se apartó de ella sin aliento para mirarla. Podría utilizar sus poderes para transportarse del coche a la cama, pero hacerlo sería una tontería.

Lo último que Maggie necesitaba saber era que estaba acostándose con un animal.

Embargado por el anhelo más intenso que había experimentado jamás, alargó el brazo y abrió la puerta sobre la que ella estaba apoyada.

Marguerite estuvo a punto de caerse al suelo. Wren salió también por su puerta, gateando sobre su asiento y, antes de que hubiera podido recuperar el aliento, la alzó en brazos y corrió hacia la casa.

—Te veo un poco impaciente, ¿no?

Soltó una carcajada por la pregunta.

—Ya puedes tener lista la llave o tiro la puerta abajo.

El tono de su voz le indicó que no estaba bromeando. Se echó a reír mientras intentaba meter la llave en la cerradura, pero Wren soltó un gruñido y le quitó la llave de la mano antes de echársela sobre un hombro. Abrió la puerta en un santiamén.

Entró en la casa, cerró de un portazo y la dejó en el suelo contra la puerta.

Todavía estaba riéndose cuando lo miró a la cara. La pasión que ardía en sus ojos la abrasó mientras se quitaba la camiseta. La risa se desvaneció en cuanto vio ese pecho bronceado. La cicatriz del hombro era un recordatorio de lo que había sacrificado por ella. En un abrir y cerrar de ojos, Wren la abrazó y le dio un tórrido beso que la dejó sin aliento.

Lo abrazó con fuerza y gimió al saborearlo, al sentir la calidez de su piel en las manos. Sintió los latidos desbocados de su corazón contra el pecho cuando él comenzó a besarla con más pasión.

Se apartó de sus labios y la besó en el cuello. El ardiente roce de su aliento la enardeció justo antes de que una miríada de escalofríos la recorriera cuando le dio un chupetón. Lo había echado muchísimo de menos... mucho más de lo que habría creído posible. No tenía sentido, pero los sentimientos rara vez lo tenían.

—Me encanta tu olor —le dijo él al oído con voz entrecortada.

—A mí me encanta tocarte.

Aunque lo que más le gustaba era el tacto áspero de su mentón sobre la piel. Su cuerpo era durísimo en comparación con el suyo. E increíblemente masculino.

Wren era incapaz de pensar cuando la tenía entre sus brazos. Lo único que quería era estar dentro de ella otra vez. El deseo era tan intenso que aplastaba la razón. Maggie le cubrió de besos el mentón mientras le levantaba la falda para poder pegarla contra su dolorosa erección.

Una parte de él quería ir despacio para saborearla, pero otra parte estaba más allá de cualquier pensamiento racional. Ya jugaría con ella más tarde. En ese preciso momento la bestia que llevaba en su interior la necesitaba.

Le bajó las braguitas con la respiración entrecortada.

Marguerite se estremeció al verlo arrodillado entre sus piernas. Levantó un pie y luego el otro para que pudiera quitarle la ropa interior. Cuando levantó la vista para mirarla, la pasión que ardía en esos ojos azul turquesa la derritió.

Se puso en pie muy despacio, subiéndole la falda en el proceso y sin apartar la vista de sus ojos. Soltó un ronco gemido en cuanto la tocó entre los muslos. Sus dedos la exploraron con ternura para separar sus pliegues. Le costó la misma vida seguir de pie mientras la acariciaba. Cuando la penetró con un dedo, sintió un placer tan intenso que se le escapó un gemido.

Wren la observó con detenimiento mientras se movía contra sus dedos. Nada era tan hermoso como ver a Maggie en las garras del placer. Incapaz de soportarlo por más tiempo, se apartó lo justo para bajarse los pantalones. La bestia que habitaba en su interior gruñó a medida que se apoderaba de él. Sentía cómo le crecían los dientes en la boca, de modo que tuvo que echar mano de todo su autocontrol para seguir en forma humana delante de ella.

Pero le costó horrores.

Le enterró la cara en el cuello y le alzó una pierna para poder penetrarla. La escuchó gritar de placer cuando se hundió en ella por completo.

Marguerite perdió el hilo de sus pensamientos en cuanto sintió que la llenaba por entero y comenzó a hacerle el amor con frenesí. No sabía cómo era capaz de sostenerla y seguir penetrándola, pero lo conseguía... y era una sensación increíble.

Ningún hombre la había deseado con tanta desesperación. Apoyó la cabeza en la puerta y dejó que le lamiera el cuello mientras salía y entraba de ella con un ritmo enloquecedor.

—¡Dios, Wren! —jadeó al tiempo que enterraba una mano en ese pelo dorado.

Él también jadeaba mientras la sostenía contra la puerta.

—Córrete, Maggie —susurró—. Quiero verte la cara mientras te corres.

Arqueó la espalda contra la puerta mientras Wren continuaba hundiéndose en su interior. Le rodeó las caderas con las piernas para sentirlo aún más adentro.

El ritmo de sus embestidas... era demasiado para ella. Al cabo de dos segundos se corrió gritando su nombre.

Wren sonrió al ver el placer en su rostro. Su cuerpo lo apresó con fuerza y comenzó a moverse más deprisa hasta que se reunió con ella en el sublime y glorioso momento del éxtasis.

Echó la cabeza hacia atrás y lanzó un rugido, consumido por el placer y consciente por fin de que la bestia que llevaba en su interior podía alardear de su victoria.

Marguerite sonrió al ver que Wren se corría entre sus brazos. Justo cuando salía de su cuerpo cayó en la cuenta de un detalle espantoso.

—No hemos utilizado protección.

La miró sin comprender.

—¿Cómo?

—¡Acabo de darme cuenta de que podría quedarme embarazada! Podría...

—Maggie —dijo con voz severa—, no te preocupes.

—Para ti es muy fácil decirlo —replicó, furiosa por la típica respuesta masculina—. Tú no eres quien...

—Maggie, escúchame —dijo Wren con voz tranquila y racional—. No puedo dejarte embarazada. No puedo.

Eso la confundió.

—¿A qué te refieres?

Vio la tristeza que asomaba a su rostro mientras le apartaba el cabello de la frente y la besaba.

—Soy estéril, ¿vale? Estoy seguro. Es imposible que te deje embarazada. Es imposible que deje a ninguna mujer embarazada.

Dejó escapar un suspiro aliviado.

—¿Estás seguro?

—Totalmente.

Eso la tranquilizó hasta que se le ocurrió otra cosa.

—¿Y qué pasa con las enfermedades?

La miró con el ceño fruncido.

—Eres la única mujer con la que he estado. Ya te lo dije.

¿Le estaba diciendo la verdad? Porque le costaba mucho tragárselo.

—¿Estás seguro? No pareces muy inexperto.

Lo vio trazar una pequeña cruz sobre su pecho desnudo, justo sobre el corazón.

—Palabra de honor. Eres la única mujer con la que he deseado compartir esta experiencia tan íntima. Lo juro.

Esas palabras la conmovieron. Le sonrió.

—Siento que seas estéril.

Sus palabras le arrancaron una carcajada amarga.

—No lo sientas. En serio, es lo mejor.

Pero ¿cómo podía ser lo mejor? Un hombre como él debería tener una casa llena de niños. Era protector y amable. Paciente.

Levantó la mano para acariciarle la mejilla. Wren cerró los ojos, le besó la palma y comenzó a desabrocharle la camisa. Le pasó las manos sobre el pecho derecho, por encima del sujetador, y sus caricias la estremecieron. Se le estaba poniendo dura otra vez.

—¿Cómo lo haces?

—No lo sé. Solo me pasa contigo.

Meneó la cabeza al escucharlo.

—Como sigas diciendo las palabras perfectas en el momento perfecto, voy a tener que quedarme contigo.

Entretanto, Wren le quitó la camisa antes de desabrocharle el sujetador y despojarla de la falda muy despacio. De repente, se descubrió desnuda en el salón y tragó saliva. Lo observó mientras se quitaba los zapatos con los pies antes de hacer lo mismo con los pantalones.

Su mirada la abrasó cuando alargó un brazo para tirar de ella y besarla. Mientras se besaban, le acarició el colorido tatuaje del brazo. Era precioso, una obra de arte que representaba a un tigre al acecho oculto tras la maleza de la jungla.

Wren se apartó con una sonrisa maliciosa.

—¿Sabes lo que me apetece hacer contigo?

—Creo que ya lo has hecho.

El comentario le arrancó una carcajada. Luego tiró de ella hacia las puertas correderas que daban al pequeño patio trasero.

Se detuvo en cuanto lo vio descorrer la cortina.

—¿Qué haces?

—Quiero hacerte el amor en la piscina.

Emitió un sonido de protesta.

—¡¿Estás loco!? Es pleno día. Alguien podría vernos.

—Nadie nos verá.

—¡Venga ya! No puedes asegurarlo.

Wren inclinó la cabeza para lamerle un pecho. La ardiente caricia de su lengua la hizo gemir.

—Nadie nos verá, Maggie. Te lo prometo. —Se enderezó—. ¿Confías en mí?

No debería hacerlo.

—Podría haber un montón de reporteros gráficos ahí fuera.

—Si los hay, los mataré antes de que puedan encender las cámaras siquiera.

—Claro...

—Te lo juro, Maggie, no hay nadie ahí fuera. Vamos, atrévete a hacer una locura conmigo.

Se mordió el labio mientras consideraba la idea. A su padre le daría un ataque...

Pero no era la vida de su padre. Era la suya. Nunca había hecho nada parecido. Era extrañamente excitante... revitalizante.

Erótico...

—Vale, pero si nos pillan...

—Te dejaré que me la cortes.

Lo miró con fingido enojo.

—Lo haré.

—Lo sé.

Se mordió los labios con nerviosismo cuando Wren abrió la puerta y la sacó al patio. Era una situación horripilante, pero a la vez también tenía su puntito estar al aire libre y completamente desnuda.

Echó una mirada nerviosa a su alrededor, temiendo que alguien los estuviera espiando, pero para su tranquilidad estaban solos los dos. Paranoico en extremo sobre la intimidad, su padre había contratado a unos jardineros para que plantaran setos altos en el perímetro del patio. Era imposible que alguien los espiara.

Wren la soltó para zambullirse en la piscina. Cuando salió a la superficie, ella seguía paralizada en el borde, cubriéndose como buenamente podía con las manos. Estaba preciosa bañada por la luz del sol.

—Tírate, Maggie.

Le sonrió con timidez justo antes de meterse muy despacio en el agua.

Como al resto de los tigres, a él le encantaba jugar en el agua, y era capaz de aguantar la respiración mucho más tiempo que un humano. De modo que se sumergió y fue en busca de su presa. Le mordisqueó el muslo bajo el agua antes de salir a la superficie.

Marguerite se echó a temblar cuando sintió el cuerpo desnudo de Wren contra el suyo. Y cuando le separó los muslos para acomodarse entre sus piernas. La exquisita caricia del agua en la zona más sensible de su cuerpo, sumada al roce de su miembro, le arrancó un gemido.

Lo miró a los ojos. Estaba para comérselo con el pelo mojado y la cara totalmente despejada. Tenía unas facciones perfectas. En ese preciso momento se dio cuenta de que ya no le ocultaba los ojos. Sin embargo, cuando estaban en público seguía agachando la cabeza y echándose el pelo sobre la frente para esconderlos.

Con ella, en cambio, no lo hacía. Si le apartaba el pelo de los ojos, lo dejaba tal cual ella se lo había colocado.

—¿Por qué me miras así? —le preguntó él.

—Estaba pensando en lo mucho que has cambiado desde la noche que nos conocimos.

Cerró los ojos cuando Wren volvió a penetrarla.

¿Cómo era posible que estuviera listo para echar otro polvo tan pronto?

—No he cambiado, Maggie. Sigo siendo el mismo.

Pero no era el mismo cuando estaba con ella. Era mucho más abierto y confiado. Hablaba con ella a pesar de que no solía hablar con otras personas. Y eso la enternecía muchísimo.

Siseó mientras descendía sobre su miembro hasta tenerlo dentro por completo, pero acto seguido le dio un empujón y se alejó nadando de él.

—¿Maggie? —la llamó—. ¿He hecho algo malo?

—No —le contestó, alejándose—, pero si me quieres, tendrás que atraparme.

Wren sonrió antes de sumergirse y bucear a toda velocidad hacia ella, que soltó un chillido y se apresuró a alcanzar los escalones para salir de la piscina.

La atrapó justo cuando llegaba al primero, y para su sorpresa, lo hizo girar hasta dejarlo sentado en ellos. En realidad no lo había atrapado, porque podría soltarse cuando quisiera. Pero se moría de curiosidad por ver lo que le tenía preparado.

Lo besó en los labios antes de bajar la mano hasta su entrepierna. El placer lo cegó cuando comenzó a acariciársela de arriba abajo mientras se colocaba entre sus piernas.

Subió un par de escalones a fin de que pudiera tenderse sobre él si le apetecía. Sin embargo, ella le dio un apretón en el culo y le levantó las caderas hasta que estuvo fuera del agua. Estaba a punto de preguntarle qué iba a hacer, pero antes de que pudiera hablar, Maggie introdujo su miembro en la boca. Aturdido por el inesperado placer, dejó caer la mano y acabó con la cabeza debajo del agua.

La sacó de golpe, escupiendo agua, y se topó con los ojos castaños de Maggie que lo miraban con un brillo burlón.

—No era mi intención que te ahogaras.

Era incapaz de hablar, ya que seguía tosiendo. Maggie lo instó a acercarse más al borde de la piscina, de manera que pudiera apoyar la cabeza en el cemento para poder seguir acariciándole el miembro con la boca. Observarla mientras lo complacía de ese modo hizo que le diera vueltas la cabeza. Le tomó la cara con las manos y se dejó llevar por las sinuosas caricias de su lengua. Verla así… era demasiado para él. Nunca había sentido nada tan dulce ni tan placentero.

Se corrió al verse asaltado por una feroz y arrolladora oleada de placer. Maggie, sin embargo, no se apartó, sino que continuó hasta que estuvo segura de haberle arrancado hasta el último gemido de placer.

Estaba alucinado por lo que ella acababa de hacer, pero también por la extraña ternura que lo consumía.

Se miró la mano a la espera de ver la marca de emparejamiento. Era imposible que una mujer le hiciera sentir algo así sin ser su pareja. Sin embargo, no sentía el menor cosquilleo en la piel, no había ninguna marca mágica que indicara que estaban destinados a estar juntos.

Apretó los dientes por la frustración y contuvo las ganas de maldecir. La acercó a su cuerpo y la abrazó.

—Gracias, Maggie —dijo antes de besarla en la mejilla.

Marguerite soltó un suspiro satisfecho mientras lo abrazaba. Si pudiera, se quedaría perdida para siempre en ese momento perfecto.

No quería salir de la piscina.

—¿Wren? —le dijo, alzando la cabeza de su pecho para mirarlo a la cara—. No quiero parecer una colgada ni nada de eso, pero necesito saber que no vas a volver a desaparecer del mapa. Nunca he sentido esto y no quiero que pienses que me tiro a todos los chicos que vienen a mi casa.

Wren le acarició la mejilla con los dedos y le sonrió con timidez.

—Me gustaría que siguiéramos viéndonos, Maggie. ¿Por qué no vamos paso a paso y vemos qué ocurre? ¿Te parece bien?

Asintió con la cabeza antes de volver a apoyarla en su pecho.

Wren cerró los ojos y siguió abrazándola, asaltado por un sinfín de pensamientos. Los katagarios y los humanos no se mezclaban. Para colmo, había un montón de katagarios y humanos que lo querían muerto. Ni siquiera sabía si tenía un futuro.

Solo sabía que si lo tenía, quería que Maggie estuviera en él.

Claro que eso tampoco estaba en sus manos. Él mejor que nadie conocía la crueldad de las Moiras. Podían sonreírte en un momento dado y maldecirte al siguiente.

Y a él ya lo habían maldecido demasiadas veces como para esperar algo bueno. No, algo malo iba a pasar. Lo presentía. Su tiempo con Maggie era limitado. Ojalá cuando llegaran los problemas que presentía cayeran únicamente sobre sus hombros. Lo último que deseaba era que Maggie resultara herida por su culpa.

Eso sí, había algo que estaba clarísimo: daría su vida para proteger a la mujer que tenía entre los brazos y mataría a cualquiera que la amenazara.

8

Neratiti.
Una isla misteriosa cercana a las costas de Australia. Al menos,
de momento...

Dante Pontis se detuvo para orientarse una vez que se materializó en la enorme estancia circular, decorada en tonos borgoña y dorado. Los ventanales que la rodeaban y se alzaban desde el suelo de mármol negro hasta el techo dorado le permitieron contemplar el océano y escuchar el rumor de las olas.

A Savitar, su misterioso y poco fiable mediador, le gustaba el agua...

Mucho.

La estancia se asemejaba a la tienda de un sultán de antaño. Estaba suntuosamente decorada y en su centro descansaba una enorme cama redonda que siempre le había hecho preguntarse cómo sería el resto del palacio. Sin embargo, nadie había sido invitado jamás a aventurarse en su interior.

Su mediador se mostraba excesivamente celoso de su intimidad. Hasta el punto de rayar la paranoia.

El dicho humano que rezaba «La curiosidad mató al gato» procedía, de hecho, de la pantera arcadia que en una ocasión intentó escabullirse por la puerta del consejo a fin de echarle un vistazo al resto del palacio.

Savitar lo mató al instante.

Como detalle interesante, ni la satisfacción de haber echado ese vistazo le devolvió la vida al gato. No había magia suficiente en el mundo que pudiese reanimar la humeante mancha negra que quedó allí donde hubiera una criatura viva. El incidente sirvió para que Savitar dejara bien alta y clara su postura. «No le toques las narices al jefe.»

No tenía el menor sentido del humor.

Aunque solía presentarse como un tipo desenfadado, Savitar podía transformarse en un déspota insufrible en el momento más inesperado. Y dado que él mismo había vivido en la Edad Media, sabía de primera mano que compararlo con un señor feudal no era nada descabellado.

Soltó un suspiro enfurruñado al escuchar los graznidos de las gaviotas. La convocatoria del Omegrion no había podido llegar en mejor momento... irónicamente, claro.

Su hermano Romeo llevaba tres días en cama a causa de una fuerte gripe, y sin un padre que los controlara, no había nadie que les parara los pies a sus cachorros.

Pandora, su esposa, estaba a punto de dar a luz a una camada de panteras en cualquier momento, y sus otros dos hermanos, Mike y Leo, habían decidido que no podían encargarse del club sin él.

Sí..., tenía que volver a casa antes de que le prendieran fuego o, peor aún, antes de que Pandora se pusiese de parto. Porque, en ese caso, su pantera había prometido castrarlo. La simple idea le hizo llevarse una mano a la entrepierna. Conociendo a su mujercita, el proceso sería increíblemente doloroso. Y dadas las incomodidades del embarazo que estaba soportando por su culpa, que para eso era el padre, estaba convencido de que disfrutaría de lo lindo torturándolo.

Ojeó el reducido grupo que ya se había reunido. Ocho miembros, todos ellos igual de encantados que él por la convocatoria. Solo habían llegado los katagarios. Cosa que no le extrañaba. Los arcadios tenían la costumbre de aparecer juntos, como si les asustara enfrentarse a sus primos a solas.

Hacían bien en tenerles miedo. No había una sola familia katagaria que no clamara venganza contra los arcadios, que perseguían y asesinaban a los animales.

Nunca había dejado de sorprenderle que los arcadios y katagarios designados líderes o *regis* de cada clan pudieran sentarse juntos en el Omegrion sin luchar. Evidentemente siempre surgían discusiones acaloradas, pero el mediador del consejo las solucionaba de manera rápida y dolorosa.

Savitar no se andaba con tonterías. Si alguien infringía las normas, lo escaldaba al punto.

Literalmente.

Y con gran placer.

Parte de su ira se esfumó al ver a Fury y a Vane Kattalakis charlando un poco apartados. Conocía a los lobos desde hacía años y le resultó extraño que los dos hubieran sido convocados. Los distintos clanes katagarios y arcadios solo contaban con la representación de sus respectivos líderes, o cabezas de clan.

De modo que solo debería haber un lobo katagario.

Vane, una criatura tan feroz como él, llevaba la melena oscura suelta en torno a los hombros.

Fury, que era rubio, se había recogido el pelo en una coleta. Al igual que él, iba de negro de los pies a la cabeza, mientras que Vane se había decantado por unos vaqueros, camiseta de manga corta y chaqueta de cuero marrón.

—Lobos… —dijo a modo de saludo cuando se acercó a ellos.

Vane fue el primero en saludarlo con un apretón de manos y después lo hizo Fury. Sonrió al ver que Vane tenía la marca de emparejamiento en la palma de la mano.

—Se ve que a los dos nos han pillado durante este año —dijo el lobo.

—Sí —convino él con una carcajada—. El infierno se ha congelado, ¿verdad?

Fury se echó a reír.

—Y que lo digas.

Paseó la mirada entre los dos hermanos.

—Decidme, ¿a qué viene que los Katagarios Licos tengan dos representantes?

Vane le lanzó una mirada siniestra.

—No los tienen.

La respuesta logró que frunciera el ceño.

Los ojos azules de Fury tenían un brillo risueño.

—Yo soy el *regis* de los katagarios. Vane es el *regis* de los arcadios.

Las noticias lo dejaron de piedra. Era imposible. Vane era katagario.

—Ni de coña.

Vane asintió con la cabeza.

—Tal como has dicho, el infierno se ha congelado.

—Vale, pero ¿cómo es posible? —preguntó, meneando la cabeza.

—Un defecto de nacimiento —explicó Vane—. Al llegar a la pubertad dejé de ser katagario y me convertí en arcadio, pero no se lo dije a nadie hasta hace poco.

Se quedó helado al ver que en una parte del rostro del lobo aparecía el intrincado diseño que lo señalaba como centinela arcadio. La élite arcadia encargada de perseguir a los katagarios. Por ello los odiaba con toda su alma.

—Tranquilo, Dante —intervino Fury—. Vane creció como uno de nosotros. Como un katagario. No es como los otros centinelas que asesinan sin motivo.

—Más le vale —replicó, sin rastro de buen humor—. Puede que regente un *limani,* pero no tengo la menor simpatía por los centinelas.

—Ya somos dos —apostilló Vane mientras el tatuaje desaparecía—. Créeme, esos pirados me han arrebatado demasiadas cosas como para unirme a sus filas. ¿Paz? —le ofreció, tendiéndole la mano.

Titubeó un instante antes de darle un apretón. A pesar de todo, respetaba al lobo.

—Así que humano… ¿no? Te compadezco.

—Yo también —convino Vane con una sonrisa irónica.

Recuperado el buen humor, le devolvió la sonrisa.

—Tío, tu posición es respetable. Tienes dos votos en el Omegrion. Impresionante. A ver si tengo un poco de suerte y a uno de mis cachorros le pasa lo que a ti cuando llegue a la pubertad para tener otro voto.

Fury enarcó una ceja.

—¿Tu pareja es arcadia? ¿Y sabe la opinión que te merecen los suyos?

—Sí —contestó, serio de nuevo—. Pero lo que importa es la opinión que ella me merece y no tiene la menor duda al respecto.

Fury y Vane asintieron a la vez demostrando así su acuerdo.

Dos katagarios más se materializaron en ese momento en la estancia, distrayéndolo de la conversación.

—¿Alguno de los dos sabe por qué estamos aquí?

Vane suspiró.

—Según he oído, se trata de un katagario que sufre de *trelosa*.

La respuesta lo hizo tomar aire entre dientes. La enfermedad se asemejaba a la rabia. Era una locura que podía atacar a los miembros de su especie durante la pubertad. Nadie estaba seguro de su causa. Lo que sí se sabía era que, una vez que aparecía en la sangre, acababa consumiendo al afectado y lo convertía en un asesino indiscriminado. No se conocía ninguna cura. Cuando se confirmaba que un katagario o un arcadio estaba infectado, era inmediatamente perseguido para darle muerte.

—¿Quién ha hecho la acusación? —preguntó.

Vio que Vane señalaba con la cabeza a un tipo alto y rubio.

—Uno de los tigres.

Observó al hombre, que iba ataviado con un costoso traje de seda de Armani. El tigre exudaba dinero y sofisticación por todos los poros de su cuerpo. Entrecerró los ojos.

—Ese no es Lisandro. —Lisandro Stefano era un tigre de pelo oscuro y mal carácter que jamás vestiría una prenda no confeccionada con cuero negro—. ¿Lo han sustituido como *regis*?

—¡Ni de coña! —respondió Fury como si hubiera dicho una barbaridad—. Me gustaría conocer al tigre que tenga las pelotas suficientes para destronar a Lisandro. Ese tío desayuna carne de oso.

—Mejor oso que pantera —apostilló él con una siniestra carcajada.

El comentario hizo que Vane pusiera los ojos en blanco.

—Ese se llama Zack. Está esperando a que Lisandro aparezca, pero al parecer nuestro Sandro no está tan convencido como Zack de la acusación.

—¿Por qué lo dices?

—Porque si Sandro diera crédito a la acusación, dudo mucho que Zack estuviese aquí.

La explicación tenía sentido. Como era habitual entre los tigres, Lisandro era una criatura solitaria y no le gustaba que nada ni nadie ocupara su espacio vital.

—En ese caso ¿quién apoya la acusación?

—No estoy seguro —respondió Vane—, pero me da en la nariz que va a ser muy interesante.

Eso esperaba. No había nada peor que un consejo aburrido.

En ese momento se produjo un destello deslumbrante que le hizo entrecerrar los ojos. Lisandro apareció justo al otro lado de la estancia. Iba vestido con unos pantalones negros de seda al estilo hindú y un chaleco también negro con bordados dorados que dejaba sus brazos y su torso desnudos. Un colorido tatuaje que reproducía un corazón atravesado por una espada le cubría el hombro derecho y descendía por el brazo hasta rodearle el bíceps. El cabello negro caía desordenado en torno a su rostro.

El tigre rubio hizo una mueca de desprecio al percatarse de la inadecuada vestimenta.

—¿Recién llegado de la jungla?

Lisandro, mucho más alto que su congénere, le lanzó una mirada amenazadora.

—No me toques los cojones, *hijda*. Solo me gusta adoptar la forma humana para un motivo concreto, y puesto que no me van los tíos, ten por seguro que no me gusta ni un pelo estar aquí.

Dante intercambió una mirada jocosa con Vane, que había estado en lo cierto al suponer que Lisandro no iba a apoyar la acusación del tal Zack. A título personal le había encantado el insulto en hindi dedicado al miembro viril del otro tigre.

Lisandro pasó junto a Zack para tomar asiento a la enorme

mesa redonda, pero saltaba a la vista que estaba tan ansioso por marcharse como todos los demás.

Acababa de darse la vuelta cuando vio un destello de luz a su derecha y Damos Kattalakis apareció a escasos metros de distancia. Damos era un Arcadio Dracos. El dragón apareció pertrechado con armadura medieval, cosa que tenía sentido ya que la mayoría de los miembros de su especie vivía en el pasado, donde los campos abiertos y las regiones sin explorar les facilitaban la tarea de esconderse de los humanos.

Al igual que Fury y Vane, Damos era un descendiente directo de los hermanos de sangre real, hijos del creador de ambas especies.

—Lobos. Pantera —los saludó, inclinando la cabeza.

—Dragón —dijo él a su vez, aunque no le tendió la mano. Salvo en el caso de su esposa, y en el de Vane minutos antes, jamás tocaba voluntariamente a un arcadio.

Su reticencia pareció hacerle gracia al dragón, que le tendió la mano a Vane.

—Me alegra verte de nuevo, primo.

—Lo mismo digo —replicó el lobo, dándole un apretón.

Mientras Damos hacía lo propio con Fury, los restantes arcadios convocados al consejo hicieron su aparición en grupo y ocuparon sus nueve sillas en torno a la mesa sin saludar a ningún katagario.

—Vaya panda de niños asustados —comentó, después de chasquear la lengua—. Me extraña que hayan tenido las pelotas suficientes para presentarse aquí antes de que Savitar estuviera presente para protegerlos.

—¿Y quién dice que no estaba?

Giró la cabeza con brusquedad al escuchar la voz grave y el ligero acento del aludido a su espalda. Sus dos metros y cinco centímetros de altura le otorgaban una apariencia imponente. Evidentemente no le tenía miedo, pero sí el respeto que merecía un ser tan antiguo.

A su vez, Savitar también lo respetaba tal como podía verse en sus ojos negros. El cabello castaño oscuro le rozaba los hombros y tenía un tono de piel tan oscuro como el suyo, que procedía de su ascendencia italiana. Se había dejado perilla. Nadie estaba seguro de la ascendencia de Savitar, pero podría pasar perfectamente por español, italiano o incluso árabe.

Como era habitual en él, iba ataviado con una túnica larga y amplia que le recordó a los antiguos diseños egipcios. Sin embargo, lo que más llamaba la atención eran las Birkenstock de color marrón oscuro que calzaba.

—Déjame adivinar… —le dijo a Savitar con una carcajada—. ¿Esperan al jefe en latitudes septentrionales?

—Sí —contestó con mucha seriedad—. Así que vamos a agilizar esto. Tengo una tabla, una ola y una chati que llevan mi nombre y estoy deseando darles un buen uso a las tres —añadió mientras se alejaba—. Animales. Gente… —dijo a modo de saludo al tiempo que atravesaba la estancia caminando con el aplomo de quien se sabía en la cúspide de la pirámide alimentaria—. Aposentad el culo en vuestras sillas.

La orden le hizo fruncir los labios. Le repateaba que dijera eso.

Constantine, un chacal arcadio, compuso una mueca de desprecio, un gesto muy poco acertado.

—No tenemos por qué escuchar…

Sus palabras se interrumpieron al instante después de que Savitar moviera una mano en su dirección. Acto seguido, el chacal comenzó a respirar con dificultad como si una mano gigantesca lo estuviera estrangulando.

—Eres nuevo por estos lares y pareces un poco gallito —dijo Savitar con voz siniestra mientras se acercaba al arcadio con los ojos entrecerrados—. Ya aprenderás.

El arcadio se sentó de inmediato, al igual que hicieron los demás. El pobre siguió respirando de forma entrecortada mientras se frotaba la dolorida garganta.

Cierto que él mismo se comportaba con familiaridad cerca de Savitar, pero nunca se le ocurriría poner a prueba su extremadamente escasa paciencia. Los poderes que ostentaba dejaban en ridículo a los de todas las criaturas presentes.

Savitar ocupó su trono, que no estaba situado en torno a la

mesa, sino a un lado de esta, como si fuera el asiento de un socorrista... o de un árbitro. Muy adecuado, ya que ese era su papel: proteger las vidas de los presentes así como las de las personas y animales a los que representaban.

Una vez que se acomodó en el mullido trono, paseó su mirada por todos ellos con expresión aburrida.

—Vale, gente y animales, tenemos exactamente cuarenta y dos minutos y trece segundos hasta que llegue la siguiente ola grande. Espero que esto esté resuelto de modo que me dé tiempo a coger mi tabla para esperarla. —Soltó un suspiro exasperado—. Pero como veo que hay varias caras nuevas entre nosotros me vais a permitir un aburrido discursito pedagógico... ¡Bienvenidas seáis, oh buenas gentes, a la Cámara del Omegrion! Aquí nos reunimos los representantes de cada uno de los clanes arcadios y katagarios. Venimos en paz para lograr la paz. —Resopló como si tuviera ganas de echarse a reír solo de pensarlo—. Soy Savitar, vuestro mediador. Soy la suma de todo lo que fue y de todo lo que volverá a ser algún día. Ordeno el caos y desordeno el orden...

Una de las mujeres resopló con desprecio y lo interrumpió.

—¿Quién es este tío y por qué tenemos que escucharlo? ¿Desde cuándo aceptamos órdenes de un humano?

Miró al otro lado de la mesa y vio a la morena bajita que ocupaba el asiento de los Arcadios Litarios. La pobre leona no tenía ni idea de lo que estaba diciendo.

En ese momento temió que Savitar la pulverizara sin pensárselo.

Paris Sebastienne, el representante de los Katagarios Litarios, se inclinó sobre la mesa y le dijo:

—No es humano, preciosa. ¿Ves a Leo? —le preguntó, señalando al oso arcadio de pelo canoso que estaba sentado tres sillas más allá de la que Dante ocupaba—. Lleva siendo miembro del Omegrion... ¿cuántos años, Leo, novecientos?

—Novecientos ochenta y dos para ser exactos.

—Ajá —replicó Paris—. Savitar ya estaba cuando él llegó. Lleva presidiendo este consejo desde que se creó y, no sé si lo has notado, pero aparenta tener treinta años. No sabemos qué es, pero ni es uno de los nuestros, ni es humano. Hazme caso, no te conviene mosquearlo.

—Gracias por el escueto y aburrido resumen —replicó Savitar con ironía—. La próxima vez que sufra de insomnio, ya sé a quién llamar. Entretanto, y le estoy hablando a la leona que posiblemente quiera seguir viviendo un año más, no vuelvas a interrumpirme. No me gusta, y tengo por costumbre matar lo que no me gusta. —Señaló con una mano la silla vacía que la leona tenía a su izquierda—. Ahí solía sentarse el *regis* de los jaguares arcadios. Te habrás percatado de que no hay nadie en ella...

La mujer frunció el ceño.

—¿Qué le ha pasado?

—Me mosqueó...

La respuesta pareció confundirla.

—¿Y por qué no ha ocupado su lugar otro jaguar?

—Es que me mosqueó... mucho.

Paris volvió a inclinarse para susurrarle:

—Ya no queda ningún jaguar arcadio. Savitar destruyó el linaje completo.

Boquiabierta, la leona abrió los ojos como platos. Acto seguido carraspeó al tiempo que hacía un gesto conciliador.

—Savitar, continúa, por favor.

—Ajáaaaa —replicó el aludido, alargando la palabra para dejar patente su irritación. Echó un vistazo a su reloj—. Vamos cortos de tiempo, niños —añadió antes de clavar la mirada en Nicolette Peltier—. Contadme, ¿por qué me habéis llamado?

Nicolette se puso en pie muy despacio para contestar:

—Perdonadme por haberos interrumpido, milord. Pero traigo unas noticias inquietantes. Parece que tenemos un asesino suelto y necesito ayuda para encargarme de él porque cuenta con la protección de uno de nuestros santuarios. Tal como dicta la ley, no puedo matarlo sin que el consejo así lo decrete.

—Estamos encantados de encargarnos de tu problema —afirmó Anelis Romano, la representante de los Arcadios Nifetos Pardalios, o leopardos blancos arcadios. El brillo que había en sus ojos dejaba bien claro que las mujeres eran criaturas mucho más ávidas de sangre que los hombres.

Savitar meneó la cabeza.

—¿Y quién es nuestro asesino, Lo?

—Wren Tigarian.

La respuesta hizo que Savitar enarcara una ceja.

—¿Dónde está Wren? Siendo el último de su clan que queda con vida, tiene un puesto en el Omegrion. ¿Por qué no lo ha aceptado?

—No puede hacerlo si es un asesino.

Savitar se giró para mirar al tigre rubio que había hablado sin que nadie se lo pidiera. El tigre dio un paso al frente.

A juzgar por la expresión de Savitar, Dante supo que no estaba muy contento con la situación.

—¿Y tú quién eres?

—Zack Tigarian, primo de Wren.

Anelise frunció el ceño y olisqueó el aire.

—Pero tú no eres un leopardo blanco. Eres un tigre.

—Soy su primo por línea paterna. Su padre era un tigre.

Savitar se acarició la barbilla al tiempo que lanzaba al tigre una mirada siniestra.

—¿Y qué sabes tú de todo esto?

—Que Wren mató a sus padres a sangre fría. A los dos.

La respuesta hizo que apareciera un brillo astuto en los ojos de Savitar.

—Si lo sabías, ¿por qué has esperado tanto para traer el asunto al Omegrion?

—Porque tenía miedo de hacerlo. Era joven y temía a mi primo. Además, Bill Laurens, el humano, lo quitó de en medio y lo escondió en el santuario de Nicolette antes de que pudiera decírselo a alguien. En cuanto Wren se refugió allí, me resultó imposible perseguirlo para hacer justicia.

Savitar no parecía convencido en absoluto.

—¿Y qué es lo que ha cambiado?

—Ya no me asusta. Ni hablar. Ha llegado la hora de que pague por sus crímenes. Además, está mostrando síntomas de la *trelosa* que afecta a los miembros de su especie. Hay que pararle los pies antes de que mate a alguien más.

Dante meneó la cabeza, consumido por la furia.

—¿Qué pasa? —preguntó Fury en voz baja.

—Está mintiendo.

—Mi olfato no detecta que lo esté haciendo.

—Ya, pero cuando hay tanto dinero de por medio... —Meneó la cabeza de nuevo con abatimiento—. No me fío de don Versace.

Savitar soltó un suspiro largo y hastiado.

—En fin, parece que es un problema katagario. Arcadios, a casa.

Al ver que comenzaban a protestar, Savitar los hizo desaparecer de inmediato hasta sus respectivos períodos temporales.

Salvo uno.

Vane Kattalakis.

Nicolette se puso en pie de nuevo mientras Vane se mudaba a la silla adyacente a la de su hermano Fury.

—¿Por qué sigue aquí? —preguntó la osa—. Es un arcadio.

Savitar enarcó una ceja.

—Eres una osa muy perspicaz, Lo... Pero, técnicamente, Vane tiene un pie en ambos lados de la cerca y ocupa por derecho propio el cargo de *regis* de los Katagarios Licos.

Fury lanzó una sonrisa maliciosa a Nicolette.

—Yo no soy más que un hombre de paja. Y no me apetece lo más mínimo retar a Vane para que mi propio hermano me dé una buena tunda.

Furiosa, Nicolette miró a los lobos con los ojos entrecerrados.

—Se inclinará a favor del tigre —dijo.

Vane se encogió de hombros.

—Me inclinaré por la verdad, Lo. Para bien o para mal. O lo que sea.

Zack se adelantó hasta colocarse detrás de la silla de la osa.

—La verdad es que el linaje materno de Wren es conocido por los casos de *trelosa*. Casi todos los miembros de la familia lo han padecido. Por eso Wren es el último. Su madre mostraba indicios de estar sucumbiendo a la locura antes de morir. Según afirman algunos, Wren la mató después de que ella lo atacara.

Dante vio que Savitar estaba sopesando las palabras del tigre.

—No te digo que no —dijo tras una breve pausa—, pero Wren ha dejado atrás la pubertad. Es un adulto.

—Solo tiene cuarenta y cinco años —protestó Zack—. La pubertad puede alargarse hasta los sesenta entre los miembros de su especie.

—No siempre —matizó Savitar—. Depende de la herencia genética.

—Tardó bastante en llegar a la pubertad —señaló Nicolette—. Lo sé de buena tinta. Y solo se ha mostrado sexualmente activo en los últimos días, no antes. Su comportamiento se vuelve más agresivo por momentos. Es inestable. Han llegado a arrestarlo por haber atacado a unos agentes de policía. —Meneó la cabeza—. Esta misma tarde le hicieron una foto que salió en el informativo local porque se le ocurrió meterse en la jaula de los tigres blancos del zoológico en forma humana. ¿Eso no es un síntoma de locura? —Su mirada fue pasando sobre cada uno de los katagarios presentes en un intento por convencerlos de que se unieran a su causa—. Sus acciones son una amenaza para todos nosotros. Si los humanos llegan a descubrir…

—Eso es una gilipollez —la interrumpió Dante en voz alta—. Todo esto me huele a avaricia.

—Eso sí que es absurdo —protestó Paris—. Aquí todos somos animales, no humanos. ¿Desde cuándo nos interesa el dinero?

La respuesta hizo que alzara las manos.

—¡Ja! ¿Has estado alguna vez en mi club, El Infierno? A mí me importa muchísimo la caja que hago todas las noches. De hecho, soy el segundo katagario más rico a nivel internacional. Y ¿quién ocupa el primer puesto? Wren Tigarian. Todo esto me parece un montaje muy bien orquestado. —Lanzó una mirada asesina al tigre, cuya expresión le resultó inescrutable.

Lisandro se acarició el mentón.

—No sé. Si nos expone…

—Wren no es peligroso —lo interrumpió Vane—. Conozco a ese muchacho. Es callado y reservado. Jamás haría algo que llamara la atención.

—¿Qué sabrás tú de Wren? —replicó Nicolette con tono burlón—. ¿Te ha hablado alguna vez?

El lobo soltó un gruñido, aunque no le quedó más remedio que admitir la verdad.

—Bueno, no mucho.

—¿Alguna vez te ha saludado aunque sea con un gesto?

En el mentón de Vane apareció un tic nervioso.

—No. En realidad, no. Pero tal como he dicho, se muestra reservado con todo el mundo.

—Exacto —convino Nicolette, que hizo una mueca de desprecio y miró a Savitar—. Es una criatura antisocial. Se niega a escuchar a los demás. Ha puesto en peligro mi vida y la de mis hijos. Y ahora está saliendo con la hija de un senador. Que alguien me diga qué katagario en su sano juicio haría algo así.

Hasta Dante tuvo que admitir que eso era vivir al borde del peligro.

—¿Tendremos que esperar a que mate a algún inocente? —siguió la osa—. ¿A que le confiese al senador que es una criatura capaz de cambiar de forma? Ya he perdido suficientes hijos. No perderé ni uno más. Lo quiero fuera de mi casa. Si intento echarlo, me matará o matará a alguno de mis cachorros. Nunca ha estado bien de la cabeza.

—Solo tenía veinte años cuando mató a sus padres —añadió Zack—. Ambos eran depredadores fuertes y muy peligrosos. Imaginad lo que puede hacer ahora que él también ha madurado físicamente.

Savitar miró a Dante con expresión contrariada.

—Soy un mero observador. A fin de cuentas, el voto es vuestro, chicos. —Miró de nuevo a Nicolette y a Zack—. Pero recordad una cosa. Si estáis equivocados, tendréis que enfrentaros a mi ira. La avaricia es un defecto humano, no katagario —señaló al tiempo que taladraba al tigre con la mirada—. Si esto demuestra ser una cacería amañada, iré a por ti.

—Wren es un asesino —insistió Zack—. Yo voto por convocar a los strati para que le den caza.

—Yo también —añadió Nicolette.

Savitar suspiró con pesar.

—Dos votos a favor de dar caza a Wren Tigarian. Los que estén a favor que digan sí.

Wren suspiró mientras se quitaba la camisa y abría el grifo para lavarse la cara. Estaba cansado, pero solo podía pensar en volver a ver a Maggie. La compulsión era casi una locura.

—¿Por qué me siento así? —se preguntó entre dientes. Intentar tener algo más con una mujer como ella era un suicidio y lo sabía muy bien. Ni siquiera estaban emparejados ni nada que se le pareciera.

Volvió a mirarse la palma de la mano. Ni rastro de la marca. ¿Por qué se sentía así? Había pasado toda la tarde con ella y aún ansiaba más.

No tenía sentido.

Se lavó la cara y cerró el grifo antes de pasarse las manos mojadas por el pelo. Estaba a punto de coger la toalla cuando notó una extraña fisura en el aire que lo rodeaba...

Ladeó la cabeza en un gesto de lo más felino mientras agudizaba el oído y analizaba el aire que lo envolvía.

Dos segundos después, olfateó el olor de un depredador.

Se dio la vuelta, pero antes de que pudiese siquiera enfocar la vista, notó un pinchazo en el pecho. Se tambaleó hacia atrás al tiempo que soltaba un taco.

—Preparad el collar.

Las voces parecían proceder de un lugar muy distante. Notó que se le nublaba la vista y lanzó una maldición al comprender que le habían inyectado un tranquilizante. Sin embargo, se negó a dejarse llevar por el efecto del medicamento.

—¡Y una mierda! —masculló, transformándose en tigre.

Se abalanzó hacia el pasillo, donde encontró a cuatro humanos.

—¡Disparadle! —gritó uno de ellos.

Saltó hacia el que tenía la pistola. En cuanto lo rozó, el desconocido se transformó en tigre. Notó otro pinchazo en la espalda y se percató de que dos de los humanos intentaban pasarle un collar por la cabeza. Si lo lograban, estaría acabado.

Se transformó en leopardo, a sabiendas de que su única esperanza era la velocidad. Corrió hacia la ventana cerrada para saltar a la calle. Los cristales se hicieron añicos, clavándosele en distintas partes del cuerpo.

Cuando cayó al suelo, el dolor se extendió por todo su cuerpo.

Se detuvo apenas un instante para recobrar el aliento antes de obligarse a salir corriendo del callejón, en dirección al convento que había al otro extremo de la calle. A juzgar por los sonidos que le llegaban, ya habían salido tras él.

La sangre manaba de las heridas mientras corría. Tenía que alejarse de ellos. Si aminoraba la velocidad, lo matarían. Sin embargo, tal como iba, no duraría mucho. Entre el tranquilizante y las heridas, no tardaría en quedarse inconsciente.

Tenía que encontrar un refugio o lo matarían, decidió con el corazón desbocado.

Marguerite estaba acabando de fregar los platos de la cena cuando alguien llamó a la puerta trasera de su casa. Frunció el ceño, un poco asustada. No debería haber nadie en su patio trasero a esas horas y había visto bastantes programas de *America's Most Wanted** como para saber que al menos debía utilizar la mirilla.

Sin embargo, en lugar de acercarse a la puerta, se acercó al teléfono para llamar a la policía.

—¿Maggie?

Su ceño se acentuó al reconocer la voz de Wren. ¿Qué estaba haciendo en su patio trasero?

Tal vez fuera producto de su imaginación.

* «Los más buscados de América». *(N. de las T.)*

—Por favor, Maggie, déjame entrar.

Con el teléfono en la mano por si acaso, apartó las cortinas y lo vio completamente desnudo en mitad del patio. Pero lo peor era que estaba cubierto de sangre. Jadeaba y tenía la cara llena de cortes y cardenales. Como si acabara de sufrir un accidente.

—¡Dios mío, Wren! —exclamó mientras abría la puerta para dejarlo entrar—. ¿Qué ha pasado?

Lo vio tambalearse hacia el interior sin mediar palabra.

—¿Wren?

Cayó al suelo de rodillas y alzó la vista.

—Lo siento, Maggie —se disculpó entre jadeos—. No se me ocurrió ningún otro sitio adonde ir.

Se arrodilló a su lado con el corazón desbocado por el pánico.

—Voy a llamar a…

—Nada de policía —la interrumpió con un gemido—. Ni de ambulancias.

—Pero estás…

—¡No! —exclamó, quitándole el teléfono de las manos—. Me matarán.

—¿Quién te matará?

Vio con impotencia cómo se le quedaban los ojos en blanco y se desmayaba a sus pies. Al instante, en el suelo no yacía un hombre sino un…

Algo.

Se alejó a trompicones de la criatura. Era una mezcla entre tigre y leopardo blanco. Y era enorme.

Jamás había visto nada igual. Parte de sí misma ardía en deseos de gritar, pero otra parte estaba fascinada por lo que tenía delante.

—Esto no está sucediendo…

Debía de estar soñando.

Sin embargo, lo que tenía delante no admitía la menor discusión. Desvió la vista hacia las ensangrentadas huellas que se extendían desde el patio hasta el suelo de la cocina. Eran humanas.

Las de Wren.

Y desaparecían justo en el lugar donde estaba esa especie de... tigre.

—Estoy sufriendo una crisis nerviosa. Estoy viendo alucinaciones.

Eso era. Estaba rememorando otra escena.

Recuerda que no tomas drogas, se dijo.

—En ese caso, cerebro mío, ¿serías tan amable de explicarme este follón? Si no es mucha molestia, claro.

Sin embargo, no había ninguna explicación. Al menos, una explicación lógica. Wren había entrado en su casa con todos los indicios de haber sufrido una paliza, y en esos momentos había un animal ensangrentado en el suelo.

Un enorme animal ensangrentado.

—Vale, Marguerite, recuerda que vives en Nueva Orleans. Que lees a Anne Rice y a Jim Butcher. Has visto *Miedo azul...* Claro que aquí no hay ningún hombre lobo...

No, porque Wren era otra cosa.

Por fin entendía lo que había intentado decirle sin ser explícito. Claro que, a decir verdad sí que se lo había dicho, pero ella lo había descartado tontamente.

Por fin comprendía por qué había podido saltar a la jaula de los tigres sin que los animales le hicieran daño. Y por qué había sanado tan pronto la herida de bala.

No era humano.

Al menos no lo era del todo.

«No se me ocurrió ningún otro sitio adonde ir.»

La frase resonó en su cabeza. Seguramente sabría lo que iba a pasar en cuanto se desmayara. De ahí que se hubiera negado a pasar la noche con ella, claro. Sin embargo, había confiado en ella cuando más necesitado estaba.

Su vida dependía de ella. Si llamaba a la policía, a una ambulancia o incluso a un servicio veterinario de urgencias, lo encerrarían en una jaula y no le permitirían volver a salir jamás.

O, peor aún y como había señalado él, lo matarían.

Se acercó al enorme felino que yacía en el suelo con el corazón acelerado. Extendió una temblorosa mano y acarició el suave pelaje. Era como acariciar a un gato de pelo largo y sedoso. Jamás había tocado nada tan suave. De forma impulsiva, enterró la cara en el pelo para sentir su roce en la piel.

—¿De verdad eres tú, Wren?

No obtuvo ninguna respuesta.

Y seguía sangrando.

Aterrada por la posibilidad de que muriera en el suelo de su cocina, intentó moverlo, pero descubrió que pesaba tanto como su coche. Sin saber qué otra cosa hacer, fue al cuarto de baño en busca de alcohol, crema antibiótica y vendas.

—Habrá que intentarlo —dijo mientras lo cogía todo—. Se curó muy rápido del disparo. Las criaturas capaces de transformarse se curan muy rápido, ¿o no?

Si lo vendaba, volvería a estar en pie en un santiamén.

O, al menos, eso esperaba.

Sin embargo, cuando volvió a su lado y comenzó a limpiarle las heridas, no pudo evitar preguntarse quién o qué le había hecho daño y por qué. Y lo más importante de todo, si quienquiera que fuese sería capaz de encontrarlo.

Y de encontrarla a ella.

9

Wren se despertó lentamente y descubrió que tenía un fortísimo dolor de cabeza que parecía extenderse al resto de su cuerpo. Incluso le pitaban los oídos. Parpadeó despacio hasta abrir los ojos e intentó enfocar la vista.

Lo primero que vio fue un sofá verde oscuro.

¿Dónde coño estoy?, pensó.

De repente, lo recordó todo. Los tigres que lo perseguían. La gente que intentó dispararle un dardo tranquilizante. La alocada huida a través de los callejones de Nueva Orleans. El coche que lo atropelló cuando cruzaba la calle huyendo de un depredador de otra naturaleza…

El choque lo había lanzado contra el escaparate de una tienda de Decatour Street, y el caos que se organizó con los turistas que huían de un leopardo y de los hombres armados le permitió escapar de sus perseguidores.

Sin más alternativas, había ido a casa de Maggie…

Movió la cola.

—¡Dios!

Levantó la cabeza al escuchar la exclamación de Maggie y la vio en la cocina, con los ojos desorbitados y clavados en él. Estaba aterrada. El olor de su miedo despertaba al depredador que llevaba dentro.

Un depredador al que ella había domesticado… Por primera vez sentía que la bestia que llevaba dentro estaba en paz. No tenía deseos de atacar. No tenía deseos de hacer daño.

De hecho, solo quería sentir su cálida mano sobre la piel...

—Vale, gatito bonito —dijo con esa voz cantarina que los humanos utilizaban con los niños y las mascotas—. No te comas a una chica que ha sido buena contigo, ¿vale? No voy a hacerte daño, precioso. Solo voy a acercarme un poco, así que no me hagas daño. Por favor, no me hagas daño. —Se acercó un poco sin perderlo de vista y volvió a hablar aún más bajo—: ¿Estás ahí de verdad, Wren? ¿Sabes que soy yo?

Inspiró hondo en un intento por armarse de valor para lo que estaba a punto de hacer y volvió a adoptar su forma humana. El dolor se incrementó enormemente, pero lo acalló antes de que lo devolviera a la inconsciencia en su forma animal. Se concentró en ella.

—Sé que eres tú, Maggie.

Marguerite tragó saliva aliviada cuando por fin confirmó lo que había temido y esperado a partes iguales. Wren era el felino.

Asustada y nerviosa, atravesó la escasa distancia que lo separaba del lugar donde él yacía bocabajo en el suelo, cubierto de cintura hacia abajo con una de sus mantas. Tenía arañazos y mordeduras por toda la espalda, como si otra clase de felino lo hubiera atacado. Los mechones rubios le ocultaban los ojos cuando se incorporó un poco, en un movimiento que le recordó a los gatos cuando se desperezaban.

Se arrodilló a su lado y le colocó una mano en la espalda para consolarlo. Wren soltó un gemido cuando comenzó a moverse despacio hasta quedar tumbado de espaldas para mirarla a los ojos.

En el pecho también tenía cortes y abrasiones. En la parte izquierda del torso había sufrido una terrible herida que se extendía desde la cintura hasta el corazón. El simple hecho de respirar debía de ser muy doloroso, pero aun así soportaba su agonía con un estoicismo admirable.

Tenía la cabeza apoyada sobre su almohada. Esos ojos azul turquesa de mirada abrasadora delataban el dolor que estaba sintiendo. Pero fue mucho peor ver el temor de que lo rechazara ahora que sabía la verdad.

Como si pudiera hacerlo.

—No me tengas miedo, Maggie.

Asintió con la cabeza al tiempo que le apartaba el pelo de la cara. En su forma humana, tenía mucha fiebre. Tenía la piel tan caliente y pegajosa que se asustó. Aún tenía algunos cortes y rasguños en la cara, entre ellos un corte en el labio inferior, pero no eran tan graves como cuando la noche que llegó a la puerta trasera.

Los días que había pasado inconsciente en el suelo lo habían dejado con una espesa barba rubia. Aunque la verdad era que le sentaba de maravilla.

—¿Cómo te sientes? —le preguntó.

—Como si me hubiera atropellado un autobús que decidió hacer unas cuantas pasadas para asegurarse de que había hecho bien el trabajo. —Frunció la nariz—. Creo que me aplastó las costillas en la última pasada. Por si se me ocurría volver a respirar si seguía vivo, supongo.

Sonrió ante su retorcido sentido del humor al tiempo que le colocaba una mano en el pecho. Sus latidos eran fuertes. Rezó en silencio dando gracias por ese pequeño favor.

—¿Qué te ha pasado?

No contestó de inmediato. La expresión de ese apuesto rostro dejaba bien claro que estaba debatiéndose consigo mismo para decidir qué contarle.

—Dime la verdad, Wren. Ya sé que puedes cambiar de forma y no me ha dado un ataque… Bueno, solo uno pequeñito. Así que puedes contarme el resto.

Lo vio torcer el gesto como si el comentario le hubiera dolido por algo en concreto, pero luego comenzó a hablar:

—Ojalá hubiera seguido consciente el tiempo suficiente para ver tu cara cuando me transformé.

—No te habría gustado, en serio. Supongo que no puse muy buena cara.

Wren ladeó la cabeza y le cogió la mano para poder juguetear con esos dedos que descansaban sobre su pecho, muy cerca de su pezón. Frotó la palma contra el pezón endurecido antes de llevarse la mano a los magullados labios y besarle la punta de los dedos con ternura.

—Siempre estás preciosa Maggie. Eres la mujer más bonita que he conocido en la vida.

Se le desbocó el corazón al escucharlo y se excitó. Nadie le había dicho nada tan dulce en la vida.

—Ya sabía yo que tenías una conmoción.

Wren comenzó a negar con la cabeza, pero acabó torciendo el gesto, ya que el movimiento debió de dolerle mucho.

—¿Qué te pasó? —repitió ella.

—Nada del otro mundo. Solo un grupo de gilipollas que quiere matarme.

No supo si le sorprendió más que hablara con esa tranquilidad o el hecho de que la confesión no le extrañara en absoluto. Porque ella misma había llegado a la conclusión de que querían matarlo.

—¿Quiénes son?

—Otros como yo, capaces de transformarse.

¿¡Había más como él!? Se obligó a no reaccionar de ningún modo. Aunque la verdad fuera dicha, había dado por sentado que quienes le habían hecho daño eran humanos. Dada su naturaleza solitaria, habría tenido sentido que estuviera solo en el mundo.

Había sido una estupidez por su parte no ser más imaginativa.

—¿Por qué intentan matarte?

—Porque no debería estar saliendo con una humana. Se supone que solo podemos tener relaciones esporádicas con tu gente. Tienen miedo de que al estar contigo me convierta en un peligro para ellos.

Por mucho que aborreciera escucharlo decir «tu gente», se dio cuenta de que por una vez había una diferencia real entre ellos. Ella era humana y él no.

Al menos no del todo.

—¿Eres peligroso?

—No lo sé. Solo puedo pensar en ti. Nunca se me había pasado por la cabeza que existiera un dolor tan grande como el que siento cuando estamos separados. No lo entiendo. No debería sentir esto por una humana. Lo sé. Deseo tanto estar contigo que es como una especie de obsesión. Tal vez tengan razón. Tal vez sería mejor que me mataran.

—O tal vez estén equivocados. No creo que seas peligroso, Wren. Al menos físicamente. Pero te aseguro que lo que me haces sentir podría considerarse ilegal en algún que otro estado.

Eso le arrancó una sonrisa.

—Gracias por darme refugio y no llamar a la policía.

—De nada. Pero que sepas que refugiar a un hombre desnudo que está como un tren no es un sacrificio para la mayoría de las mujeres.

En esta ocasión consiguió arrancarle una carcajada.

—No puedo creer lo bien que te lo estás tomando todo.

—Eso es porque estabas inconsciente durante lo peor. He tenido tiempo de sobra para aceptar el hecho de que el felino medio muerto que tenía en el suelo de mi casa había llegado a mi casa disfrazado de mi novio.

Que Maggie estuviera tan tranquila le resultaba difícil de creer. En el mejor de los casos había esperado que saliera corriendo y lo dejara solo. En el peor, había esperado que lo entregara a las autoridades.

En circunstancias normales no habría confiado en nadie para que lo cuidara. Pero atontado por los tranquilizantes, no le había quedado más alternativa que esperar que Maggie no lo traicionara.

Y no lo había hecho. Lo había protegido. Y a juzgar por la improvisada cama sobre la que descansaba, lo había cuidado mientras estaba inconsciente.

Cuando hizo ademán de incorporarse, ella lo ayudó. El contacto de sus manos sobre la piel desnuda era maravilloso; de hecho, lo reconfortó mientras lo ayudaba a recostarse en el sofá. Habría dado cualquier cosa por mantener esas preciosas manos sobre su cuerpo, pero por desgracia las apartó.

—¿Cuánto tiempo llevo inconsciente?

—Cuatro días.

Esas palabras lo dejaron helado. No podía ser. ¿O sí?

—¿Cómo?

Maggie asintió con la cabeza.

—Lo que has oído. Ya te he dicho que he tenido mucho tiempo para hacerme a la idea de que eres un felino. Me he pasado todo este tiempo con el temor de que no despertaras.

El miedo lo consumió. Si hubiera salido de la casa...

Era un verdadero milagro que sus perseguidores no los hubieran encontrado y matado a esas alturas.

—¿Qué has hecho mientras yo estaba fuera de combate?

Le señaló una cama improvisada junto a la suya, también en el suelo.

—Me he quedado junto a ti por si necesitabas algo. Me limité a limpiar la sangre del porche trasero y luego cerré todas las puertas y las ventanas. No sabía quiénes te perseguían, pero me daba miedo que llegaran a encontrarte, así que me aseguré de tener siempre el teléfono a mano por si necesitábamos ayuda.

Sus palabras le reportaron una enorme ternura. Le resultaba increíble que alguien hubiera llegado a esos extremos por él. Ni una sola vez en su vida lo habían protegido. Nunca se había hecho ilusiones con respecto a Nicolette. Si hubiera puesto en peligro la vida de la osa o la de su familia, lo habría puesto de patitas en la calle en un santiamén.

Pero Maggie no lo había hecho. Lo había protegido aunque no le debía nada y a sabiendas de que estaba poniendo en peligro su propia vida. Inconcebible.

Soltó un suspiro aliviado al escuchar que había tenido el buen juicio de quedarse en la casa.

—¿Ha venido alguien?

—No, y dejé las ventanas y las puertas bien cerradas por si las moscas.

Le sorprendía que no lo hubieran encontrado, claro que como estaba inconsciente ni soltaba olor alguno ni dejaba rastro. Tenía que ser muy precavido a partir de ese momento. Su gente podía enviar rastreadores psíquicos. Si utilizaba la magia como estaba haciendo ahora para mantener su forma humana, lo encontrarían.

Cerró los ojos y camufló sus poderes. El problema era que no podría hacerlo durante mucho tiempo sin debilitarse.

Tarde o temprano tendría que dejar un rastro que podrían seguir sin problemas.

—Tenemos que irnos de aquí ahora mismo.

Maggie no sabía qué pensar.

—¿Por qué? Tenemos comida de sobra.

—No puedo dejar que me encuentren en tu casa. A saber lo que te harían.

—Ya estoy crecidita, Wren. Y tengo una pistola cargada y sé usarla.

Resopló al escuchar su bravuconada.

—Si recuerdas la noche en la que nos conocimos y en la que me dispararon, llegarás a la conclusión de que las armas de fuego no nos hacen mucho daño. A menos que nos dispares a la cabeza de cerca.

Maggie torció el gesto.

—Exacto —musitó—. Como te he dicho, tenemos que irnos.

Marguerite no sabía qué decir. No quería que se fuera.

—¿Hay muchos como tú?

—Suficientes como para que el camarote de los hermanos Marx parezca vacío. —Levantó la mano y le acarició la mejilla—. Vendrán a por mí, Maggie, y no se detendrán hasta verme muerto. Has estado en el Santuario y lo saben. Tarde o temprano te encontrarán si no vienes conmigo. Te utilizarán para llegar hasta mí.

La cabeza comenzó a darle vueltas ante las implicaciones de sus palabras.

—No puedo irme. Está la universidad. Tengo responsabilidades...

—No puedes ir a la universidad si estás muerta.

El pánico se adueñó de ella cuando comenzó a comprender la horrible realidad en la que se encontraba.

Aquello no podía estar pasando.

—Se lo contaré a mi padre. Puede protegernos.

Wren desapareció delante de sus ojos y apareció dos segundos después a su espalda.

—No puede protegerte de mi gente —le susurró al oído.

—¿Cómo has hecho eso? —preguntó, incapaz de dar crédito a sus poderes.

—Es fácil. Mi gente puede viajar en el tiempo y usa la magia a su antojo. No hay humano sobre la faz de la Tierra que pueda protegerte de ellos. Créeme.

La furia la invadió al escuchar esas palabras. Se sentía impotente, y eso era lo que más odiaba del mundo. Era una mujer adulta al mando de su vida. No le gustaba la idea de no poder protegerse sin ayuda. Algo habría que pudieran hacer.

—Si no puedo utilizar una pistola para protegerme y no podemos escondernos, ¿qué vamos a hacer? ¿Tengo que abandonarlo todo solo porque me he acostado contigo?

Wren dio un respingo al escucharla, como si lo hubiera abofeteado. Tenía razón. Le estaba pidiendo demasiado. No era justo. ¿Por qué iba a esperar que sacrificara el resto de su vida por él?

Sería pedirle demasiado a cualquiera. Además, la vida de Maggie había sido perfecta hasta que él se entrometió. No, no necesitaba que alguien como él le fastidiara el futuro. Jamás le había reportado felicidad ni alegría a nadie. Ella era una de las poquísimas personas que se habían portado bien con él. No le devolvería el favor haciéndole daño.

Solo había una manera de acabar con ese asunto...

Marguerite frunció el ceño cuando Wren le besó los labios con ternura.

—Siento haberte jodido la vida, Maggie —dijo en voz baja al tiempo que se apartaba para mirarla a la cara.

Su mirada, resignada y triste, la abrasó.

Resignada, triste y arrepentida.

Le acarició la mejilla con los dedos mientras la contemplaba como si quisiera memorizar sus rasgos.

Al cabo de dos segundos había desaparecido de su vista.

Aún notaba el calor de su mano en la mejilla, pero el resto de su cuerpo se había quedado helado por su súbita ausencia.

—¿Wren? —dijo en voz alta al tiempo que lo buscaba con la

mirada. Seguro que aparecía justo detrás de ella como había hecho un momento antes… ¿verdad? —. ¿Wren? ¿Dónde estás?

Alguien llamó a la puerta.

¿Qué hace ahora?, pensó.

Convencida de que era él, abrió la puerta de golpe, pero se encontró con el profesor Alexander en su porche.

—Hola, Marguerite —la saludó—. Estaba…

—Ahora no, profesor. Tengo un problema muy grave.

—¿Puedo ayudarte en algo?

Disgustada, asustada y frustrada por la situación en la que se encontraba, habló sin pensar.

—No, a menos que conozca a alguien que pueda seguirle la pista a un tigre que desaparece a su antojo.

Se percató de que el hombre se quedaba lívido.

—Así que Wren está aquí…

Y entonces lo supo.

Por eso el profesor y los demás habían ido a pagar la fianza de Wren.

—¿Sabe lo que es?

—¿Y tú?

Esa forma de eludir sus preguntas comenzaba a molestarla.

—¿Por qué está aquí, profesor? —preguntó con voz gélida.

—Llevas cuatro días faltando a clase y no contestas al teléfono.

Se le encogió el estómago, asustada.

—¿Cómo lo sabe? Ya no es mi tutor.

—No, no lo soy —respondió el profesor con el rostro crispado—. Pero sé que fuiste la última persona en ver a Wren y tengo que encontrarlo.

—¿Por qué?

—Porque es hombre muerto si no lo hacemos.

Soltó un chillido al escuchar esa voz grave detrás de ella. Cuando se giró, vio a un hombre muy rubio y alto vestido de negro.

—¿Cómo ha entrado en mi casa?

En lugar de responder, el desconocido se limitó a acercarse al lugar donde Wren había estado durmiendo esos días.

—Ha estado aquí —le dijo el hombre a Julian—. Su olor está por todas partes. —La fulminó con la mirada—. ¿Adónde ha ido?

—¿Y tú quién coño eres? —preguntó.

—Fury —le gruñó el tipo en respuesta—, y desde ya te aviso que la furia es también mi estado natural, así que deja de estar a la defensiva, humana. No tengo tiempo ni paciencia para lidiar contigo. Estamos aquí para salvar a tu novio antes de que consiga que lo maten.

El profesor carraspeó para llamar su atención.

—Ya me conoces, Marguerite. Te juro que estamos de parte de Wren. ¿Sabes dónde está?

Titubeó mientras sopesaba sus opciones. Wren había llamado al profesor Alexander y a Bill cuando lo detuvieron. Pero no les pidió ayuda cuando lo hirieron.

¿Eso quería decir que no eran de fiar?

¿O solo indicaba que se fiaba más de ella?

Como no sabía la respuesta a esas preguntas, decidió que la única manera de ayudarlo sería arriesgarse y rezar para haber elegido bien.

—No. Se ha desvanecido ahora mismo.

—¿Qué ha dicho antes de irse? —preguntó Fury.

—No estoy segura. Me dijo que tenía que huir con él y yo le contesté que no podía irme sin más. Entonces puso una expresión muy rara y se disculpó por joderme la vida. Dos segundos después se había largado.

—¡Joder! —gruñó Fury, que miró al profesor a los ojos—. Ha ido donde tú ya sabes.

El profesor Alexander no parecía muy complacido.

—Habla con Vane y haz que se reúna allí conmigo. —Apenas había acabado de hablar cuando Fury también se desvaneció en el aire.

El profesor soltó una retahíla de tacos mientras se sacaba el móvil del bolsillo y marcaba un número.

—Vane —dijo unos segundos después—, hemos dado con su escondite. Pero se nos ha escapado por los pelos. Creo que va de vuelta al Santuario para enfrentarse a ellos. —Lo vio fruncir el ceño mientras escuchaba lo que le decía su interlocutor—. No. Tengo a la chica con la que ha estado. No me separaré de ella. ¿Podéis encargaros de los demás Fury y tú?

Escuchó la conversación entre el profesor Alexander y el tal Vane mientras se comía las uñas.

—Voy a llevarla con Jean-Luc. Mantenme informado de lo que pase. —Colgó el teléfono—. Coge una muda de ropa.

—¿Por qué?

La mirada intensa y severa que le lanzó la asustó.

—Saben quién eres, Marguerite. Por eso estoy aquí. He hablado con tus profesores y me dijeron que estabas faltando a clase. Temía que te hubieran encontrado y te estuvieran utilizando para atrapar a Wren. Tenéis muchísima suerte de que aún no te hayan encontrado, pero te juro que es solo cuestión de tiempo que lo hagan. Es imprescindible que te llevemos a un lugar seguro. Ahora mismo.

De todas formas, necesitaba respuestas.

—¿A quién te refieres con ese plural? —dijo, dejando de lado las formalidades.

—Luego te lo explico todo. Ahora tengo que sacarte de aquí antes de que tenga que matar a gente a la que suelo considerar amiga.

Tenía razón. Estaba comportándose como una idiota cuando ya había visto lo que eran capaces de hacer.

De modo que asintió con la cabeza y corrió a su dormitorio para coger una bolsa de viaje que llenó con una muda de ropa, unos cuantos cosméticos y un camisón.

Cuando volvió al salón, Bill Laurens estaba con el profesor.

Miró al abogado con las cejas enarcadas.

—Sí, lo sé —dijo Bill—. Parezco un abogado amable y educado, pero puedo cargarme a un oso o a un tigre sin pestañear. Vamos, tenemos que sacarte de aquí.

—¿Cuánto tiempo voy a estar fuera?

Bill intercambió una mirada nerviosa con el profesor.

—No lo sabemos.

Asustada por la velocidad con la que su vida se estaba yendo a pique y por la impotencia que sentía, cogió el móvil y el cargador del aparador. Echó a andar hacia la puerta principal y una vez que salieron cerró la puerta con llave.

—No pensaréis que Wren va a dejar que lo maten, ¿verdad? —preguntó mientras el profesor Alexander la acompañaba hasta su Land Rover negro.

—¿Para salvarte? Sí —contestaron los dos hombres al unísono.

Jamás en la vida se había sentido tan egoísta, pensó mientras se subía al coche.

—No puedo creer que esto esté sucediendo de verdad...

No fue consciente de que había hablado en voz alta hasta que Bill replicó:

—Bienvenida a nuestro mundo. No es un lugar muy agradable. Claro que tampoco es aburrido.

Suspiró al sentir una punzada de dolor.

—No dejo de pensar que esto es solo un sueño y que voy a despertarme en mi cama preguntándome qué puñetas cené anoche.

Bill soltó una carcajada mientras el profesor ponía el coche en marcha.

—Si quieres despertarte, pregúntale a tu profesor cuántos años tiene de verdad.

A juzgar por su tono de voz, se dio cuenta de que la respuesta la iba a dejar flipada.

—No quiero saberlo, ¿a que no?

—Pues no —contestó el susodicho—. Dejémoslo en que tengo información de primera mano sobre la asignatura que imparto.

La respuesta la dejó atontada. No era de extrañar que fuera tan bueno. Debía de ser mucho más sencillo enseñar sobre algo que habías vivido, de modo que eso significaba que tenía varios miles de años. Cosa que era suficiente para aturdir la mente humana.

Observó el tráfico a través de la ventanilla mientras sorteaban las calles en dirección al distrito financiero. El mundo que había fuera del coche parecía normal, pero nada era igual que cinco días antes. Se preguntó cuántas cosas de las que había al otro lado de la ventanilla eran lo que parecían. Joder, hasta donde ella sabía, el bar junto al que estaban pasando podía ser propiedad de algún demonio o de alguno de esos animales espeluznantes capaces de adoptar forma humana. De alguna gárgola incluso...

Sin embargo, eso no era lo que más le preocupaba. En ese preciso momento solo tenía a un animal en mente.

—Decidme que no le va a pasar nada a Wren.

Bill giró la cabeza para mirarla por encima del hombro.

—Ahora mismo debería preocuparte más tu seguridad, Marguerite. Si quienes van detrás de Wren averiguan que sabes de su existencia, vendrán a por ti.

Lo miró echando chispas por los ojos.

—Pues no sé por qué. Tú sabes que existen. ¿Por qué no van a por ti?

—Porque tengo un interés personal en mantener su existencia en secreto. Tú no.

—¿Ah, sí? —preguntó con la voz rebosante de miedo y furia—. Lo último que quiero es ver a Wren encerrado en un laboratorio del gobierno.

Bill sonrió con aprobación.

—Buena respuesta.

Suspiró e intentó contener las lágrimas que le quemaban en los ojos.

—No puedo creer que quieran matarlo por mi culpa. ¿Por qué no puede decirles que va a dejar de verme?

Bill se quedó sorprendido por esas palabras.

—¿A qué te refieres?

—Wren dijo que van a por él porque no quieren que se relacione con una humana. Si dejamos de vernos...

—Me temo que ya es demasiado tarde para eso —explicó Bill con voz amable—. Ya no se trata de ti, Marguerite. Se trata de algo más gordo. La familia de Wren lleva años buscando una oportunidad para matarlo. Mientras contaba con la protección del santuario, no podían tocarlo, ni tampoco tocar su dinero. Pero ahora que lo han echado, no hay nada que los detenga.

Pero eso no tenía sentido.

—Me he perdido. El Santuario no es solo un bar, ¿verdad?

—No —dijo Bill con voz muy seria—. Es más una especie de refugio de animales donde la gente como Wren puede quedarse sin temor a que sus perseguidores le hagan daño.

—¿Y no puede encontrar otro?

Bill negó con la cabeza.

—No hay muchos. Aunque tampoco importa. Ahora mismo el Omegrion le ha puesto precio a su cabeza. Hasta que revoquen la sentencia de muerte, nadie puede darle refugio. Si alguien lo hace, también morirá.

Frunció el ceño sin comprender del todo.

—¿Qué es el Omegrion?

—Es el consejo legislador de su gente —explicó el profesor, que giró a la derecha—. Funciona más o menos como nuestro Congreso.

Pues ojalá el tal Omegrion fuera algo más efectivo y contase con más ayuda que su Congreso, sobre todo porque tenía la última palabra sobre la vida o la muerte de Wren.

—¿Qué tenemos que hacer para que revoquen la sentencia de muerte? —preguntó.

Bill suspiró.

—Demostrar que no es peligroso para su gente.

—¿Y cómo lo hacemos?

Bill la miró fijamente.

—No podemos hacer nada. Sencillamente van a perseguirlo hasta que acaben matándolo. A estas alturas solo podemos retrasar el momento y mantenerte con vida hasta que decidan que no eres una amenaza tan peligrosa como él.

Eso era muy injusto. ¿Cómo era posible?

Se le escapó una lágrima porque las palabras de Bill se le clavaron como puñales en el pecho.

—Wren no se merece esto. Hombre o animal, es la mejor persona que he conocido.

Bill abrió los ojos como platos y el profesor gruñó su desacuerdo.

—Eres la única persona que conozco que ha dicho eso de él, Marguerite —comentó el profesor—. Wren es uno de los seres más peligrosos y salvajes que hay sobre la faz de la Tierra.

Tal vez lo fuera para ellos, pero no era así cuando estaba con ella.

Cerró los ojos y volvió a verlo tal cual era la noche que se conocieron. Tímido y vergonzoso. Oculto entre las sombras de las que solo salió para hablar con ella.

Después sus pensamientos se trasladaron a su forma de acariciarla mientras hacían el amor. Y a su forma de defenderla de los asaltantes. Tenían razón, Wren podía ser peligroso. Pero no estaba fuera de control. Jamás había atacado a nadie sin provocación previa. Eso no lo convertía en una amenaza. Solo confirmaba el hecho de que no se dejaba pisotear.

—Tenemos que salvarlo —declaró—. Decidme cómo matar a esas criaturas que van detrás de él.

Wren subió en silencio la escalera del Santuario en su forma felina. Iba a la caza de Nicolette. No tenía la menor duda sobre la identidad de quien lo había delatado y ya era hora de terminar con aquello. Que fuera detrás de él tenía un pase, pero poner en peligro a Maggie... era otro cantar.

Había llegado la hora de que todos aprendieran que ser un solitario no significaba ser un felpudo. Ese tigre tenía dientes, y estaba más que dispuesto a utilizarlos.

—¡Joder!

Se giró y vio a Fang, en su forma humana, de pie en el vano de la puerta de un dormitorio. Solo llevaba unos vaqueros e iba descalzo.

Se agazapó, preparado para atacar.

—Entra ahora mismo —le ordenó Fang—. ¡Vamos!

Retrocedió un paso.

—Hazle caso, Wren. Por favor.

Se quedó helado al escuchar la voz de Aimée. También en forma humana, la osa estaba detrás del lobo. Tenía un lado del rostro enrojecido y los labios hinchados, como si se hubiera estado dando el lote con Fang.

Joder, esos dos estaban metidos en problemas muchísimo más serios que los suyos.

Antes de que pudiera moverse se abrió otra puerta. Aimée se quitó de en medio justo cuando su hermano menor, Étienne, hizo acto de presencia. Era alto y rubio como el resto de los Peltier y apenas le llevaba unas cuantas décadas, si bien no parecía mayor que él en su forma humana.

El recién llegado se transformó de inmediato en oso.

—No se puede luchar en el santuario —dijo Fang al tiempo que cerraba la puerta de su dormitorio para proteger a Aimée. Se interpuso entre los dos y siguió hablando—: Ambos conocéis la *irini*, nadie puede romper las leyes que nos gobiernan.

—Está marcado, lobo. Quítate de en medio.

Se giró al escuchar la voz de Aubert y se transformó en humano para enfrentarse al famoso papá oso que solo obedecía a Nicolette.

—No he hecho nada malo. Son gilipolleces y lo sabéis.

—Te has vuelto loco —dijo Aubert—. Has amenazado a mis cachorros y a mi pareja.

—No, no lo he hecho —lo contradijo, mirándolo con los ojos entrecerrados—. Pero puedes decirle a tu osa que he venido a por ella.

Aubert se abalanzó sobre él.

Fang se interpuso entre ellos y atrapó al oso. Wren se preparó, ya que esperaba que Aubert se librara del lobo, pero para su más absoluto asombro Fang se mantuvo firme.

Con un rugido, Aubert apartó a Fang y se lanzó a por él.

Volvió a transformarse en tigre y salió al encuentro de Aubert, que se convirtió al punto en oso. Cogió al animal por la garganta justo cuando Étienne lo atacaba por la espalda, momentos antes de que lo estampara contra la pared y le desgarrara una pata con sus temibles zarpas.

Se incorporó aturdido, pero la pata herida cedió por el dolor. Sus heridas eran demasiado recientes y las nuevas estaban pasándole factura. Aunque no le importaba. Había ido allí con la certeza de que lo matarían.

Sin embargo, tenía pensado llevarse a alguien por delante a modo de satisfacción personal.

Los osos se levantaron sobre las patas traseras antes de abalanzarse sobre él.

Apenas habían dado dos pasos cuando se produjo un fogonazo en el pasillo.

Se preparó para enfrentar la nueva amenaza, pero se detuvo al ver a Vane y a Fury.

Vane, que estaba en forma humana, se percató del hombro herido de Fang y soltó un gruñido.

—¿Aubert? ¿Te has vuelto loco?

Aubert volvió a su forma humana, pero su hijo siguió en forma animal.

—Está sentenciado a muerte —soltó—. Nosotros te acogimos, lobo, cuando no teníais nada. ¿Así nos pagáis ahora?

La furia brillaba en los ojos verdes de Vane.

—No, Aubert. No he olvidado la deuda que tenemos con vosotros. Pero no me quedaré de brazos cruzados mientras dais caza a un inocente. Wren no tiene un clan que lo respalde. Por eso le ofrezco el mío.

La oferta lo descolocó por completo. Era un suicidio respaldarlo en ese momento, y le costaba creer que a Vane se le hubiera pasado siquiera por la cabeza.

Aubert estaba igual de pasmado.

—¿Vas a ponerte de su lado en contra del decreto del Omegrion?

Vane no vaciló al responder. Su rostro era una máscara letal:

—Por supuesto.

En ese momento, vio que Fang miraba hacia atrás, aterrado.

—¡No!

Todos se giraron cuando Aimée gritó. Estaba en mitad del pasillo, pero solo Fang y él sabían de qué dormitorio había salido.

La vieron tragar saliva.

—Papá, por favor —dijo, mirando a su padre, aunque sus

ojos se desviaban constantemente hacia Fang—. No lo hagas. Está mal y lo sabes. Wren no es una amenaza para nosotros.

—¿Te has vuelto loca? Ha venido a matar a tu madre.

Se abrieron más puertas. Los animales fueron saliendo de sus dormitorios para averiguar a qué se debía la conmoción. Joder, tendría que pasar por encima de todos ellos para llegar hasta la que quería...

Pese a las osadas palabras de Vane, no esperaba que nadie lo apoyara, así que cuando los tres lobos se interpusieron entre él y el resto, se quedó de piedra.

—Jamás saldrá con vida de aquí —dijo Aubert con tono amenazador—. Ni él ni vosotros.

Cuando Wren ladeó la cabeza, vio una extraña mirada entre Fang y Aimée. Supo al punto que se estaban comunicando telepáticamente.

Un instante después, Fang la cogió, hizo aparecer un cuchillo y se lo llevó a la garganta.

—Que nadie se atreva a seguirnos. La mataré si alguien lo hace. Fury, Vane, sacad a Wren de aquí.

Estaba a punto de protestar, pero antes de que pudiera hacerlo, Vane lo cogió del cuello y lo trasladó a un lugar desconocido.

Un lugar oscuro y sin ventanas. La única luz procedía de sendas lámparas encendidas en dos mesitas auxiliares, una a cada lado de la estancia. Echó un vistazo a su alrededor, preguntándose dónde estaría. Los muebles eran modernos y los aparatos electrónicos eran de última generación, por no mencionar que las paredes eran de acero oscuro.

A juzgar por esas paredes y por el movimiento del suelo, supo que estaban en algún tipo de embarcación.

Siseó furioso y adoptó su forma humana antes de enfrentarse al lobo.

—¿Qué coño estás haciendo?

—Salvándote la vida.

—No quería que me salvaras la vida, gilipollas —replicó, con cara de asco.

Fury, Fang y Aimée aparecieron en la habitación junto a Vane. Aimée se arrojó a los brazos de Fang.

—¿Os habéis vuelto locos? —les preguntó Vane—. Con lo del tigre y lo vuestro, estamos bien jodidos.

—No, no lo estáis. —Wren intentó regresar al Santuario para zanjar la cuestión, pero descubrió que no podía—. ¿Qué cojones pasa?

—He suprimido tus poderes —explicó Vane.

Sabía que no le serviría de nada abalanzarse sobre él (el lobo era demasiado poderoso como para poder derrotarlo), pero le estaba costando la misma vida contenerse para no intentar matarlo.

—Devuélvemelos.

—No —rehusó con un tono de voz que no admitía discusión—. No acabo de poner en peligro a todo mi clan para ver cómo te suicidas.

—No es tu lucha.

—Sí que lo es. No me voy a quedar de brazos cruzados viendo cómo muere un inocente por culpa de un gilipollas avaricioso.

—En fin, muchas gracias, don Altruista —se burló, sorprendido por el heroísmo del lobo—, pero este tigre no quiere tu ayuda. Así que métetela por donde te quepa.

Alguien comenzó a aplaudir. Cuando giró la cabeza, vio al Cazador Oscuro que respondía al nombre de Jean-Luc entrar por una puerta situada a la izquierda. Fue pirata en su vida mortal y seguía conservando ciertos rasgos de su anterior existencia. Llevaba un pequeño arete de oro en la oreja izquierda y vestía de negro de los pies a la cabeza con pantalones de cuero, camisa de seda y botas de motero. Se había recogido la melena oscura en una coleta que resaltaba sus facciones aguileñas. Sus ojos eran tan negros que ni siquiera se distinguían las pupilas, y en ese momento brillaban risueños.

—Bien dicho, tigre.

—Cierra la boca, capullo, tampoco es tu pelea.

Jean-Luc siseó al escuchar el insulto.

—Chaval, será mejor que controles la lengua si no quieres que te la corten.

Dio un paso hacia el Cazador, pero se quedó de piedra al ver que Maggie aparecía por la puerta. El alivio que vio en su rostro le impidió moverse.

—Me alegro muchísimo de que te hayan encontrado antes de que fuera demasiado tarde —le dijo después de correr hacia él y abrazarlo con fuerza—. No irías a cometer una estupidez, ¿verdad?

—Sí llegamos tarde, guapa —soltó Fury con sorna—. Aquí nuestro tigre ya había agitado el panal equivocado y había cabreado a las abejitas, en este caso osos. —Miró a Fang—. Claro que, conociendo a los osos, perseguirán a los lobos antes que a un tigre. Lo de ganar tiempo con su única hija ha sido bueno, Fang. Sí, ha estado genial. En fin, como el chocolate es letal para nosotros estaba pensando que si querías suicidarte, podías darte un atracón y morirías de una forma mucho menos dolorosa.

—Ya vale, Fury —ordenó Vane, que se acercó a Fang y Aimée—. Tenemos que enviarla de vuelta. Ahora mismo.

—Lo sé —dijo Fang.

—No quiero marcharme —replicó Aimée con los ojos llenos de lágrimas.

La pareja miró a Vane con expresión implorante y el lobo se quedó lívido.

—Y yo que creía que mi relación con Bride estaba abocada al fracaso… humanos con animales, eso sí que es una putada.

Fury resopló.

—Tú eres el jefe, Vane. Así que cumple con tu trabajo.

El aludido puso los ojos en blanco y suspiró.

—Si tuviera dos dedos de frente, cosa que no tengo, no me habría metido en este lío. Lo que haría sería dejar a Wren y a mi hermano en manos de los osos antes de irme con mi mujer a un sitio bonito y tranquilo para criar a nuestros hijos. —Su furiosa mirada fue pasando por todos ellos—. Pero es evidente que soy el tío más idiota del mundo.

Jean-Luc se sacó un afilado estilete de la bota.

—Aquí tienes, *mon ami*. O ellos o tú. Un pinchacito y dirás adiós a todos tus problemas, ¿eh?

—No me tientes —gruñó Vane mientras los observaba uno a uno—. Wren, escúchame bien porque se te está acabando el tiempo. Si matas a Nicolette, estás muerto. No habrá manera de salvarte.

Wren resopló.

—No hay manera de salvarse de una sentencia de muerte y punto.

—Tú no estabas presente cuando se sometió a votación —señaló Fury, que se acercó a él meneando la cabeza—. Hubo división de opiniones.

Eso le hizo fruncir el ceño.

—¿Qué quieres decir?

—Que tienes una posibilidad de que se revoque la sentencia —explicó Vane—, pero se esfumará si matas a Nicolette por venganza.

Titubeó al sentir un rayito de esperanza. ¿Podía fiarse de Vane? Era difícil de creer incluso para un hombre que en realidad era un tigardo.

Vane suspiró.

—Si presentas pruebas que demuestren que no mataste a tus padres, Savitar revocará la sentencia del Omegrion.

Lo que sugería era tan absurdo que no supo muy bien qué hacer. ¿Qué se había metido Vane?

—¿De qué coño estás hablando? Intentan matarme porque estoy saliendo con Maggie.

—¿Es que eres imbécil? —preguntó Fury—. Que estés saliendo con una humana solo ha sido el detonante para que Mamá Lo te echara. La sentencia de muerte se debe al asesinato de tus padres.

—¿Quién me acusa?

—Tu primo Zack.

Apretó los dientes mientras la furia se apoderaba de él.

Aquello iba de mal en peor. Era increíble que ese cabrón hubiera ido al consejo con sus mentiras...

—Podemos ayudarte, Wren —le aseguró Vane con calma—. Pero tienes que confiar en nosotros.

Miró al lobo con desdén.

—No pienso fiarme de nadie, mucho menos dejar mi vida en manos de otro. Lo único que he conseguido de esa forma ha sido que me den bien y ya estoy hasta los cojones.

—Vaya lengua tienes, tigre. ¿Has pensado en escribir cuentos para niños?

Fang le dio una colleja.

—¡Ay! —protestó Fury mientras se frotaba la nuca y le echaba una mirada asesina.

—¿Yo era tan bocazas antes del ataque? —le preguntó Fang a Vane.

El aludido no titubeó.

—Sí, y sigues siéndolo la mayor parte del tiempo. Pero nos hemos desviado del tema que estábamos discutiendo.

—No tenemos nada que discutir —sentenció Wren—. No puedes mantenerme aquí para siempre, lobo. Meterme en un barco ha sido un truco muy bueno para que pierdan mi rastro, pero no tardarán mucho en averiguar dónde estoy. Lo único que has conseguido es meter a los Cazadores Oscuros en nuestra lucha. Y conociendo a Aquerón, estoy seguro de que no le va a hacer ninguna gracia. —Soltó un suspiro cansado y meneó la cabeza—. Seguirán persiguiéndome, sabéis que no se detendrán. Prefiero enfrentarme a ellos en mi terreno antes que dejar que me ataquen cuando les venga bien.

Demasiado cansado y herido para seguir discutiendo, se encaminó hacia la puerta.

Al pasar junto a Jean-Luc, el Cazador Oscuro le cogió el brazo. Antes de que pudiera reaccionar, sintió un pinchazo.

Enfurecido, gruñó y cambió de forma, pero la oscuridad lo engulló todo antes de que pudiera hacer nada.

Marguerite se quedó helada al ver que Wren caía al suelo.

—¿Qué le has hecho?

—Le he inyectado un tranquilizante.

Fury soltó el aire muy despacio.

—Va a despertarse con un cabreo de dos pares…

—Ya —convino Jean-Luc—. Por eso sugiero que lo mantengamos dormido un par de días, hasta que se haya curado por completo y vosotros hayáis decidido lo que tiene que hacer.

—Vale, pero si no nos hace caso…

—Si se os ocurre algún plan —lo interrumpió ella—, yo me encargo de que os haga caso.

Fury, que tal como se había dado cuenta nada más conocerlo era el escéptico del grupo, se echó a reír en su cara.

—Menos humos, humana. Wren no es de la clase de bestia a la que se puede manipular.

Aimée lo miró mientras meneaba la cabeza.

—No, Fury, te equivocas. Wren es diferente cuando está con ella.

Fury se acercó a ella y le cogió la mano. Se la giró para mirarle la palma.

—No están emparejados.

Aimée lanzó una mirada de adoración a Fang antes de clavar la vista en Fury.

—No tienes que estar emparejado para querer mucho a otra persona. Creo que Wren le hará caso.

En ese momento los hombres alzaron a Wren, que seguía en forma animal, y enfilaron un estrecho pasillo en dirección al camarote contiguo al suyo. Ella se quedó un poco rezagada con Aimée. Bill le había dicho que el barco era un petrolero reconvertido. Por fuera parecía un montón de chatarra, pero el interior poseía todos los lujos imaginables, incluyendo una sala de comunicaciones que volvería locos a los de la NASA.

El profesor Alexander y Bill habían llegado a la conclusión de que un barco era el escondite más seguro. Mientras estuviera en el agua, los katagarios que perseguían a Wren no podrían dar con su rastro, de modo que lo único que tenía que hacer era reducir el uso de su magia para que los rastreadores psíquicos tampoco lo encontraran.

Esperaba de todo corazón que funcionara.

—¿De verdad crees que podemos demostrar su inocencia? —le preguntó a Vane mientras este cubría a Wren con una manta.

—No lo sé. Joder, ni siquiera estoy seguro de que no matara a sus padres. Su primo fue bastante convincente.

—No los mató —reiteró Aimée sin asomo de duda—. Yo estaba presente cuando lo llevaron al santuario. Estaba muy traumatizado. Se quedó sentado en un rincón durante tres semanas, abrazándose por la cintura y meciéndose sin parar cada vez que estaba en forma humana. Siempre se acurrucaba cuando estaba en forma animal, ya fuera la de tigre, la de leopardo o la de tigardo.

Vane frunció el ceño.

—¿Estaba herido cuando os lo llevaron?

La renuencia de Aimée a contestar se reflejó en su expresión.

—Estaba un poco magullado.

Vane no se quedó convencido.

—¿Un poco o un mucho?

—Vale, un mucho —admitió a regañadientes—. Pero de haberse peleado con dos katagarios adultos, habría tenido heridas muchísimo más graves.

—A menos que los envenenara —apostilló Fury—. Zack no especificó cómo los había matado.

—Sigo sin creérmelo —dijo Marguerite—. No es típico de él.

—A ti se te ha ido la olla —replicó Fury—. Nena, espabila. Salvo el pirata y tú, el resto de los presentes somos animales. Todos tenemos instintos asesinos.

Aimée suspiró mientras miraba a un inconsciente Wren con expresión apesadumbrada.

—Lo pasó bastante mal durante la pubertad. Era incapaz de mantenerse en cualquiera de sus formas animales y tenía arrebatos muy violentos por tonterías.

—¿Como qué? —quiso saber Vane.

—Bueno, la primera noche que trabajó en la cocina, Dev lo asustó y Wren le hizo un corte en el cuello con el cuchillo que tenía en las manos. Por suerte, Dev fue rápido al apartarse y todo se quedó en un rasguño. Pero si no hubiese sido tan rápido o si se hubiera tratado de un humano, la herida habría sido mortal.

—Eso no implica que matara a sus padres —señaló Fang, que se colocó junto a Aimée.

Jean-Luc expresó su desacuerdo:

—Pero siembra la duda. La gente normal no hace esas cosas.

Fang no terminaba de creérselo.

—Cierto, pero sí lo haría alguien que ha sufrido un ataque muy violento del que fue incapaz de defenderse.

Aunque Fury no aceptó el argumento de Fang, a ella le sonó bien.

—No sé, hermano —dijo Fury—. Creo que estás proyectando sobre Wren lo que te pasó a ti.

Ella miró a Aimée.

—¿Cuándo fue la última vez que Wren atacó a alguien sin que lo atacaran a él primero?

Aimée no titubeó al responder:

—Solo fue en esa ocasión con Dev, pero es cierto que Wren estaba muy asustado y tembloroso.

Asintió con la cabeza al escucharlo.

—Justo como pensaba. Wren es inocente de todo. Me dijo que sus padres se mataron el uno al otro y yo lo creo. Ahora solo tenemos que concentrarnos en buscar la manera de demostrarlo.

10

Marguerite yacía en la cama junto a Wren, que seguía durmiendo en su forma animal. Según le había dicho Vane, los katagarios conservaban la capacidad de razonamiento humana incluso en su verdadera forma.

«Si Wren es incapaz de hacerte daño en forma humana, tampoco te lo hará en forma animal.»

Esa información la había tranquilizado muchísimo. Sin embargo, seguía resultándole muy raro tocar a un felino gigantesco y salvaje sin sentir miedo.

¿Cómo era posible que ese animal fuera el hombre que conocía?

Acarició sus aterciopeladas orejas. Su pelaje era de un blanco níveo y en su «verdadera» forma no había ni rayas ni motas. Era como un gato enorme de pelo largo. En su forma de tigre, tenía las típicas rayas oscuras sobre el pelaje blanco.

Movió la mano hasta hundirla en el pelo del cuello. Era como tocar la seda más suave que se pudiera imaginar. Sentía la fuerza que irradiaba su cuerpo. Era algo aterrador, pero también reconfortante.

Sin pensar en lo que estaba haciendo le hundió la cara en el cuello y lo abrazó con fuerza. Pobre Wren. Había sufrido tanto... Haría cualquier cosa para aliviar su dolor.

Pero ¿el qué?

Lo único que podía hacer era ofrecerle consuelo y la esperanza de que su plan iba a funcionar. Lo último que quería era verlo sufrir más. Vane le había contado muchas cosas sobre su infancia, sobre lo solo que había estado. Algo que ella comprendía muy bien. Porque ella también había estado al otro lado del cristal. Nunca había sido lo bastante buena. Jamás había sido lo que los demás querían que fuese.

Y era muy duro vivir con tanta soledad.

Con el corazón en un puño, frotó la nariz contra el suave pelaje mientras le acariciaba el costado sano.

Wren se despertó con la sensación más increíble de su vida. Alguien lo estaba acariciando.

Nadie lo había tocado con ternura jamás mientras estaba en forma animal. La mano que sentía en el costado era cálida, agradable. Lo acariciaba con una cadencia sensual, pero no tenía la menor implicación sexual. Era reconfortante. Y eso significaba muchísimo para él.

Ningún katagario se le acercaría para tocarlo de ese modo. Los humanos se asustarían al verlo en forma animal.

Y sus padres... jamás habían sido cariñosos.

Al menos con él.

Supo por instinto que era Maggie quien lo estaba acariciando. Su olor estaba impregnado en su pelaje, cosa que le encantaba.

También recordó lo que había estado a punto de hacer cuando el dichoso Cazador Oscuro lo drogó.

Sin embargo, en ese momento el suicidio ni siquiera formaba parte de sus pensamientos. Lo único que quería era quedarse donde estaba y sentir la delicada fuerza de la mano de Maggie sobre su cuerpo. Nunca había conocido la paz que lo inundaba en ese momento. Ni la felicidad.

Ojalá no hubiera nadie en el mundo salvo ellos dos...

Marguerite jadeó al ver que Wren se daba la vuelta al tiempo que se convertía en humano, abandonando su forma de tigardo. La pasión de esos ojos azules la abrasó.

Rozó con cuidado el corte que tenía en el labio inferior.

—¿Estás bien? ¿Cómo te encuentras?

—Mareado. Atontado. Con el estómago revuelto.

Hizo un mohín por la sinceridad de la respuesta.

—¿Necesitas ir al baño?

Lo vio negar con la cabeza.

—Solo necesito unos minutos para que se pasen los últimos efectos de la droga. Cómo odio los tranquilizantes...

—Te entiendo. —Le apartó un mechón de pelo de la cara—. ¿Todavía sigues pensando en cometer una estupidez?

—No me queda más remedio.

—Pues Vane cree lo contrario. Si demuestras...

—¿Cómo? —la interrumpió con voz cansada. Sonaba distante y resignado a su aciago destino—. Quienquiera que los asesinara no dejó ninguna pista.

Se negaba a creerlo. Tenía que haber algo que pudiese ayudarlo. Algo que pudiera demostrar su inocencia.

—Cuéntame lo que pasó.

Wren guardó silencio unos instantes mientras rememoraba las últimas horas de vida de su padre. Nunca le había hablado a nadie del tema. Sin embargo, las pesadillas aún lo asaltaban de vez en cuando.

—Acababa de descubrir que podía cambiar de forma, pero era incapaz de mantenerme mucho tiempo en una en concreto. Pasaba de ser un humano indefenso a ser un leopardo o un tigre... o un tigardo. Mi madre estaba profundamente asqueada de mí y de mi apariencia. Por eso no tuvieron ningún hijo más. Un día oí a otros decir que hasta que yo nací se llevaban muy bien. Después de mi nacimiento, mi madre se negó a que mi padre la tocara por temor a engendrar otra criatura como yo.

El dolor le inundó el corazón mientras escuchaba el relato. Era incapaz de imaginarse que sus padres la rechazaran de plano. Su padre podía ser muy crítico en ocasiones, y también era cierto que se ensimismaba con sus cosas y que se ausentaba durante largos períodos de tiempo, pero nunca había sido deliberadamente cruel con ella.

Notó que Wren le tocaba el pelo y comenzaba a juguetear con un mechón antes de seguir con la historia.

—Mi padre apenas si me miró mientras era un cachorro. Me mantuvieron encerrado en casa, en una pequeña jaula, hasta que llegué a la pubertad. A partir de ese momento y consciente de que necesitaba entrenamiento para usar mis poderes, contrató a un miembro de la familia para que me instruyera. Zack.

El mismo que según Vane lo acusaba de haber asesinado a sus padres. Sin embargo, decidió no sacar el tema a colación en ese momento. Antes quería comprender la cadena de acontecimientos.

—Así que fue tu primo quien te enseñó a utilizar tus poderes, ¿no?

—No. Le asqueaba tanto mi incapacidad de mantener una forma concreta que renunció una semana después de que mi padre lo contratara. —Tomó una entrecortada bocanada de aire—. Así que mi padre decidió que tendría que ser él quien me entrenara. Fueron los únicos momentos de mi vida en los que estuvo a mi lado. Al principio estaba tan enfadado conmigo, se mostraba tan frío, que me pasaba el día intentando escapar. Me iba corriendo de la habitación o utilizaba mis recién descubiertos poderes para trasladarme a otro lugar de la casa o al exterior. Mi padre iba a por mí, decepcionado y disgustado, y me arrastraba para seguir intentando enseñarme.

—¿Cómo que te arrastraba?

El dolor nubló sus ojos.

—Da igual.

Estaba mintiendo y ella lo sabía. La tensión que se había apoderado de su cuerpo decía que no daba igual. Las acciones de su padre lo habían herido en lo más profundo.

—En cuanto comencé a mostrar signos de control, mi padre se tranquilizó. Incluso empezó a mirarme de otro modo, o eso creo. Por eso me dolió tanto que muriera. Había pasado toda mi infancia solo, viendo a mi cuidador una o dos veces al día cuando iba a cambiarme el comedero y la caja de arena. Mi padre iba a verme de vez en cuando, me miraba decepcionado o con odio y se iba sin decir nada. Así que cuando empezó a prestarme atención, para mí fue algo increíble.

Hizo una pausa y alzó la mirada. Era evidente que los recuerdos le resultaban dolorosos. Ojalá hubiera algún modo de hacerlos más llevaderos.

—Me trasladaron de la jaula a un dormitorio —siguió en voz queda—. Estaba dormido cuando oí un golpe al otro lado del pasillo. Adopté mi forma humana para ver qué pasaba y lo vi en su dormitorio, degollado. Había tanta sangre y estaba tan magullado que era difícil reconocerlo.

—¿Qué hiciste?

—Me senté a su lado y lo cogí de la mano. No podía moverme, no podía pensar. Era la primera vez que veía una muerte tan reciente. Era incapaz de hacer otra cosa que no fuera mirarlo.

—Pero ¿no sabes quién lo mató?

—Lo supe entonces —contestó con voz airada—. Escuché que mi madre y su amante se jactaban de ello a carcajadas en otra habitación.

Tragó saliva, consumida por el pánico al escuchar el odio que destilaba su voz. Tal vez hubiera matado a su madre, después de todo.

—Estaba tan enfadado que no podía pensar. Fui a la habitación y los vi brindando con champán. Corrí hacia mi madre, pero su amante me atrapó y me tiró al suelo. Iba a matarme también, pero ella no hizo nada para impedírselo. En ese momento comprendí que ese había sido el plan inicial. Se suponía que mi madre tenía que matarnos a mi padre y a mí para que mi tío se hiciera con el control de Tigarian Technologies. Sin embargo, dijo que no se fiaba de mi tío. Si yo moría, estaba segura de que la dejaría con un palmo de narices. Su única esperanza para seguir disfrutando de parte del dinero de mi padre radicaba en mantenerme drogado y así poder controlar el cotarro como mi tutora y albacea.

Que alguien pudiera hacer algo semejante y a su propio hijo para más inri, la enfureció. Esa madre no era normal.

—¿Qué hicieron? —preguntó.

—No estoy seguro. Estaba intentando utilizar la magia para escapar de su amante cuando de repente me desperté en una habitación cerrada mientras la casa ardía a mi alrededor.

La respuesta hizo que frunciera el ceño.

—¿Cómo saliste?

—El suelo se hundió a causa de las llamas. Caí escaleras abajo y un bombero me salvó, creyendo que era la mascota de la familia. Me taparon con una manta y me sacaron antes de que la casa se desplomara. Mientras me sacaban vi que habían dejado los cadáveres de mi madre, de su amante y de mi padre en el césped. —Un tic nervioso apareció en su mentón—. Antes de que pudieran llevarme a un refugio de animales, mordí al bombero y me escapé. Corrí hacia los árboles y los arbustos que rodeaban la casa. Seguí corriendo hasta que me encontré con un hombre que me dijo que entrara en su coche.

—¿No te parece que fue muy arriesgado?

—Seguramente —contestó él con un resoplido—, pero me conocía y sabía lo que yo era. Me dijo que mi padre lo había enviado para protegerme. En aquel momento no podía pensar con claridad. Estaba herido, asustado y no tenía ningún sitio adonde ir. Lo único que sabía era que mi tío me mataría si se le presentaba la oportunidad y que el hombre que había acudido en mi ayuda era humano. Mi tío odiaba a los humanos, así que decidí que era mi apuesta más segura.

El relato de Wren la dejó alucinada. Era incapaz de imaginarse lo terrorífica que debió de ser aquella noche para él.

—¿Por qué no le has dicho nunca a nadie lo que le pasó a tus padres?

La miró con gesto burlón.

—¿Quién me habría creído? Los animales no matan por dinero. Ese es un crimen humano.

—Tú no eres un animal.

—Sí, Maggie —la corrigió, abrasándola con la intensidad de su mirada—. Lo soy. No te engañes al respecto. Me pasé los veinticinco primeros años de mi vida en forma de tigardo. La habilidad de convertirme en humano es una consecuencia de la magia que nos otorgó un rey loco hace siglos. Pero lo mires como lo mires, la verdad es que tengo el corazón y los instintos de un animal. Y siempre actuaré como tal.

No se lo tragaba.

—Y aun así tu tío, el supuesto animal, mató a tu padre por un motivo muy humano y ahora te está tendiendo una trampa. Creo que eres mucho más humano de lo que piensas.

—Llevo viviendo en el santuario desde entonces —dijo, apartando la mirada de ella—. Sabía que si alguna vez lo abandonaba, la familia de mi padre iría a por mí. Así ha sido. —Volvió a mirarla—. Te matarán para llegar hasta mí. ¿No lo entiendes?

Sus palabras la asustaron, pero se negaba a dejarse acobardar. No sabía qué iba a pasar, no sabía qué podía pasar, pero no pensaba huir. No permitiría que la intimidaran.

—Sí.

Wren soltó el aire de forma entrecortada, pero decidida.

—Tengo que enfrentarme a ellos.

—Está hablando tu parte animal. Enfréntate a ellos y lucha hasta la muerte. —Le apartó el pelo de la cara con suavidad, esperando poder disuadirlo. Sería una muerte inútil—. Párate a pensar como un humano un momento, Wren. ¿Cuál es el mejor modo de vengarse de los avariciosos?

—Matarlos.

—No —lo contradijo, poniendo los ojos en blanco al tiempo que le colocaba una mano en el pecho—. Hay que dejarlos sin dinero. Hay que quitarles el dinero que tanto significa para ellos y encerrarlos después.

—Preferiría matarlos —insistió él con voz burlona.

Lo miró con los ojos entrecerrados.

Para su sorpresa, Wren le sonrió.

—Vale. Supongamos por un minuto que te estoy escuchando. ¿Qué sugieres que haga?

—Vane dijo que podríamos retroceder en el tiempo y...

—¿Cómo que «podríamos»?

—Pues eso, que podríamos. Ya sabes, los dos —repitió con convicción—. Es el único sitio donde no se les ocurrirá buscarnos. Si me quedo aquí, será imposible que sepas si me ha pasado algo y yo tampoco sabré nada de ti. Si viajamos juntos al pasado, descubriremos algo que implique a tu tío en las muertes de tus padres.

Lo vio apretar los dientes. No estaba convencido.

—Va a ser peligroso.

—Ya están intentando matarnos. ¿Hay algo más peligroso que eso?

A juzgar por su expresión, supo que había ganado ese punto.

—Nunca he intentado saltar en el tiempo llevando a alguien conmigo. ¿Y si la cago?

—Vane jura y perjura que no lo harás.

—Vane no tiene nada que perder aquí. Yo sí.

Lo cogió de la mano y enfrentó su mirada sin flaquear.

—Confío en ti.

Wren soltó el aire con lentitud. Nadie había confiado en él antes. Y no podía creer que Maggie confiara en él en ese momento, cuando tenía tanto que perder.

¡Por los dioses! Si tuviera un poco de sentido común, la dejaría con Jean-Luc para que la protegiera. Sin embargo, sabía que tenía razón. No tendría modo alguno de saber si estaba a salvo o no. Estaría tan preocupado por su seguridad que no podría concentrarse para hacer lo que debía hacer a fin de demostrar su inocencia.

Desvió la mirada hacia el lugar donde su mano descansaba sobre su pecho. Era humana. Era frágil. No obstante, su fuerza lo asombraba. Llevaba solo toda la vida…

¿No sería agradable tener a alguien a su lado, aunque solo fuera por esa vez?

Dejó escapar un suspiro cansado mientras sentía que un profundo anhelo lo consumía. A decir verdad, no quería vivir sin ella. Ni siquiera un minuto.

—Muy bien, Maggie. Lo intentaremos a tu modo, pero si no funciona…

—Los matarás al tuyo.

Le aferró la cara con las manos, dispuesto a besarla, pero en cuanto sus labios se rozaron, alguien la llamó al móvil.

Marguerite se apartó gruñendo por la irritación. En cualquier otro momento pasaría de la llamada, pero esa era importante.

—Es mi padre —le explicó—. Espera un momento.

Y descolgó.

—¿¡Dónde te has metido, señorita!? —La furia que destilaba su voz hizo que se encogiera.

—Hola, papá, yo también me alegro de oírte.

—No te hagas la graciosa conmigo, Marguerite. Acabo de recibir una llamada de la facultad informándome de que llevas días sin asistir a clase. Van a expulsarte. ¿En qué estabas pensando? ¿Tienes la menor idea de lo bochornoso que será eso?

Se odió a sí misma al darse cuenta de que se le estaban llenando los ojos de lágrimas. Se odió por dejar que sus palabras le hicieran daño.

—Siento mucho haberte decepcionado tanto, papá. Pero he tenido que...

—Me da exactamente igual lo que hayas tenido que hacer, niña. Tienes que volver a clase y tienes que volver a reunirte con tu grupo de estudio. Blaine dice que te pasas los días con un maleante de la ciudad en lugar de estudiar. He invertido mucho dinero en ti para que lo eches todo por la borda por un desgraciado sin oficio ni beneficio por muy bueno que esté. Ojalá yo pudiera tomarme una semana de vacaciones sin más cuando me viniese en gana.

Eso fue la gota que colmó el vaso. Ni siquiera sabía si había sufrido un accidente de coche o si estaba enferma. ¿Se había molestado en preguntarle por qué no había ido a clase? No.

—Lo siento, papá. Tengo cosas importantes que hacer.

—¿Como qué?

Miró a Wren, que estaba observándola con una mirada furiosa, y agarró el teléfono con fuerza.

—Voy a fugarme con un tigre. Ya te llamaré cuando pueda.

Y con eso colgó y apagó el móvil.

Wren estaba alucinado.

—No puedo creerme que le hayas dicho eso.

—¡Venga ya! —exclamó, irritada—. Pensará que me he fugado con un estudiante de Loyola. —Respiró hondo mientras consideraba las posibles repercusiones de lo que acababa de hacer—. Pondrá sobre aviso a algunas agencias gubernamentales para que den conmigo. Así que si no me llevas contigo, mi «localización» será de dominio público y tus amigos sabrán dónde encontrarme.

Wren chasqueó la lengua y la miró con expresión risueña.

—Eres muy astuta.

—Sí y no —replicó, mordiéndose el labio de forma provocativa—. Necesitas a alguien que te cubra las espaldas y no creo que confíes en mucha gente.

El azul de sus ojos se tornó gélido y letal.

—No confío en nadie… —comenzó, pero su mirada se suavizó antes de acabar la frase—, salvo en ti.

Le cogió la cara con las manos y la besó, arrancándole un suspiro. Dios, la suya era la relación más imposible de todos los tiempos. La hija fugada de un senador y un tigre en busca de venganza…

Se echó a reír en contra de su voluntad.

Wren se apartó, ceñudo.

—Lo siento —se disculpó y le dio un beso fugaz—. Es que de repente se me ha ocurrido un titular cojonudo para el *Weekly World News*: «Hija de importante senador retrocede en el tiempo para salvar a su novio-tigre». —Le pasó un dedo por un pómulo mientras asimilaba la realidad de la situación—. No acabo de creerme que el mundo en el que vives sea real. No paro de pensar que esto es un sueño del que me despertaré en cualquier momento.

—Ojalá fuera así, por tu bien. Ojalá fuera humano. Pero sabes que si sobrevivo a todo esto, no podré quedarme a tu lado.

Por mucho que aborreciera admitirlo, sabía que estaba siendo sincero.

—Lo sé.

Wren escuchó algo al otro lado de la puerta de la habitación que lo dejó helado.

Ladeó la cabeza, agudizando el oído.

—¿Qué pasa? —preguntó ella.

Para su más completo asombro, vio cómo se vestía por arte de magia mientras se alejaba despacio de la cama. Le hizo un gesto para que guardara silencio.

Acababa de dar un paso hacia la puerta cuando apareció un hombre en el centro de la habitación.

Wren dio media vuelta para enfrentarse al recién llegado al tiempo que ella jadeaba. Lo vio abalanzarse sobre el desconocido, pero este desapareció al instante.

—¡Joder! —exclamó—. Nos han encontrado.

La puerta se abrió de repente y Vane entró a la carrera.

—¿Una fisura?

Wren lo miró con sorna.

—Si te refieres al capullo del tigre que acaba de desvanecerse antes de que tú llegaras, sí.

Su respuesta hizo que Vane soltara un taco.

—Os habéis quedado sin tiempo.

—No puedo saltar en el tiempo hasta que haya luna llena —le recordó.

Vane le ofreció una sonrisa maliciosa.

—Sí que puedes.

En un abrir y cerrar de ojos pasaron del barco a una opulenta estancia a través de cuyas ventanas se escuchaba el ruido del tráfico.

Wren estaba mirando a su alrededor con el rostro ceniciento, como si no pudiera creer lo que estaba viendo.

—¿Dónde estamos? —le preguntó.

La miró con los ojos como platos.

—En el dormitorio de mi padre.

11

Wren creyó estar viviendo una horrible pesadilla mientras paseaba la mirada por una habitación que llevaba más de veinte años sin ver. Joder, ni siquiera la recordaba al detalle. Claro que solo la había visto un par de veces y durante muy poco tiempo.

Se estremeció al recordar la imagen de su padre muerto en el suelo, entre la cama y la puerta.

La apartó de sus pensamientos y siguió mirando a su alrededor. La habitación tenía la tecnología punta de la época y estaba decorada al estilo de los años ochenta, en azul y verde oscuro, con una cama de agua gigantesca. Las paredes estaban adornadas con cuadros de estilo abstracto y con la piel de un tigre que su padre debió de matar. Entre los katagarios era una práctica común exponer la piel de su primera víctima como prueba de su proeza y también para advertir a cualquier otro animal que quisiera buscarles las cosquillas.

A juzgar por el tamaño de la piel y por las marcas, era de suponer que su padre tuvo que pelear con uñas y dientes para conseguirla. Sin embargo, lo importante era que había sobrevivido mientras que la otra bestia había muerto.

Se acercó despacio a la ventana abierta con el corazón desbocado para observar el tráfico que discurría más allá de la propiedad.

—¿Esta es la casa que se quemó? —preguntó Maggie.

Asintió despacio con la cabeza, preguntándose una vez más quién la habría incendiado y en qué momento.

—Tenemos que salir de aquí antes de que nos vea alguien. Mi padre tenía la costumbre de zamparse a los allanadores y no quiero que mi tío acabe por llevar la razón si me veo obligado a matar a mi padre en caso de que nos ataque por error.

—Tenemos que encontrar pruebas —le recordó, rehusando su idea con la cabeza.

—Aquí no encontraremos nada —dijo—. Mi madre no era tan tonta.

De repente, se escucharon voces en el pasillo. Voces que parecían acercarse al dormitorio de su padre. Un hombre y una mujer...

Y estaban discutiendo.

Cogió a Maggie y la obligó a meterse con él en un enorme armario que solo parecía contener la ropa de su padre. Se le pasó por la cabeza la idea de salir de la casa utilizando sus poderes, pero como no recordaba bien la distribución de la propiedad ni los horarios del personal o de sus padres, podría acabar delante de sí mismo cuando cachorro o incluso delante de su padre.

Cualquiera de esas dos opciones sería desastrosa.

Por el momento, sería mejor quedarse allí dentro y esperar a tener una idea más clara de la situación.

Escuchó que alguien abría la puerta y la cerraba de golpe.

Se quedó helado al reconocer la furiosa voz de su madre. Ese tono agudo y cruel era inconfundible aunque llevara tantísimos años sin escucharlo.

—¿Por qué me has hecho volver de Asia, Aristóteles? Necesito un tiempo para correr en libertad.

Su padre soltó una carcajada siniestra.

—Llevas corriendo en libertad demasiado tiempo, Karina. Ya era hora de que volvieras a casa.

—¿Por qué? —Su madre golpeó algo con el puño.

—He descubierto algunas cosas muy interesantes sobre Wren. Puesto que eres su madre...

Algo se hizo añicos.

—¡No me vengas con esas! Te di el heredero que querías y lo aceptaste tontamente. Ya no me necesitas para nada.

—Tienes que ver lo que Wren es capaz de hacer —insistió su padre con voz más grave.

—Vaya, así que por fin se puede convertir en humano —dijo su madre con un deje hastiado y sarcástico—. Menudo logro. Ya era hora de que empezara a transformarse. Ya te dije que era retrasado.

Marguerite se quedó sin aliento al escuchar esas palabras tan duras. Vio el dolor en el rostro de Wren, un dolor que intentó ocultar, y la rabia la consumió. Se moría de ganas de abrir la puerta del armario de una patada para darle una paliza a su madre por su crueldad.

¿Cómo podía una mujer hablar así de un niño al que había dado a luz?

—No te atrevas a largarte, Karina —gruñó Aristóteles.

—No soy uno de tus hombres, Ari, así que no puedes darme órdenes —escuchó que decía la madre de Wren con una carcajada cruel—. Y tampoco soy tu zorra. No tengo que quedarme a escucharte.

—Vale. Pero para que conste, he cambiado mi testamento mientras estabas fuera.

Un silencio sepulcral cayó sobre la habitación.

—¿¡Que has hecho qué!? —gritó Karina al cabo de unos segundos con una voz que debería haber roto los cristales. Ella, al menos, estaba convencida de que sus tímpanos no se recuperarían jamás.

—Ya me has oído. —La voz del padre de Wren carecía de toda emoción—. Estoy harto de que te líes con quien te dé la gana mientras yo pago las facturas. Sé que tienes un amante leopardo y sé que ha venido contigo. Me parece estupendo. Te he buscado una residencia aparte en New Jersey.

—¿¡New Jersey!? —gritó ella—. ¿Estás loco?

—No, solo cabreado. Si crees que me gusta el hecho de que las Moiras me maldijeran emparejándome contigo, te equivocas. Eres mi pareja porque así lo han decretado, pero no me dejas tocarte. Estoy condenado al celibato mientras que tú te abres de piernas para cualquier leopardo que se te acerca. Sin embargo, esperas que te mantenga. Sigue soñando, amor mío. Tus días de correrías a mis expensas han llegado a su fin.

—Me lo debes —dijo Karina entre dientes—. Ni pedí ser tu pareja ni pedí dar a luz a una abominación. Si fueras un tigre de verdad, lo habrías matado al nacer en lugar de impedir que yo hiciera lo que había que hacer para preservar nuestras especies.

—Wren es mi hijo.

—¡Humano! —le escupió Karina como si fuera el peor insulto que se le pudiera ocurrir.

—Sí —replicó Aristóteles con furia—, y como humano he nombrado a Wren mi único heredero. Si algo me sucede, tu futuro está en sus manos. Así que en tu lugar, yo rezaría por que fuera más humano que animal. Tal vez se apiade de ti. Pero yo no contaría con eso.

—¡Cabrón!

—Sí, lo soy. Y antes de que empieces a echar la casa abajo en busca del testamento, te diré que está en manos del bufete Laurens en Nueva Orleans.

—¡Te odio!

La réplica fue rápida y destilaba el mismo odio:

—El sentimiento es mutuo, créeme. Ahora, si me disculpas, me gustaría pasar un poco de tiempo con mi hijo. Cuando vuelva a esta habitación, espero que te hayas ido. Para siempre. Taylor te llevará a tu nuevo hogar, donde encontrarás tus nuevos talonarios y tarjetas de crédito. Estás fuera de todas mis cuentas para el resto de la eternidad.

Se cerró una puerta y acto seguido algo se rompió. La madre de Wren gritaba y hacía añicos los objetos de la habitación. Parecía estar a punto de echar abajo las paredes. En un momento dado se escucharon los rugidos y siseos de un felino salvaje.

Hasta que todo cesó.

El repentino silencio le crispó los nervios.

Se quedó helada, temiendo que fuera al armario para hacer trizas la ropa de Aristóteles o algo por el estilo.

Pero no lo hizo. En su lugar, Karina llamó por teléfono.

—¿Grayson? —la escuchó decir con voz casi comedida—. Soy Karina. Ahora te creo. Aristóteles ha perdido la razón por completo. Estoy de vuelta en la ciudad. ¿Podemos vernos en algún sitio para discutir lo que hay que hacer?

Le sorprendió escuchar lo racional que sonaba la madre de Wren mientras hablaba por teléfono. Le costaba creer que fuera la misma mujer que hasta hace unos segundos había estado destrozando la habitación.

Compadecía a ese pobre hombre por haber tenido que tolerar a una bestia tan volátil. Menos mal que Wren no había heredado su temperamento…

Hubo una pequeña pausa.

—Sí, sé dónde queda. A las tres. Nos vemos allí.

Después la escuchó colgar y salir de la habitación.

Se giró hacia Wren, incapaz de creer todo lo que había sucedido en pocos minutos.

—Creo que tu madre y mi padre deberían haberse casado.

El comentario no suscitó ninguna réplica.

—Lo siento, Wren —se disculpó al punto. ¿Cómo iba a verle la gracia al hecho de que su madre fuera una bestia cruel que estaba a punto de matar a su padre? Una bestia que prácticamente le había arruinado la vida—. Pero al menos sabes que tu padre te quería de verdad.

—Eso es lo que más duele —susurró Wren—. No dejo de pensar que si hubiera vivido… mi vida habría sido totalmente distinta.

Lo abrazó, conmovida por su dolor.

—Lo sé. Me pasé mucho tiempo odiando a mi madre por haberme dejado sola. Al menos tu padre no se fue por decisión propia.

La ira brilló en esos ojos azul turquesa.

—No, no lo hizo. —Su mirada se tornó hosca—. Gracias.

Sus palabras la desconcertaron.

—¿Por qué?

—Por obligarme a volver. —Había una férrea determinación en sus ojos—. Estaba dispuesto a dejar correr lo que me hicieron, lo que le hicieron a mis padres. Tenías razón. Tengo más de humano de lo que creía. Porque ahora mismo quiero vengarme, y no voy a irme hasta que lo consiga.

—¿Y qué vamos a hacer?

Wren apartó la mirada al tiempo que aparecía un tic nervioso en su mentón.

—En primer lugar asegurarnos de que no alteramos nada en este período temporal. Debemos mantenernos alejados de cualquier persona que pueda recordarnos en el futuro. En segundo lugar asegurarnos de que no me topo conmigo mismo.

Asintió con la cabeza, ya que comprendió al punto el motivo.

—Eso provocaría una paradoja.

—Sí, y borraría mi existencia por completo… Sería desastroso para mi yo presente y futuro. Es una suerte que en esta época y en este lugar me pasara el día prácticamente encerrado en un dormitorio al final del pasillo. —Abrió la puerta del armario y echó un vistazo—. No hay moros en la costa.

Lo siguió al exterior.

—¿Tienes algún plan?

—Seguir a mi madre. Grayson es mi tío. Y puesto que han quedado, me da en la nariz que fue en esa cita donde planearon el asesinato de mi padre.

Tenía sentido, sí.

—Vale, pero ¿cómo lo hacemos?

Jadeó asombrada cuando su ropa se transformó en una camisa con chorreras de color rojo chillón y en una falda larga y suelta de estilo hippie de color beis. La ropa era muy similar a la que llevaba su madre en las fotos antiguas, más o menos cuando ella nació.

Wren sonrió al ver su sorpresa mientras cambiaba sus ropas por una camiseta negra de la marca Izod y unos vaqueros oscuros.

—Tenemos que vestirnos como si viviéramos en este período.

—¿Cómo lo haces?

Su sonrisa se ensanchó.

—Es magia.

Vale, pero esa magia empezaba a ponerla histérica. Una cosa

era viajar en el tiempo y otra muy distinta verse vestida con ropas anticuadas, aunque fueran lo último en esa época.

Acabaría como una cabra si intentaba entender esas cosas... Claro que tal vez ya lo estuviera. Tal vez todo fuera una alucinación como la copa de un pino.

Era una posibilidad.

Wren acababa de dar un paso hacia la puerta, cuando esta se abrió de golpe.

El tiempo pareció detenerse mientras observaban a un hombre que era una copia exacta, aunque algo envejecida, de Wren. Era rubio y llevaba el pelo muy corto. Iba ataviado con un elegante traje oscuro. La expresión amenazadora de esos ojos azules resultaba electrizante.

Wren no tenía ni idea de qué hacer. Podía salir de allí con Maggie usando la magia y transportarse a otra parte de la casa o incluso al exterior, pero su padre podría seguirles el rastro.

Mierda, acababan de pillarlos y estaban bien jodidos.

Su padre olisqueó el aire y luego frunció el ceño, pasmado.

—¿Wren?

Tragó saliva y miró a Maggie. Las emociones que llevaba tanto tiempo reprimiendo lo asaltaron. Dolor, furia... pero también esa pequeña parte de sí mismo que siempre había deseado querer a su padre.

La parte de sí mismo que había deseado que su padre lo quisiera.

Su padre se acercó a ellos con el ceño fruncido.

—Eres tú, ¿verdad? Pero... ¿vienes del futuro?

No tenía sentido mentir. Su padre no era idiota ni mucho menos, y no había otra explicación para que estuvieran en la casa.

¡Joder! Aquello iba en contra de todas las reglas que conocía sobre los viajes en el tiempo... aunque tampoco conocía muchas, la verdad. Puesto que no tenía por costumbre viajar en el tiempo, no estaba familiarizado con las leyes que regían dichos viajes.

Inspiró hondo antes de contestar:

—Sí.

—¿Por qué has venido? —Su padre seguía mirándolos con el ceño fruncido—. Se supone que no deberías estar aquí, ¿o me equivoco?

A medida que iban pasando los segundos sin que sucediera nada raro (como dejar de existir, por ejemplo), comenzó a plantearse la misma duda que su padre.

—No... Sí... ¿Tal vez? Como no he muerto, ya no estoy seguro de nada. Si se supone que no debería estar aquí, ¿no habría muerto en cuanto abriste esa puerta?

Su padre soltó un suspiro exasperado.

—¿Sigues sin controlar tus poderes?

La furia lo invadió. ¿Qué derecho tenía su padre a decir que no controlaba sus poderes? Ya no era un cachorro indefenso. Era un adulto más que capaz de cuidarse solito, y le dolía que su padre pensara otra cosa.

—Podría matarte ahora mismo, viejo, sin titubear ni despeinarme.

Su padre lo miró con expresión orgullosa. Sus labios esbozaron una lenta sonrisa.

—Pero no sueles saltar en el tiempo, ¿verdad?

—Ajá —respondió con la verdad—. Hace mucho me dijeron que me convenía no aprender a hacerlo.

—¿Por qué?

—Lo criaron en un santuario —dijo Maggie—. Hay mucha gente que quiere verlo muerto.

Fulminó a su padre con la mirada por si malinterpretaba las palabras de Maggie.

—Pero nunca me ha dado miedo luchar ni he huido de una pelea...

—Es cierto —lo interrumpió Maggie de nuevo—. Le juro que es peor que un perro con un hueso. Se pelearía hasta con su propia sombra.

Wren pasó por alto su interrupción.

—La cosa es que no soy tonto ni nunca he querido ponerle las cosas fáciles a nadie. En especial a mis enemigos.

—Buen chico —replicó su padre con un deje orgulloso imposible de pasar por alto—. Me alegro de que no hayan conseguido matarte todavía.

—Y no van a hacerlo.

Su padre miró a Maggie.

—¿Es tu pareja?

Cogió a Maggie de la mano y le dio un apretón mientras ella aguardaba expectante su respuesta.

—No exactamente… pero estamos en ello.

Su padre se echó a reír, pero dejó de hacerlo cuando volvió a olisquear el aire. Ladeó la cabeza con curiosidad.

—Es humana.

La abrazó con afán protector.

—¿Algún problema?

—En absoluto —respondió su padre sin titubear. Con sinceridad—. Mi madre también era humana.

La información lo dejó boquiabierto y supuso que el gesto le dijo a Maggie que las noticias eran nuevas para él.

—¿Cómo?

Su padre se alejó para cerrar con llave la puerta del dormitorio, como si temiera que alguien pudiera interrumpirlos.

—Me has oído bien. No solemos hablar del tema fuera del círculo familiar, pero sí. Mi madre era una tigresa arcadia. —Su semblante se suavizó—. Era una mujer increíble, llena de energía y vitalidad. No sabes cuánto he deseado estar emparejado con una humana en lugar de tener por pareja a la bestia con la que te engendré.

Marguerite sintió que Wren se tensaba a su lado, pero no sabía muy bien por qué. Le acarició el brazo para consolarlo. El pobre estaba teniendo un día de perros.

Sin embargo, habían ido en busca de respuestas. Aunque no les gustara escucharlas.

—Quiero que sepas que no me arrepiento de haberte tenido —afirmó el padre de Wren, extendiendo el brazo para tocarle el hombro—. Nunca lo he hecho. —Su expresión se tornó triste y pensativa—. Supongo que tu presencia significa que no formo parte de tu futuro.

Wren apoyó la cabeza contra la suya y se tensó todavía más antes de contestar.

—Sí —dijo.

Su padre torció el gesto, retiró la mano y suspiró.

—¿Hice…? ¿Hice lo correcto al final?

—¿Qué día es? —preguntó él a su vez.

—Cinco de agosto de 1981.

Jadeó asombrada por la información. Acababa de sentir un escalofrío en la espalda.

—¿Qué pasa? —le preguntaron los dos.

—Naceré mañana por la tarde —contestó con incredulidad—. Esto es muy raro, ¿no os parece?

El padre de Wren resopló.

—En nuestro mundo no. Acabas acostumbrándote a estas cosas.

Wren respiró hondo sin apartarse de ella.

—Dentro de tres días estaré en la parte trasera de un coche de camino a Nueva Orleans.

Su padre abrió la boca para decir algo, pero la cerró de golpe. Un cúmulo de emociones cruzaron por su rostro mientras asimilaba la inminencia de su muerte.

No podía haber nada peor para una persona que saberse abocado a una muerte tan inmediata. Todos los remordimientos que debía de conllevar… Todas las preocupaciones… Pobre hombre.

—Voy a suponer que no he sido yo quien te ha mandado aquí —dijo Aristóteles con un suspiro.

—No.

—Solo me quedan tres días de vida —susurró, después de sentarse en el borde de la cama con una mirada triste y perdida. Estaba claro que estaba intentando asimilar las noticias.

—No deberías saberlo —dijo Wren.

—No. —Su padre los miró—. Si estáis aquí, es porque así debe ser.

La asaltó un extraño presentimiento mientras consideraba esas palabras.

—Creo que tu padre tiene razón, Wren. ¿Recuerdas que me dijiste que un hombre te encontró en el bosque y te llevó al santuario? Sabía quién y qué eras. Sabía que te encontraría allí. ¿Cómo?

Wren parecía tan confundido como ella se sentía.

Vio que Aristóteles fruncía el ceño.

—¿Por qué no le pediste ayuda a Grayson para que te protegiera? Es tu tutor.

Wren meneó la cabeza.

—Bill Laurens fue mi tutor hasta que cumplí la mayoría de edad.

Su padre resopló al escucharlo.

—Bill solo es un niño.

—En este preciso momento tiene veintiún años y por alguna razón que nunca llegué a comprender, lo nombraste mi tutor. Bill se encargó de que me enseñaran a controlar mis poderes y de que estuviese a salvo hasta que pudiera valerme por mí mismo.

—Grayson fue su asesino —intervino ella, dirigiéndose a Aristóteles—. También habría matado a Wren si Bill no hubiera sido su tutor.

—Ese inútil… —masculló, al tiempo que se ponía en pie al punto—. Siempre supe que era un cabrón avaricioso. —El odio y la furia relampaguearon en sus ojos azules mientras se paseaba de un lado para otro—. Debería haberlo matado. Debería… —Se interrumpió y los miró—. Tu pareja tiene razón. Has estado aquí antes. No hay otra explicación. De no ser así, Grayson tendría plenos derechos sobre ti. En la vida habría dejado a mi único hijo en manos de un humano imberbe. —Gruñó y siguió paseándose con más impaciencia.

Le recordaba a un tigre enjaulado y dispuesto a arrancarle el brazo a cualquiera que se le acercara demasiado.

—¿Quién dirige la compañía después de mi muerte?

—Aloysius Grant.

—Es un bicho raro que no sirve para nada —replicó Aristóteles con cara de asco.

—Sí, pero es un visionario —señaló Wren en voz baja—. Dentro de veinte años, habrá colocado a la compañía como la segunda más importante del mundo, solo detrás de Microsoft.

El asco dio paso a la incredulidad hasta el punto de que se detuvo y los miró sin dar crédito a lo que había escuchado.

—¿Microsoft? ¿Me estás diciendo que ese niñato de la Costa Oeste puso en marcha su proyecto?

—Ajá —afirmó ella con una carcajada—. Podría decirse que Bill Gates domina casi todo el mundo.

—Joder —masculló el padre de Wren—, esto es lo que pasa cuando te matan antes de tiempo. Que otra persona se hace con el control del mercado que has estado cuidando toda tu vida. No es justo.

—No pasa nada, papá. De todas maneras, tu empresa está más centrada en el hardware. Y en internet. Por no hablar de las pantallas de plasma y los teléfonos móviles.

Aristóteles clavó su intensa mirada en su hijo.

—No es mi empresa, cachorro. Es la tuya. —Frunció el ceño, como si acabara de caer en la cuenta de algo—. ¿Qué es eso de internet?

—En pocas palabras, dinero —contestó ella con una carcajada—. Montones y montones de dinero. Sobre todo para Tigarian Technologies.

El padre de Wren sonrió.

—Estupendo. Me gusta el dinero. Siempre me ha gustado. Nunca te traiciona y a menos que alguien lo robe, se queda donde lo pones. Pero lo más importante es que nos protege del mundo exterior. —El buen humor desapareció de su rostro mientras soltaba un largo suspiro—. Supongo que mi problema fue no mirar hacia el interior. Debería haber vigilado mejor a mi familia. —Echó a andar de nuevo con las manos detrás de la espalda y la vista clavada en el suelo—. Así que solo tengo tres días para dejarlo todo en orden… —Volvió a mirarlos—. Pero eso no explica por qué estáis aquí, ¿verdad?

—Nos persiguen —le explicó, alejándose de Wren.

—¿Por qué? ¿Quiénes?

—Grayson quiere terminar lo que empezó —contestó Wren—. Quiere verme muerto para poder hacerse con el control de la empresa.

—Eso será sobre mi... —Aristóteles apretó los dientes—. Supongo que ya han pasado sobre mi cadáver.

—Culpan a Wren de su muerte y de la de su esposa —confesó ella, acercándose al padre de Wren como si fuera lo más normal del mundo.

Lo vio enarcar las cejas.

—¿Karina también va a morir?

Wren asintió con la cabeza.

—Después de matarte.

Su padre frunció la nariz como si eso fuera la cosa más espantosa que había escuchado nunca.

—¿Cómo consigue matarme esa zorra? Es imposible que lo logre.

—La ayudaron —explicó ella—. Estaba con su amante.

Aristóteles meneó la cabeza.

—¿Ese cachorro de leopardo inútil? ¡Si casi no sabe atarse los zapatos! Es imposible que pudiera derrotarme. Imposible.

—Yo tampoco lo entendí nunca. Pero esa noche escuché que alguien entraba en esta habitación, y cuando vine a echar un vistazo, te encontré muerto. Mamá y su amante estaban en el despacho, riéndose de lo que había pasado.

Aristóteles seguía sin dar crédito a las noticias.

—¿Y quién mató a tu madre?

Wren se encogió de hombros.

—Yo apostaría por Grayson, pero no lo sé con certeza. Cuando me desperté después de que su amante me atacara, los dos estaban muertos. No vi al asesino.

Aristóteles se pasó una mano por la cara y soltó un suspiro cansado antes de mirar a Wren con el corazón en los ojos.

—Siento mucho no haber estado contigo, hijo. Creía que tendría tiempo para compensarte por haberte dejado tanto tiempo solo cuando eras un cachorro. Jamás debí darte de lado.

Supo en ese mismo instante lo mucho que esas palabras significaban para Wren. Y dio las gracias porque hubieran viajado en el tiempo para poder escucharlas.

—No importa.

—No —lo contradijo su padre con severidad—, sí que importa. Me he pasado la vida levantando una empresa a la que ni siquiera veré prosperar. Debes odiarme.

—Nunca te he odiado, papá. De verdad.

Aristóteles se acercó a su hijo y lo abrazó. Wren se tensó en un primer momento, aunque acabó por devolverle el gesto. Se puso a su lado para darle unas palmaditas en la espalda con los ojos llenos de lágrimas.

—Te quiero, Wren —escuchó que le decía su padre—. Siento si nunca te lo dije o si hice algo que te lastimara.

—Yo también te quiero, papá. —Se apartó y carraspeó, pero saltaba a la vista que tenía los ojos cuajados de lágrimas.

—Espero que estés cuidando bien de mi hijo —le dijo Aristóteles.

—Lo intento —le aseguró al tiempo que miraba a Wren con una sonrisa—. Pero a veces se pone muy difícil. No hace caso.

Wren puso los ojos en blanco antes de decirle a su padre:

—Karina va a reunirse esta tarde con Grayson. ¿Puedes cuidar de Maggie mientras la sigo?

Eso no le gustó ni un pelo.

—Wren...

—No, Maggie —la interrumpió él con firmeza y seriedad—. Es mejor así. Me resultará más fácil rastrearla si voy solo.

—¡Menuda tontería!

Ninguno de los dos hombres le hizo caso.

—La protegeré con mi vida —prometió Aristóteles.

—¡Wren! —protestó ella.

Él le colocó la mano en la mejilla.

—No pasa nada, Maggie. De verdad. Tengo que hacerlo.

Aunque no estaba dispuesta a escucharlo, reconoció el dilema al que Wren se enfrentaba. El miedo que sentía por ella. Y eso la conmovió enormemente.

Se dejaría de estupideces. Con la suerte que tenía, seguro que conseguía que los atraparan. No se le daba bien lo de espiar. De hecho, la habían pillado cada vez que intentaba hacer una trastada.

Soltó un suspiro exasperado.

—Ni se te ocurra dejarme aquí atrapada sin ti.

—No lo haré. —La besó en la mejilla un segundo antes de desaparecer. Cosa que la puso de los nervios.

—Odio cuando hace eso.

Su padre se echó a reír.

—Me alegra saber que al menos ha conseguido dominar ese truco.

—Ha dominado muchos trucos. Creo que estaría muy orgulloso de él. Ha conseguido mantenerse con vida contra todo pronóstico desde que lo conocí. —En ese momento le tendió la mano—. Por cierto, soy Maggie Goudeau.

Aristóteles se la estrechó con mucho cuidado.

—Encantado de conocerte, Maggie. Y, por favor, tutéame. Debo admitir que mi hijo ha encontrado una compañera muy guapa.

Esas palabras la reconfortaron. Hasta que se le ocurrió una idea extraña.

—Por casualidad no tendrás fotografías antiguas de Wren, ¿verdad? Me encantaría ver cómo era de pequeño.

—Tengo algo mucho mejor que eso —replicó él con una pícara sonrisa.

No entendió lo que quería decir hasta que la condujo por el largo y elegante pasillo hasta la habitación situada al fondo.

Abrió la puerta y se hizo a un lado para dejarla pasar. La habitación estaba en penumbras, pero se quedó de piedra al ver de pronto a un joven Wren al otro lado de un espejo de vidrio polarizado.

—¿No es peligroso? —musitó.

—No. —Aristóteles cerró la puerta y se colocó detrás de ella—. Wren no puede vernos, oírnos ni olernos. Mandé construir esta habitación hace mucho tiempo para poder observarlo sin que él lo supiera.

—¿Por qué? —preguntó con el ceño fruncido.

Los remordimientos y el dolor que asomaron a las profundidades azules de sus ojos le recordaron mucho a Wren.

—Porque siempre he querido a mi hijo a pesar de que me repugnara y quiero asegurarme de que lo sabe. De que lo comprende de verdad.

Miró a Wren, que parecía tener unos trece o catorce años humanos y que estaba tendido en el suelo de la otra habitación. Llevaba el pelo muy largo y estaba extremadamente delgado. Parecía muy vulnerable. Muy asustado e inseguro. Cosas que jamás creyó que el Wren que conocía pudiera ser.

—¿Cómo es posible que te repugnara? —le preguntó a Aristóteles.

Él hizo un gesto en dirección a Wren. Estaba completamente desnudo y se retorcía como si estuviera sufriendo un dolor agónico.

—El instinto animal obliga a matar a los débiles. A los diferentes. Durante estos veinticinco años, he dejado que la crueldad de Karina empañe la opinión que tengo de mi propio hijo. Wren no nació ni tigre ni leopardo, sino híbrido. —Su mirada la abrasó—. No tienes ni idea de lo problemático que es eso en nuestro mundo. —Se pegó tanto al cristal que era sorprendente que Wren no se diera cuenta de que lo estaba observando—. Durante toda su vida lo he creído un ser deforme. No sabía que sería un don cuando llegara a la pubertad. Me explico, por regla general, solo podemos adoptar dos formas: la humana y la forma animal en la que nacemos. No tenemos elección. Pero Wren... es especial. Puede adoptar la forma de tigardo con la que nació...

—O la de tigre. Lo he visto como un tigre.

Su padre asintió con la cabeza.

—Y también puede ser un leopardo. Un leopardo blanco o uno normal. De día o de noche. No está sujeto a las mismas leyes que nos rigen a los demás. Tiene un don increíble. He oído leyendas sobre criaturas como él. Pero al igual que los unicornios de los cuentos, creí que solo era un mito. Hasta que lo vi.

—Volvió a mirar a Wren, que estaba temblando—. A la edad que tiene en este momento no debería ser capaz de adoptar forma humana hasta el anochecer. Es muy difícil para los katagarios mantener la forma humana a plena luz del día. Yo cuento con ventaja porque mi madre era arcadia, su verdadera forma era la humana. Soy capaz de mantener esta forma durante más tiempo que el resto de mi gente. El hecho de que Wren sea capaz de mantener su forma humana durante el día es una proeza.

Se le desbocó el corazón mientras veía a Wren debatirse contra un dolor desconocido.

—Deberíamos ayudarlo. Parece que le duele mucho.

Aristóteles meneó la cabeza.

—No podemos hacer nada.

—Pero...

—Mira y verás.

La dejó para entrar en el dormitorio de Wren.

Lo vio transformarse en tigardo en cuanto escuchó que alguien abría la puerta y comenzó a gruñir al ver a su padre.

—Tranquilo, Wren —dijo Aristóteles al tiempo que se agachaba—. Ven aquí.

Wren retrocedió sin perder de vista a su padre, que echó a andar hacia él y no se detuvo hasta acorralarlo en un rincón. Cuando su padre extendió la mano, Wren le dio un zarpazo.

Aristóteles apartó la mano con rapidez.

Vio la decepción en su rostro. Cuanto más intentaba acercarse a su hijo, más lo rechazaba él. Lo dejó solo unos minutos después.

Mientras regresaba con ella, Marguerite vio que Wren adoptaba de nuevo forma humana e intentaba ponerse en pie, aunque le fallaron las piernas.

—¿Qué le pasa? —quiso saber.

—En su forma humana no sabe andar ni hablar —contestó Aristóteles—. Ahora mismo es como un bebé. Tiene que aprender todo lo que tú aprendiste de niña. Si me aceptara, sería más fácil enseñarle. Pero me temo que lo hemos dejado solo demasiado tiempo. Es una criatura salvaje. Si alguien entra en la habitación, lo ataca.

Deseaba ayudarlo con toda su alma, pero sabía que no podía... podría alterar su futuro. Y eso era lo último que deseaba.

—¿Podrías hacerme un favor, Maggie?

Como no tenía ni idea de lo que iba a pedirle, titubeó al responder:

—Depende...

—Dile a Wren que si pudiera cambiar el pasado, estaría a su lado a todas horas en vez de mantenerlo encerrado en una habitación.

Se le encogió el corazón al escuchar esas palabras, al darse cuenta de lo trágica que era su relación.

—Me parece muy cruel que se pueda viajar en el tiempo pero que no se puedan arreglar las cosas.

Aristóteles le dio la razón.

—Es cruel, de ahí que muchos de nosotros no viajemos en el tiempo. Es demasiado tentador intentar arreglar el pasado, pero cada vez que lo intentas...

—Acabas empeorando la situación.

Lo vio asentir con la cabeza.

A través del espejo, vio que Wren se arrastraba hasta un rincón. Le temblaba todo el cuerpo por el esfuerzo de pronunciar lo que parecían palabras. Le recordaba muchísimo al Wren que había conocido en el Santuario.

Distante y solitario. Herido.

Deseando algo que no creía que le estuviera permitido tener.

Pero el hombre que conocía en esos momentos era un ser completamente distinto. Wren comenzaba a salir de su cascarón poco a poco, y esperaba que fuera en parte por ella.

Aristóteles suspiró con tristeza mientras observaba los esfuerzos de su hijo.

—Espero que nunca te veas en la situación de mirar a tu hijo y saber que le has hecho daño. Recuerdo que cuando era un cachorro mi madre se tiraba al suelo para jugar conmigo. No le importaba que yo fuera un animal y que ella fuera humana. Me quería a pesar de todo. De la misma manera que quería a mi padre. Lo lógico habría sido que yo me comportara igual con mi hijo. Pero a estas alturas ya no queda tiempo para disculparse.

—Creo que te equivocas. Conozco a Wren, y lo que acabas de hacer antes de que se fuera… Ninguno de los dos sois conscientes de lo mucho que ha significado para él.

Aristóteles la miró con creciente respeto.

—Tengo que asegurarme de que todo esté en orden para que cuando muera Wren tenga el futuro que supuestamente debe tener. Pero antes de irme, hay otra cosa que quiero que le des.

—¿Qué es?

—El futuro que se merece.

12

Aimée respiró hondo mientras entraba al hogar de los Peltier por la puerta trasera. Era el último lugar donde le apetecía estar, pero nadie mejor que ella para entender por qué debía volver.

Su familia mataría a Fang y a todo su clan si no volvía.

Hizo acopio de valor para enfrentar lo que estaba a punto de suceder, cerró la puerta y echó a andar hacia la escalera.

Ni siquiera había llegado a la altura del taquillón del vestíbulo cuando apareció su hermano Dev por la puerta de la cocina. Vio el alivio que asomaba a sus ojos, aunque no tardó en sustituirlo por la furia.

—Ya veo que has regresado.

—Es mi casa.

Dev resopló.

—Yo que tú me buscaría otra.

La frialdad de su voz la puso en guardia.

—¿Me van a echar?

—Te van a dar un aviso. Elegiste el bando equivocado.

—Déjanos solas.

Aimée alzó la vista al escuchar la voz imperiosa de su madre. Estaba en la parte superior de la escalera y los miraba con expresión furiosa. Su hermano le hizo un gesto con la cabeza antes de volver a la cocina.

—Ni se te ocurra levantarme la mano, *maman* —le advirtió Aimée después de materializarse a su lado—. No estoy de humor. Y esta vez te devolvería el golpe.

Su madre la miró con los ojos entrecerrados.

—¿Nos sacrificarías a todos por un híbrido sin clan?

—Jamás. Pero no pienso quedarme de brazos cruzados viendo cómo condenan a un inocente. ¿Es que no ves que lo que te han contado es mentira, *maman*? Conozco a Wren. Hablo con él. No es una amenaza para nadie, salvo para sí mismo.

La expresión de su madre seguía siendo furiosa y distante. Su familia, y en especial su madre, no era imbécil. Sabía que sus padres estaban al tanto de que se había ido de forma voluntaria con Fang.

—Nos has traicionado a todos.

La acusación le arrancó un suspiro.

—Si hacer lo correcto es una traición, sí, supongo que lo que dices es cierto. ¿Qué vas a hacer ahora, *maman*? ¿Matarme?

Su madre gruñó de forma amenazadora, pero ella siguió en sus trece.

El aire que las rodeaba crepitó un momento antes de que algo se hiciera pedazos en el dormitorio de Wren.

Su madre corrió hacia la puerta y ella la siguió, esperando en parte encontrarse con Wren.

Pero aunque el olor delataba la presencia de un tigre, el tipo rubio que vieron al abrir la puerta no era Wren.

—¿Qué estás haciendo aquí, Zack? —escuchó que preguntaba su madre.

El tigre hizo una mueca mientras abría un cajón.

—Ese cabrón se nos ha escapado. Necesito algo que tenga su olor para poder llevárselo a los strati.

La respuesta hizo que Aimée enarcara una ceja. Los strati eran soldados de élite katagarios sometidos a un entrenamiento exhaustivo para rastrear y matar. Sus hermanos Zar y Dev, al igual que su padre, eran guerreros strati.

—No necesitas nada de Wren —replicó su madre, sorprendiéndola—. Fuera de mi casa.

El tigre hizo oídos sordos a sus palabras mientras abría otro cajón.

Su madre utilizó sus poderes para cerrarlo con fuerza.

—He dicho que te largues.

El tigre se acercó a ella.

—No me toques las narices, osa. Tú tienes tanto que perder con este asunto como yo.

—¿Qué quieres decir?

Su madre no lo sabía, pero ella sí.

—Fuiste tú quien habló contra Wren en el Omegrion. Mentiste.

Vio que su madre volvía la cabeza con brusquedad para mirarla.

—No seas tonta, cachorra. Habría olido una mentira.

—No —la contradijo, meneando la cabeza—, no lo habrías hecho si el animal en cuestión está acostumbrado a mentir. Sería un juego de niños para él camuflar su olor.

Zack dio un paso hacia ella, pero su madre le cortó el paso.

—¿Aimée está diciendo la verdad?

Zack contestó con otra pregunta:

—¿Y tú? —Arqueó una ceja—. ¿De verdad crees que Wren se está volviendo loco? Lo único que te interesaba era sacarlo de aquí y te has aferrado a la primera excusa para echarlo. Reconócelo, Lo. No quieres a nadie en tu casa salvo a tu familia y te pone de los nervios tener que aguantarnos a los demás como una buena chica.

Su madre gruñó de forma amenazadora y el tigre entrecerró los ojos.

—Si Savitar descubre la verdad, vendrá a por ti y a por tus cachorros. No quedará ni un ladrillo en pie de tu precioso santuario.

Esas palabras hicieron que su madre lo agarrara y lo estampara contra la pared. Aunque rebotó con fuerza, el golpe no pareció atontarlo siquiera.

En cambio, soltó una carcajada.

—¿Qué ha pasado con las reglas del santuario, Nicolette?

—Fuera —masculló, agarrando a su madre para que no se abalanzara sobre él—. Si la suelto, no quedará nada de ti para preocuparse por lo que Savitar nos haga ni por ninguna otra cosa.

Zack se apartó de la pared con expresión asesina.

—Tenéis mucho que perder, mucho más que yo. Dadme lo que necesito para cubrirnos las espaldas.

En esa ocasión fue su madre la que estalló en carcajadas.

—¿Eres idiota o qué? Wren nunca ha dejado su olor en nada. Echa un vistazo a tu alrededor, imbécil. No hay ni un solo objeto personal. Tan pronto como se quita la ropa, la lava o la destruye. Hasta tiene un mono para camuflar su olor. Nunca podrás encontrar su rastro. Admítelo, Zack, el cachorro es más inteligente que tu padre y tú juntos.

El análisis de su madre la dejó impresionada. Nunca se había planteado los motivos por los que Wren llegó al santuario con Marvin, pero era obvio que su madre lo entendió desde el primer momento.

Zack resopló por la nariz, enfurecido.

—Esto no acaba aquí.

—*Oui*, acaba aquí y ahora. Si vuelves a poner un pie en mi casa, te mataré con código o sin código.

El tigre se desvaneció con un gruñido.

La tensión se alivió considerablemente.

Su madre se giró hacia ella soltando el aire muy despacio.

—Aimée, llama a tu lobo y cuéntale lo que ha pasado. Estoy segura de que sabe dónde está Wren y podrá decirle que el tigre está acorralado y desesperado. Dada su posición, Zack es capaz de cualquier cosa.

El repentino cambio de su madre le resultó extraño.

—No lo entiendo. ¿Por qué te muestras tan comprensiva de repente? No te ofendas, *maman*, pero me estás asustando.

Su madre le lanzó una mirada acerada.

—No le tengo el menor aprecio a Wren y lo sabes. Pero respeto al depredador que lleva dentro y no me hace gracia que alguien me manipule. Mucho menos que me dejen en ridículo. —Meneó la cabeza—. Debería haberme cuestionado el porqué de la insistencia de Zack y de su padre por saber cómo estaba Wren desde que lo trajeron. Les permití sembrar la semilla de la duda en mi mente y acabé viéndolo como ellos querían que lo viera. No me puedo creer lo idiota que he sido. —Su expresión se suavizó—. Reconozco el mérito de tu postura, Aimée. No te has dejado engañar. Tenemos que arreglar esto antes de que la ira de Savitar caiga sobre nosotros. —La instó a volver a la escalera—. Ve a avisarlos. A ti te harán caso.

—¿Qué vas a hacer tú?

—Voy a hablar con tu padre y con tus hermanos. Mucho me temo que por mi culpa estamos al borde de un peligroso precipicio y quiero que estén preparados para lo que sea.

Dio un paso hacia la puerta, pero se detuvo.

—Te quiero, *maman.*

—*Je t'aime aussi, ma petite.* Ahora vete, a ver si podemos solucionar esto de alguna manera.

Wren, que estaba en forma de tigre, localizó a su madre en un banco de Central Park. Por suerte, el lugar estaba abarrotado de gente, lo que camuflaría su olor entre todos los demás.

Se ocultó tras un seto y adoptó la forma de un humano de pelo negro ataviado con vaqueros, gafas de sol y una camiseta de los Ramones. El tipo de humano al que su madre no prestaría atención. Tal vez podría haber conservado su color de pelo natural, pero se parecía demasiado a su padre como para correr riesgos innecesarios.

La observó mientras rebuscaba algo en su bolso y reconoció a regañadientes que en su forma humana su madre era muy guapa. Elegante. El traje de dos piezas de color blanco y la blusa de seda roja realzaban su figura. Muchos humanos se detenían para intentar hablar con ella, pero sus cáusticos comentarios no tardaban en espantarlos.

Para ser un animal, su dominio del lenguaje humano era bastante amplio. Tenía la lengua tan afilada como las garras.

Meneó la cabeza al escucharla castrar verbalmente a otro supuesto admirador y retrocedió un poco cuando vio que su tío se acercaba. Su cabello rubio y su traje de raya diplomática de color azul marino lo convertían en el equivalente masculino de su madre. Parecían una pareja recién salida de la lista Fortune 500.

Grayson la saludó con una breve inclinación de cabeza y se sentó en el extremo opuesto del banco. La distancia que dejó entre ellos le aseguraba una pronta retirada en caso de que su madre lo atacara... Tipo listo.

—¿Cómo va la cosa? —preguntó su tío.

Se acercó un poco más para escucharlos mejor.

—El tigre se ha vuelto loco —contestó su madre sin entrar en detalles—. Tenías razón. Ha pasado más tiempo con su cachorro mientras yo estaba fuera.

—Te dije que envenenaras al cachorro antes de irte.

Ella le lanzó una mirada airada.

—Aristóteles habría sospechado algo y, puesto que nuestra relación no ha sido especialmente cálida estos últimos veinticinco años, decidí que me vendría mejor dejarlo con vida.

Las palabras de su madre hicieron que apretara los dientes. Era difícil escuchar sus crueles comentarios sobre su vida o su muerte.

La vio hacer una mueca furiosa.

—Y ahora me da la espalda por completo. Ha puesto a mi nombre un cuchitril en New Jersey, el culo del mundo, y ha rebajado el límite de mis tarjetas de crédito al de un humano corriente y moliente. Me ha dejado sin nada.

Los ojos de su tío se iluminaron como si encontrara graciosa la furia de su madre.

—Te dije que no le restregaras a tu amante por las narices. Mi hermano es una bestia orgullosa. Tienes suerte de que no os haya matado a los dos.

—Lo desafié a que lo hiciera —replicó con un resoplido desdeñoso—. Puedo plantarle cara a cualquier tigre, te lo aseguro.

Grayson la miró con evidente escepticismo.

—Quizá no deberías ser tan arrogante. De todos es sabido que los tigres son famosos por degollar a los leopardos.

—En tus sueños... —Su mirada se tornó siniestra—. Quiero acabar con esta relación. Mientras ese tigre siga con vida, no podré emparejarme con un macho de mi especie.

—Creí que lo amabas.

—¿Amor? —soltó—. ¿Eres idiota o qué? El amor es para los humanos. —Se quitó el guante de la mano derecha y la alzó para que su tío la mirara—. Me emparejé con él por esto. Es lo que se hace cuando la marca aparece. Para los katagarios no tiene nada que ver con el amor y tú lo sabes. ¿Vas a decirme que tú quieres a tu pareja?

—Me satisface...

El rostro de su madre adquirió una expresión ausente, como si estuviera recordando el pasado. La tristeza veló esos rasgos perfectos.

—Yo también estuve satisfecha durante un tiempo —confesó en voz queda. Sin embargo, su mirada se endureció de nuevo y su expresión recuperó el desagradable ceño que él recordaba tan bien—. Hasta que vi el resultado de nuestra unión. Soy la última de mi especie. Si no puedo dar a luz a un leopardo blanco, al menos debería traer al mundo a un leopardo, no a una abominación como ese híbrido.

Gracias, mamá. Yo también te quiero, pensó. Le encantaría enseñarle exactamente de lo que era capaz dicha abominación.

Hasta ella se enorgullecería de lo rápido que podría degollarla, tan rápido que ni siquiera le daría tiempo a defenderse.

Grayson cruzó los brazos por delante del pecho y siguió hablando con voz tranquila y pausada, como si estuvieran conversando sobre el tiempo en lugar de sobre la vida y la muerte de dos seres.

La indiferencia que demostraban hizo que ardiera en deseos de matarlos a los dos.

—En ese caso, ya sabes lo que tienes que hacer, Karina.

—Ya no es tan fácil —adujo con un suspiro—. Se lo ha dejado todo al mutante. Estoy segura de que me echará a patadas antes de permitir que me acerque a él.

—¿De qué sirve el testamento de un tigre a ojos de un leopardo? —se burló su tío.

Su madre siseó.

—No seas imbécil. Nuestros hábitats naturales están en peligro y son cada día más reducidos. La fachada de una humana millonaria me garantiza que tendré un refugio donde adoptar mi verdadera forma. Además, también sé lo mucho que deseas Tigarian Technologies, pero Aristóteles sospecha demasiado de ti y jamás bajará la guardia contigo cerca. De modo que tengo una proposición que hacerte. Yo los mato a los dos, a Aristóteles y al mutante, y tú me das parte de la fortuna.

—¿Y si me niego?

—En ese caso, me la jugaré dejando con vida al mutante.

Sí, claro… rezongó Wren para sus adentros. Eso habría sido un error mucho peor. Porque la odiaba desde que era un cachorro. Una lástima que no hubiera decidido jugársela.

Su tío meditó en silencio la propuesta.

—Muy bien, acepto.

¡Bah!, exclamó en silencio. Como si hubiera podido decir otra cosa. Claro que estaba siendo testigo de una historia cuyo desenlace conocía…

—De acuerdo, pero recuerda que te conozco, Grayson. Yo tampoco me fío de ti. Quiero garantías.

Vaya, vaya… su madre tenía cerebro y todo. Al menos de momento. Una lástima que las garantías le hubieran servido de poco al final, aunque tal vez a él le sirvieran para demostrar que su tío era el culpable de los asesinatos.

—¿Y qué garantías son esas? —quiso saber Grayson.

—Quiero que me nombres accionista mayoritaria de tu propia empresa y quiero un millón de dólares transferidos de tu cuenta a la mía antes de que yo haga movimiento alguno contra el tigre.

Hasta él se percató de que el efecto de esas palabras sobre su tío fue como el de un cañonazo. Su expresión se tornó tensa. Por un momento creyó que se negaría de muy malas maneras.

Sin embargo, no lo hizo.

—¿De cuánto tiempo dispongo?

—De poco. Conozco a Aristóteles. A estas alturas habrá ordenado que no me dejen entrar en la casa. Pero me dijo que quería que fuese a ver al mutante. Fingiré estar interesada. Le diré que me he tranquilizado y que me gustaría verlo. En cuanto me abra la puerta, los mataré a los dos.

Eso pareció complacer a su tío. Su mirada se tornó alegre y luminosa.

—Necesito tiempo para liquidar unos cuantos asuntos antes de hacerte la transferencia.

—Tienes cuarenta y ocho horas. —Sacó una tarjeta de visita del bolso—. Esta es mi cuenta. En cuanto vea el dinero, serás un hombre mucho más rico.

Vio que se levantaba y la siguió con la mirada mientras se alejaba. Quedarse donde estaba y dejar que la historia siguiera su curso fue lo más duro que había hecho en la vida, porque lo que deseaba con todas sus fuerzas era abalanzarse sobre ellos y matarlos.

Podría salvar la vida de mi padre…, se dijo.

Sin embargo, el destino de su padre ya estaba escrito. Si no moría, él no iría a Nueva Orleans y jamás conocería a Maggie.

No es tu pareja, se recordó.

Cierto. Tal como su madre le señalara a Grayson, su estirpe no amaba. No como lo hacían los humanos, al menos. Sin embargo, lo que él sentía por Maggie solo tenía una explicación posible.

Lo único que quería era estar con ella, aunque supiera que no podía ofrecerle nada.

Podía salvar la vida de su padre…

Y perder a Maggie para siempre.

Su padre o Maggie. Joder, en realidad ya estaba decidido. Si salvaba a su padre, alteraría muchas vidas aparte de la suya.

Su mente regresó a la época en la que Vane vivía en el santuario. Uno de los miembros de su manada fue a buscarlo para matarlo. Fue él quien evitó que lo siguiera y lo matara.

De no haber estado allí…

Vane tal vez estaría muerto. Y al igual que Vane, habría muchas otras vidas que correrían peligro aunque él no supiera de quiénes se trataban. Una vida estaba interconectada con muchas otras, directa o indirectamente.

«La más ligera perturbación en el aire puede ocasionar un huracán a miles de kilómetros.»

La teoría del caos. Fue Aquerón, el Cazador Oscuro, quien

se la enseñó muchos años atrás. El más mínimo cambio podría tener consecuencias extremadamente dañinas.

No, tenía que dejar que la historia siguiera su curso.

Apretó los dientes, dio media vuelta y se internó en una zona desierta y aislada desde donde se trasladó a la casa de su padre.

—Podéis quedaros aquí cuando Wren vuelva —dijo Aristóteles mientras cerraba a cal y canto la puerta de la habitación de invitados.

Marguerite frunció el ceño y notó que comenzaba a asustarse. No quería quedarse a solas con él. Sin embargo, no tenía sentido que se asustara. El padre de Wren la había tratado con gran amabilidad desde que llegaron.

No obstante, había algo que la hacía sentirse incómoda.

Aristóteles tomó una honda bocanada de aire mientras jugueteaba con una cajita de porcelana que descansaba sobre una cómoda de madera de cerezo.

—¿Crees que Wren será capaz de encontrar la evidencia que necesita?

—Eso espero.

Lo vio menear la cabeza.

—Mi madre siempre repetía que no le quitara el ojo de encima a Grayson. Decía que tenía demasiadas cualidades humanas para su bien.

—¿Por qué? —preguntó, extrañada por sus palabras.

Aristóteles volvió a cerrar la cajita con su tapa, se dio la vuelta y apoyó la espalda en la cómoda antes de contestar.

—Por regla general, los animales no son celosos, pero Grayson siempre lo fue. Era el primogénito de mis padres. Yo era el benjamín… nací cuando ya eran mayores. Fue una camada de tres, pero solo sobreviví yo. De ahí que mi madre me mimara en exceso. Todavía recuerdo la malicia con la que Grayson me observaba cuando solo era un cachorrillo. A mi madre le asustaba dejarme solo con él. Por eso lo expulsé de mi empresa hace tanto tiempo.

Sus temores parecían lógicos, pero sus acciones rayaban en la paranoia.

—Sí, pero los celos no siempre convierten a las personas en asesinas.

Sus palabras le arrancaron una carcajada.

—No estamos hablando de personas, Maggie. Estamos hablando de animales. En nuestro mundo solo sobreviven los más fuertes. El ganador se lo queda todo. —Atravesó la estancia hasta llegar a su lado—. Estás enamorada de mi hijo, ¿verdad?

—Yo… —titubeó, aunque en el fondo conocía la respuesta. Negarlo era imposible—. Sí.

Aristóteles sonrió.

—Un amor humano. No podría desear nada mejor para él. Los animales protegen lo que conocen. Protegen aquello a lo que están vinculados, pero los humanos… Los humanos son capaces de realizar cualquier sacrificio por aquellos a quienes llevan en el corazón.

Antes de que pudiera moverse, la agarró por el cuello y la tiró al suelo. Intentó gritar, pero descubrió que ni siquiera podía respirar. No podía moverse, no podía luchar. Era como si una fuerza invisible la hubiera paralizado.

La mirada de Aristóteles la atravesaba con una feroz intensidad.

—Perdóname por lo que voy a hacer. Espero que lo comprendas cuando llegue el momento.

El grito que tanto deseaba soltar apenas fue un gemido y brotó de su garganta cuando Aristóteles se transformó en tigre y le mordió un hombro.

A pesar de estar totalmente paralizada, el dolor la atravesó por entero. Vio un torbellino de colores frente a ella y un extraño zumbido se apoderó de sus oídos.

Su respiración se tornó entrecortada y cada bocanada de aire era una agonía. Parecía estar a punto de asfixiarse.

Estaba muriendo. Lo sabía.

¿Por qué?, se preguntó.

¿Por qué le estaba haciendo eso? Sus pensamientos se centraron en Wren. Verla muerta lo destrozaría.

¡Lucha, joder, lucha!, se recriminó.

Pero no podía. Había perdido el control de su cuerpo. No tenía control alguno sobre lo que le estaba haciendo Aristóteles. Era aterrador.

Lo siento mucho, Wren, fue lo último que pensó antes de que todo se volviera negro.

Wren se encontró a solas en el dormitorio de su padre. Ladeó la cabeza cuando escuchó el distante sonido de una canción procedente de otra habitación. «The Lion Sleeps Tonight»* era el título. Resopló al reconocerla. Seguro que había sido cosa de su padre para indicarle dónde estaban.

Abrió la puerta del pasillo y echó un vistazo para asegurarse que su otro yo adolescente no estaba por los alrededores. Aunque era difícil que lo estuviera, claro. Si no recordaba mal, solo salía de su dormitorio por la noche y eso fue en un par de ocasiones a lo sumo. Había tenido demasiado miedo a su padre como para dejarse ver. Le había aterrado lo mucho que lo odiaría su padre si se hubiera enterado de lo que podía hacer.

¡Por los dioses, qué idiota era! Lo que había obrado el cambio en los sentimientos de su padre había sido justo lo que más le asustaba a él.

Ojalá lo hubiera sabido entonces.

Enfiló el pasillo en dirección contraria al dormitorio que ocupara en su adolescencia y se detuvo al llegar a la puerta tras la cual se escuchaba la música.

Llamó con suavidad antes de abrirla, por si estaba equivocado.

No hubo respuesta.

La abrió despacio y vio que en la cama yacía un tigre blanco. Sin embargo, lo que lo dejó de piedra no fue tanto la visión como lo que olió. El aire estaba cargado con el olor a tigre mezclado con el de Maggie.

Aunque no había rastro de ella.

* «El león duerme esta noche.» (N. de las T.)

242

El corazón se le desbocó con la conclusión más lógica.

—¿Qué has hecho? —le soltó a la bestia que yacía en la cama y que estaba mirando hacia la pared opuesta—. ¿Cómo te has podido comer a mi novia, papá? Era lo único que he tenido en la vida. ¡Hijo de puta!

Presa de la furia, saltó a la cama con la intención de matar a su padre y se transformó en tigre. En cuanto estuvo al lado del animal que yacía en el colchón se detuvo.

Lo miró a los ojos. No eran azules.

Eran castaños.

Eran los ojos castaños de Maggie.

Y parecían aterrorizados.

Se apartó mientras cambiaba de nuevo de forma. Extendió la mano, asustado por lo que estaba viendo y esperando en parte que solo fuera algún truco. ¿Cómo era posible que Maggie hubiera adoptado esa forma?

Era humana. Completamente humana.

—¿Nena? —susurró, acariciándole el hocico—. ¿De verdad eres tú?

El animal se acercó a él, le frotó el torso con el hocico y alzó una pata hasta colocársela en el regazo. Olió su miedo y su alivio.

La rodeó con los brazos para consolarla.

—No pasa nada —dijo, acariciando su suave pelaje—. Ya te tengo.

Al cabo de dos segundos, Maggie yacía entre sus brazos tan desnuda como él.

La apartó un poco para mirar esos conocidos ojos castaños.

—Tengo miedo, Wren —le dijo con voz trémula—. ¿Qué me está pasando?

—No lo sé —contestó, tomándole la cara entre las manos—. ¿Qué ha pasado mientras yo estaba fuera?

—Tu padre me trajo a este dormitorio y luego creí que me había matado.

—¿Cómo? —preguntó, extrañado por sus palabras.

—Me atacó en forma de tigre y después todo se volvió negro.

Cuando desperté, estaba… —Se transformó en tigre antes de que acabara la frase.

Su miedo se intensificó.

—No pasa nada, Maggie —la tranquilizó—. Respira hondo e imagínate en forma humana.

Se transformó al instante.

—Eso es —le dijo con una sonrisa forzada, porque no quería asustarla más de lo que ya lo estaba—. Concéntrate en tu forma humana y no te transformarás.

—Ser un tigre es una mierda, que lo sepas.

Sus palabras le arrancaron una carcajada maliciosa.

—A veces. Otras veces no está tan mal.

—Pues esta es una de las malas.

Le sonrió mientras le acariciaba el pelo con ternura.

—Supongo que para ti no debe de ser agradable, no. —Ladeó la cabeza mientras intentaba localizar a su padre, pero solamente sentía la presencia de Maggie—. ¿Sabes adónde ha ido mi padre?

—No, pero la próxima vez que lo vea le voy a devolver el mordisco.

—Tranquila. Yo le morderé por ti. —Se apartó de ella—. ¿Cómo estás?

—Mareada. ¿Tienes la impresión de que vas a vomitar cuando cambias de forma?

—Se te pasará pronto. Mira fijamente un objeto durante unos minutos y tus sentidos se recobrarán por completo.

Maggie clavó la mirada en sus labios.

No supo por qué, pero su cuerpo reaccionó al instante.

—Tienes razón —la escuchó decir—. Funciona.

La besó con delicadeza. Le separó los labios para saborear la dulzura de su boca, arrancándole un gemido. Capturó un pecho con una mano y notó que su cuerpo se endurecía aún más. Estaba tendiéndola de espaldas en la cama cuando alguien llamó a la puerta.

En un abrir y cerrar de ojos se vistió y vistió a Maggie. Su padre apareció con gesto indeciso en el vano de la puerta.

—No sabía que habías vuelto. Venía a ver cómo estaba Maggie. ¿Cómo lo lleva?

La rabia se apoderó de él y bajó de la cama de un salto.

—¿Qué le has hecho?

Vio los ojos de su padre clavados en Maggie, que seguía en la cama en forma humana.

—Lo siento mucho, Maggie. Pero es por tu bien. Ahora eres más fuerte. Vivirás más años que si fueras humana. Créeme, así estarás mucho mejor.

—¿¡Qué le has hecho!? —repitió, estampándolo contra la pared.

—Le he entregado los poderes de mi madre.

Nada podría haberlo sorprendido más que esa respuesta.

—¿Que has hecho qué? —preguntó al tiempo que le quitaba las manos del cuello.

—Le he dado poderes mágicos. Supuse que ya no me harían falta dentro de unos días, ¿no?

Meneó la cabeza con incredulidad.

—Es imposible. Nadie puede deshacerse de sus poderes.

—Sí que se puede —lo contradijo su padre, que resopló con sorna—. No suele hacerse mucho porque muy pocos de los nuestros están dispuestos a ceder su magia. Pero puede hacerse.

Seguía sin creérselo.

—No. Conozco a un katagario emparejado con una humana. Ella no tiene poderes.

—Porque él no los ha compartido.

—Créeme, si Vane pudiera compartir sus poderes con su mujer, lo haría.

Su padre enarcó una ceja.

—¿Aunque eso lo debilitara?

La pregunta lo dejó indeciso. Tal vez Vane no pudiera arriesgarse a eso.

—¿Cómo es que nunca he oído hablar de esto?

—No es algo de lo que se hable abiertamente. Yo lo aprendí de mi madre, que me entregó sus poderes cuando supo que se estaba muriendo de cáncer. Yo era joven y a ella le aterraba la idea de que Grayson me matara. Así que me hizo lo bastante fuerte para poder enfrentarme a él. Ahora le he pasado su regalo a tu novia.

Maggie se incorporó lentamente en la cama.

—¿Por qué no se los has dado a Wren?

La pregunta hizo que su padre soltara una extraña risotada.

—Ya tiene suficientes poderes como para enfrentarse a cualquiera y salir ganador. Pero tú… tú siempre habrías sido su punto débil. Ya no lo eres. Dentro de unos días, te acostumbrarás a tu nueva vida y podrás manejar los poderes sin dificultad.

—Pero no estamos emparejados —dijo, incapaz de creer todavía lo que estaba sucediendo.

—Lo estaréis. Lo sé.

—Maggie es la hija de un senador de Estados Unidos, papá —señaló, meneando la cabeza—. ¿Cómo se supone que va a retomar su vida? —Clavó la mirada en su padre y dejó que comprendiera el horror de lo que había hecho.

—¿Por qué no me lo has dicho antes? —quiso saber su padre.

—Si hubiera sabido que ibas a meterla en nuestro mundo a la fuerza, lo habría hecho. Pero ni siquiera se me pasó por la imaginación que pudieras hacer algo así.

Maggie le tocó el brazo cuando se acercó a ellos.

—No pasa nada, Wren. Aunque si te soy sincera, me habría gustado poder dar mi opinión al respecto. Tu padre lo ha hecho de corazón. No puedes enfadarte con la gente que hace las cosas movida por el amor que te profesa.

—Claro que puedo… —replicó, apretando los dientes.

El semblante de su padre se crispó por el rechazo.

—Pero no lo haré —concluyó.

Su padre tiró de él para abrazarlo.

—Dime una cosa —escuchó decir a Maggie, que estaba sonriendo—, antes de que vuelva a transformarme en tigre, ¿has descubierto algo sobre la muerte de tu padre?

Asintió con la cabeza mientras se acercaba a ella.

—He descubierto que el brillante plan de mi madre es matarnos a los dos y después repartirse la fortuna con Grayson. A cambio, él va a ingresarle un millón de dólares en una cuenta, pero tendrá que hacerlo antes de los asesinatos.

—Pero ella no te mató —le recordó Maggie—. Después de que tu padre muriera...

—Para vuestra información —la interrumpió su padre, hablando entre dientes—, me molesta un poco que habléis de mi muerte con tanta ligereza.

—Lo siento —se disculpó ella y lo miró a los ojos—. Wren, ¿estás seguro de que no podemos salvarlo?

—Sí —contestó—. Alteraría las cosas y las Moiras nos castigarían por ello.

Su padre estuvo de acuerdo.

—Además, es posible que acabara muriendo de cualquier otra forma unas horas después de que me salvarais. Las Moiras tienen una forma espeluznante de mantener el equilibrio.

Marguerite sintió lástima por Aristóteles.

—Bueno, pero ¿cómo demostramos su culpabilidad?

—No lo sé —respondió Wren—. La transferencia no demuestra nada. Supongo que podría conseguir una copia, pero Grayson puede mentir y aducir cualquier otro motivo. Basará su defensa en el hecho de que mis padres están muertos y dirá que fui yo quien los mató.

—Así que lo que tenemos que hacer es descubrir al asesino de tu madre y encontrar una prueba que lo incrimine.

Vio a Wren asentir con la cabeza.

—¿Es posible que Grayson estuviera aquí en casa cuando murió?

Aristóteles meneó la cabeza.

—Imposible.

—¿Estás seguro? —le preguntó Wren.

—Por completo. Le prohibí la entrada hace muchos años. —Su expresión se tornó pensativa—. ¿Qué recuerdas de la noche de mi muerte? Necesito saber todos los detalles.

—Fue a eso de las diez —dijo mirando a Maggie con incomodidad—. Me acuerdo porque escuché las campanadas del reloj justo cuando sonó el golpe. Presentí que algo iba mal, así que salí de mi dormitorio para ir al tuyo. Te encontré ahí y te cogí de la mano.

El dolor en el rostro de Aristóteles era patente.

—Después escuché las risas y fui a matarlos. El amante de mamá me atacó y me dejó inconsciente. Cuando desperté, la casa estaba ardiendo. Pude escapar porque el suelo cedió y caí por el agujero. Me rescató un bombero y corrí a ocultarme en el bosque. Había un hombre esperándome que me dijo que me llevaría a un santuario.

—¿Qué hombre? —preguntó Aristóteles con el ceño fruncido.

—No lo sé. Nunca me dijo cómo se llamaba y ahora que lo pienso ni siquiera sé por qué confié en él. Me pareció que era un buen hombre.

—¿Qué aspecto tenía? —quiso saber ella, meditando el asunto.

—Parecía humano —contestó, encogiéndose de hombros—, y su olor también era humano. Muy alto, con ojos negros y el pelo largo y oscuro.

Aristóteles meneó la cabeza.

—No conozco a nadie con ese aspecto.

—¿Estás seguro? —le preguntó Wren.

—Desde luego.

—Qué raro… —replicó ella—. ¿Quién pudo ser?

Wren meneó la cabeza.

—No lo sé.

Aristóteles soltó un suspiro cansado.

—Muy bien. Parece que no hay mucho que hacer hasta la noche en que me maten. Avisaré al banco para que me notifiquen cualquier movimiento en las cuentas de tu madre. Tú sigue aquí y enséñale a tu novia a utilizar sus poderes.

—¿Adónde vas? —le preguntó él, ceñudo.

Su padre le lanzó una mirada elocuente.

—Quiero pasar un poco más de tiempo con mi hijo para que no me odie tanto cuando descubra que estoy muerto.

—No te odiaba, papá.

—Gracias, Wren —replicó con una sonrisa triste—. Me alegro de saberlo antes de morir.

La fortaleza de ese hombre y la entereza con la que se enfrentaba a su muerte la asombraron. Era increíble.

—Lo estás afrontando todo con un estoicismo increíble.

—De puertas para afuera —le aseguró con voz burlona—. Por dentro, te aseguro que estoy gritando y pataleando ahora mismo. No hay nada peor que saber que vas a morir y no poder hacer nada para evitarlo.

La mera idea ponía los pelos de punta, sí.

—No, supongo que tienes razón.

Aristóteles abrió la puerta.

—Volveré dentro de unas horas. Entretanto y si necesitáis algo, que Maggie me lo haga saber por el intercomunicador.

—Vale.

—Gracias, papá —dijo Wren cuando su padre hizo ademán de marcharse.

Él le dio unas palmaditas en el brazo antes de dejarlos a solas.

—Un día cojonudo, ¿verdad? —le dijo Wren con un suspiro.

—Y que lo digas. Esta mañana estábamos en 2005 en Nueva Orleans y yo no podía dejar de mirarte y pensar lo que se sentiría al poseer la habilidad de transformarse en tigre. Ahora estamos en 1981, el día anterior a mi nacimiento, y puedo transformarme en un tigre. Vamos, un día normalito… para un actor que esté rodando una película de ciencia ficción, claro.

Su sarcasmo hizo que Wren resoplara.

Se frotó los brazos cuando el horror de lo que le había pasado comenzó a hacer mella en su corazón.

—¿Qué nos va a pasar, Wren?

—No lo sé. Pero sea lo que sea, seguro que será interesante.

—Precisamente eso es lo que más me asusta…

13

Marguerite no tardó en comprender que la vida como tigresa katagaria no era fácil. Su apetito se cuadriplicó de repente. Mientras rebuscaba en la desierta cocina en busca de chocolate (puesto que su nuevo metabolismo quemaría las calorías sin rechistar), Wren le informó de que estaba vetado de su dieta para el resto de sus días. Al parecer, un exceso podría matarla.

Al igual que el paracetamol.

Podía vivir perfectamente con lo del paracetamol, pero lo del chocolate... fue un golpe muy cruel. Se acabaron los huevos de Pascua...

Pero las buenas noticias eran que su cuerpo se había adaptado a los cambios con una facilidad pasmosa y en cuestión de horas ya era capaz de mantener la forma humana sin problemas.

Wren le explicó que no tendría problemas para mantener su forma humana durante el día porque esa era su verdadera forma. En cambio él, al ser técnicamente un tigardo, jamás podía mantenerla mientras dormía o cuando perdía la consciencia.

También averiguó que le resultaría más fácil convertirse en tigresa de noche. Mantener la forma felina durante el día le costaría lo suyo hasta que se acostumbrara a sus nuevos poderes. Hasta que los dominara, era posible que se transformara en contra de su voluntad. Además, la luna influía muchísimo en ellos y precisamente en eso se basaban las leyendas sobre los hombres lobo.

Bajo la influencia de la luna llena, todos los katagarios jóvenes perdían el control de sus poderes. Existía el riesgo de que atacaran a cualquier humano, dado que su naturaleza animal anulaba el raciocinio humano.

—Todas las leyendas humanas parten de una base real —le dijo Wren mientras le enseñaba a dominar el proceso de transformación.

El cambio no era doloroso. Lo doloroso era el esfuerzo por mantenerse en una forma concreta, agotador desde el punto de vista físico y mental.

Sin embargo, a medida que su cuerpo se iba adaptando, su capacidad sensorial se multiplicaba. De forma increíble. Todo era mucho más vívido.

La vista. El oído. El olfato... sin el que también podría vivir perfectamente.

Al menos en ciertos momentos. Porque en otros, como cuando estaba cerca de Wren, el hecho de tener un olfato más desarrollado no estaba nada mal.

Apoyó la cabeza contra el cuello de Wren para poder aspirar ese olor único e inconfundible. Era más potente que el vino.

Y la hacía babear.

Aunque siempre había sido tímida, algo había cambiado en su interior. Ahora notaba algo salvaje y atávico. Seguía siendo la misma Marguerite, pero se sentía mucho más segura respecto a su lugar en el mundo.

Wren sonrió mientras ella le frotaba el cuello con la nariz.

—Estás sintiendo la llamada del tigre, ¿verdad?

—¿El qué?

—La bestia que comparte tu cuerpo. Su naturaleza es distinta a la humana. Vibra dentro de ti como si fuera otra persona. Y te llama.

Asintió con la cabeza al tiempo que se colocaba sobre su regazo y lo instaba a recostarse en la cama. Se frotó contra su cara, disfrutando del roce de su piel contra la suya. Su cuerpo estalló en llamas.

El animal que llevaba dentro lo deseaba con un ansia rayana en la locura.

Le miró la camisa y deseó que desapareciera.

Y lo hizo.

Lo de ser una tigresa con magia tenía su puntito... Sonrió satisfecha.

Al menos lo hizo hasta que su camiseta y su sujetador desaparecieron.

—¡Oye!

—Solo te estoy devolviendo el favor —dijo Wren justo antes de que hiciera desaparecer el resto de su ropa.

Por primera vez en la vida, no se sentía incómoda. La bestia que llevaba dentro no sabía lo que era el pudor. Pero sí lo que era el deseo. El ansia.

Por Wren.

Porque quería saborearlo.

Wren se echó hacia atrás y se percató del fuego que ardía en esos ojos castaños. Ya tenía una dolorosa erección, pero cuando Maggie le azotó el pecho con su pelo tuvo que apretar los dientes para aguantar sin hacerse con el control de la situación.

Porque estaba aceptando una parte de sí misma. Necesitaba experimentar ese nuevo aspecto de su personalidad. Necesitaba aceptar por completo el ansia del alma de un tigre.

Quedarse quieto mientras ella lo exploraba a placer fue lo más difícil que había hecho en la vida. Lo torturó restregándose contra él y mordisqueándole la oreja. El roce del crespo vello de su entrepierna en la cadera avivó su deseo.

El ansia de Maggie lo enardeció.

Siseó cuando le lamió una oreja. Notó la ardiente caricia de su aliento en el cuello, que lo abrasó y lo estremeció al mismo tiempo. Algo en su interior se calmaba cada vez que ella lo tocaba y, sin embargo, conseguía excitarlo como ninguna otra cosa.

Recorrió su espalda con las manos y se detuvo sobre su trasero. Maggie gimió sin apartarse de su oreja, antes de cambiar de postura y ponerse a horcajadas sobre él. En ese momento le tomó la cara entre las manos y la besó con pasión.

Llevaba toda la vida deseando encontrar su lugar en el mundo y lo había encontrado junto a Maggie. Por eso significaba tanto para él. Por eso no quería perderla nunca. Lo era todo para él.

Y no podía retenerla.

Era todo muy injusto, pero se negaba a pensar en eso. De momento estaban juntos y eso era lo único que importaba. Suspiró satisfecho y le acarició la mejilla con la nariz.

Marguerite gruñó, consciente de la tensión con la que Wren se mantenía inmóvil a fin de que hiciera lo que quisiese con él. ¿Qué tenía esa salvaje criatura para excitarla hasta ese punto?

Nadie debería ser tan irresistible. Se alejó de sus labios con el corazón acelerado y gruñó con ferocidad. Su olor y su sabor la embriagaron de deseo. Tenía que poseerlo...

Incapaz de soportarlo por más tiempo, lo tomó en su interior por completo.

Ambos gimieron a la vez.

Wren levantó las caderas para hundirse en ella un poco más. Se mordió el labio mientras disfrutaba de la maravillosa sensación de acoger su duro miembro en su interior. No había nada mejor que sentirlo bien adentro mientras hacían el amor desesperadamente.

Su cuerpo se estremecía, devorado por el deseo, y le exigía más. Vio el placer que la embargaba reflejado en los ojos de Wren. Sí... eso era lo que quería de él y ningún otro hombre podría satisfacerla tanto.

Wren lo era todo para ella.

Y tanto su parte humana como la tigresa que llevaba dentro tenían toda la intención de retenerlo. Incapaz de contenerse por más tiempo, comenzó a moverse más deprisa hasta llegar al orgasmo que tanto necesitaba.

Wren observó a Maggie mientras se corría gritando su nombre. La puso de espaldas en la cama con una sonrisa, desesperado por hacerse con el control de la situación. Aumentó el ritmo de sus embestidas y ella le clavó las uñas en la espalda a medida que el placer se incrementaba.

Cuando por fin llegó al orgasmo, creyó ver estrellas.

Se desplomó sobre ella con el corazón desbocado, consumido por la dicha más absoluta que había experimentado en la vida. Nada podía compararse con la maravillosa sensación de tenerla bajo su cuerpo. Del cálido roce de sus manos sobre la piel.

La bestia que llevaba dentro podría devorarla. Ya empezaba a gruñir y a agitarse, ansiosa por saborearla de nuevo.

Marguerite jugueteó con su pelo mientras disfrutaba del roce del aliento de Wren sobre la piel. Le encantaba sentir su peso sobre ella, sentir que seguían unidos. Era un momento tierno y a la vez erótico.

No quería moverse jamás.

Le acarició las pantorrillas con los pies, deleitándose con el contacto de esos fuertes músculos. Se percató de que el deseo comenzaba a asaltarla de nuevo. Por fin comprendía cómo era posible que Wren le hiciera el amor durante horas.

Era algo intrínseco a su naturaleza.

Soltó una carcajada al notar que volvía a ponérsele dura en su interior. Se mordió el labio y comenzó a moverse contra él lentamente, encantada con su tamaño y su grosor.

Wren se apoyó en los brazos y la miró mientras ella disfrutaba controlando la situación.

—Creo que mi tigresa sigue hambrienta.

En ese momento se hundió hasta el fondo en ella con una certera y poderosa embestida, arrancándole un gemido.

Pero quería más. Lo aferró por el trasero y lo instó a ir más rápido al tiempo que levantaba las caderas para que pudiera penetrarla en mayor profundidad. Y seguía sin ser suficiente.

Como si la comprendiera, Wren salió de ella. Soltó un gemido de frustración mientras la obligaba a ponerse de rodillas. Acto seguido le cogió las manos y se las colocó en el cabecero al tiempo que le separaba los muslos con las piernas.

—Confía en mí, Maggie —le susurró al oído justo antes de volver a penetrarla.

La profundidad que lograban sus envites en esa postura la hizo jadear. Sus pechos se agitaban con cada movimiento. Apoyada en el cabecero, alzó las caderas para salir al encuentro de sus embestidas. Wren la besó en la nuca al tiempo que atrapaba sus pechos con las manos.

Un nuevo gemido escapó de su garganta al sentir la abrasadora caricia de sus labios, el roce de su mano sobre un pecho mientras la otra descendía camino de su entrepierna. Comenzó a acariciarla siguiendo el ritmo que marcaban sus cuerpos y la dejó sin aliento. Nunca había experimentado nada tan increíble como el placer de tenerlo dentro y alrededor. Como si la estuviera devorando.

El segundo orgasmo fue tan intenso que gritó con todas sus fuerzas.

Wren se rio, satisfecho consigo mismo, hasta que lo consumió un orgasmo cegador. Se hundió hasta el fondo en ella mientras su cuerpo se estremecía de pies a cabeza. Nunca había sentido nada parecido. Con el corazón desbocado y su energía mágica a tope, la abrazó y giró hasta quedar tumbado de espaldas con ella encima, completamente expuesta.

Marguerite respiró hondo cuando Wren comenzó a acariciarle el pecho. Estaba tan saciada como un gatito que hubiera acabado de comer y estuviera listo para echarse una buena siesta.

Wren estiró las piernas y se ayudó de los tobillos para separarle las suyas.

—Creo que jamás podré saciarme de ti, Maggie —le susurró mientras comenzaba a acariciarla de nuevo.

El roce de esos dedos largos en la entrepierna volvió a estremecerla. La hoguera se avivó otra vez en su interior cuando la penetraron. Bajó una mano y cubrió la de Wren mientras él seguía le dándole placer.

—¿Qué se siente al estar emparejado? —preguntó, incapaz de comprender qué podría ser mejor que lo que ellos compartían.

—Para la hembra es el paraíso. Para el macho es el infierno.

—¿Y eso? —volvió a preguntar, extrañada por la seriedad de su voz.

—Nuestra especie se empareja hasta que la muerte nos separa. No hay separación posible mientras ambos viven.

Hizo ademán de corregir ese «nuestra», pero se dio cuenta de que ella había entrado a formar parte de su gente.

Ya no era del todo humana.

—¿Tan malo es?

—No si la pareja es fiel. El deber del macho es proteger a la hembra. Encargarse de su seguridad y de la de sus cachorros. Mientras ella viva, será incapaz de relacionarse sexualmente con otra mujer. Podría decirse que sufrimos de impotencia salvo con nuestras parejas.

Por fin entendía la furia del padre de Wren.

—¿Tu padre ni siquiera puede tener una amante?

—No, ningún macho puede hacerlo. Pero las hembras pueden compartir sus cuerpos con cualquiera. Lo único que no pueden hacer es tener hijos con otro que no sea su pareja.

—Eso no me parece justo.

—No lo es. Es una de las maldiciones que las tres Moiras le regalaron a mi gente cuando nos crearon.

Wren volvió a acariciarla y siseó al tiempo que alzaba las caderas para frotarse contra su mano.

Bien pensado, lo que le describía no sonaba tan mal.

—Pero si un miembro de la pareja muere, ¿el otro queda libre?

—Sí, a menos que hayan unido sus fuerzas vitales. En ese caso cuando uno muere, lo hacen los dos.

Cerró los ojos y sonrió.

—Eso suena muy romántico.

Wren le frotó la cara con la nariz sin dejar de acariciarla.

—En cierta forma lo es. Es el mayor sacrificio que pueden hacer dos seres que no quieren vivir separados. Se dice que ni siquiera las Moiras pueden romper ese vínculo. Si uno de los amantes se reencarna, están obligadas a reencarnar al otro para que puedan volver a estar juntos en su nueva vida.

Abrió los ojos cuando Wren la apartó de su cuerpo y la dejó sobre la cama. Lo miró con el ceño fruncido hasta que lo vio acomodarse entre sus muslos.

—Eres preciosa —le dijo con voz entrecortada y mirada abrasadora.

En ese momento quiso decirle lo mucho que lo quería, pero tenía miedo. Ni siquiera sabía por qué, pero en cierto modo temía que al pronunciar esas palabras en voz alta el hechizo se rompiera y no quería que ese momento terminara.

Wren le cogió las manos y la instó a tocarse.

—Ábrete para mí, Maggie —le pidió con voz ronca—. Quiero ver cómo te tocas mientras yo te devoro.

La sugerencia le provocó un escalofrío, pero accedió gustosa. En cuanto se tocó, lo vio agachar la cabeza para comenzar a lamerla. Las increíbles caricias de su lengua le arrancaron un grito a medida que experimentaba el placer más dulce que había conocido jamás.

¿Qué otro hombre podría hacer que se sintiera tan bien?

En ese momento se dio cuenta de algo.

Quería ser su pareja. Para siempre.

¿Te has vuelto loca?, le recriminó una vocecilla.

Sin embargo, su corazón desoyó la voz de la razón. Aunque no era de extrañar, ya que los corazones rara vez escuchaban a la razón. Solo estaba segura de lo que sentía en ese momento. La profundidad del amor que sentía por él le resultaba desconocida.

¿Cómo no iba a amarlo?

Le había dado más que cualquier otra persona a la que había conocido. Le prestaba atención. Se preocupaba por ella.

De hecho, podría decirse que lo había domesticado. Al menos en parte. Cuando se conocieron, ni siquiera había estado con una mujer. Era una criatura indómita y salvaje.

Pero había aprendido a ser tierno con ella. Cuidaba de ella.

Y ella quería cuidar de él.

Echó la cabeza hacia atrás cuando volvió a llegar al orgasmo. El intenso placer, sumado al torbellino emocional, hizo que se estremeciera de pies a cabeza.

Nunca podrá ser tuyo…, se dijo.

No, Wren Tigarian jamás podría pertenecer a Marguerite D'Aubert Goudeau. En su mundo artificial de sangre azul y sumisión, destacaría demasiado.

Pero ella ya no era Marguerite D'Aubert Goudeau, al menos no del todo.

Era Maggie Goudeau.

Humana.

Tigresa.

Y quería que Wren Tigarian fuera suyo. Solo tenía que convencer a esas tres Moiras tan tercas de que era una bestia a la que tener en cuenta. Una bestia que estaba más que dispuesta a pelear por ese hombre.

14

Wren estaba desnudo y acurrucado contra Maggie, que dormía entre sus brazos. Tenía la mejilla apoyada contra la suya para escuchar el sonido de su respiración. Esa especie de ronquido suave lo reconfortaba. Aunque estaba cansado, quería seguir en forma humana y abrazarla un poco más para embriagarse con su olor.

Estar en sus brazos era el paraíso, y maldijo a las Moiras por no permitirles emparejarse. Ni estaba bien ni era justo. Sin duda estaban hechos el uno para el otro...

De repente, escuchó algo en el pasillo.

Salió muy despacio de la cama justo cuando sentía una extraña fisura que le provocó un escalofrío. La sensación no era la misma que la que sentía cuando su padre andaba cerca.

Era...

Espeluznante, poderosa, perturbadora.

Atravesó el dormitorio con todos los sentidos puestos en lo que escuchaba en el exterior.

Cerró los ojos y vistió a Maggie al tiempo que se vestía él justo antes de sentir una presencia a su espalda.

Cuando se giró, se topó con uno de los tigres en forma humana que lo atacaron en el Santuario.

El tigre se acercó a él con la intención de colocarle un collar.

Estampó al intruso contra la pared y el collar cayó al suelo con un ruido sordo al tiempo que el tigre le gruñía.

Maggie se despertó de golpe.

—¡Corre, Maggie! —gritó mientras se interponía entre ella y el tigre.

Otros dos tigres surgieron de la nada.

Marguerite entrecerró los ojos cuando vio a los tigres y al hombre acorralar a Wren, y sintió que una furia abrumadora se apoderaba de ella. Jamás había sentido nada parecido.

Era la bestia que llevaba dentro. Lo sabía. Sentía cómo se agitaba y siseaba.

Cómo protestaba.

Y ansiaba sangre. La sangre de esos tres desconocidos.

Se movió por puro instinto animal y se abalanzó sobre el tigre que tenía más cerca, que se giró para enfrentarla. Durante una fracción de segundo la asaltó el pánico, pero la sensación desapareció al punto, ahogada por la furia.

En lugar de pánico la embargó una confianza en sí misma que jamás había tenido. Una confianza plena en sus habilidades, así que se quedó donde estaba y agarró al tigre por el cuello.

Wren se quedó pasmado al ver a Maggie luchando con el tigre. Esbozó una sonrisa fugaz antes de notar una fuerte descarga eléctrica. Se quedó sin respiración mientras la electricidad le recorría el cuerpo, haciendo que cambiara de la forma humana a la animal de manera intermitente.

Cayó al suelo con un golpe sordo, aterrado por lo que podría sucederle a Maggie mientras él estaba incapacitado.

Marguerite se quedó paralizada al ver que Wren se retorcía en suelo presa de un dolor indescriptible mientras cambiaba de forma a una velocidad alarmante.

El tigre con el que había estado luchando adoptó forma humana.

—Ponedle el collar a ese cabrón.

Aunque no tenía ni idea de lo que era el collar, comprendió que no podía ser nada bueno. Retomó su forma humana.

—¡No! —gritó al tiempo que se abalanzaba sobre ellos. Se arrojó sobre Wren y deseó salir de la habitación.

¡Por favor, que esto funcione!, rogó en silencio.

Al cabo de dos segundos estaban en el dormitorio de Aristóteles, que alzó la vista de los papeles que estaba leyendo para mirarlos con el ceño fruncido.

—¿Maggie?

Antes de que pudiera responderle, los tigres aparecieron en la habitación.

—Intentan matar a Wren —le advirtió.

Aristóteles se puso en pie, listo para luchar.

El desconocido que seguía en forma humana hizo ademán de ir a por Wren, de modo que ella se abalanzó sobre él. Lo estampó contra la pared con tanta fuerza que abrió un boquete.

—Mantente al margen o morirás —le dijo el tigre.

Lo miró con todo el odio que sentía.

—El único que va a morir esta noche eres tú, gilipollas.

Aristóteles interceptó al tipo cuando se abalanzaba sobre ella y le retorció el cuello hasta que se escuchó un desagradable chasquido. El hombre se transformó en tigre antes de caer al suelo, donde se quedó inmóvil.

Los otros dos tigres desaparecieron.

Aliviada en parte, se sentó junto a Wren, que seguía cambiando de forma sin parar.

—¿Cariño? —dijo, deseando poder ayudarlo.

—Han debido de dispararle con una pistola Taser —aventuró Aristóteles—. Deberías saber que esto también te sucederá a ti si te disparan con una. No podrás mantener una forma determinada después de sufrir una descarga.

Era bueno saberlo, sí, pero eso no ayudaba en nada a Wren.

—¿Qué podemos hacer para ayudarlo?

—Nada —respondió Aristóteles con tristeza—. Hay que dejar que la electricidad deje de saltar entre sus células. En cuanto lo haga, volverá a la normalidad. Pero hasta entonces estará indefenso. —La miró a los ojos. El amor y el miedo que vio en esos ojos azules la conmovieron—. Y además os habéis quedado sin tiempo. Ahora que saben que estáis aquí, volverán a buscaros. Con refuerzos.

—¿Qué hacemos? —preguntó, dispuesta a luchar, a hacer lo que hiciera falta para proteger a Wren.

—La luna llena está casi en su cénit —respondió él, tocando el brazo de Wren—. Es hora de mandaros de vuelta a vuestro tiempo.

Negó con la cabeza, abrumada por el miedo.

—Es demasiado pronto. No tenemos pruebas de su inocencia.

Esos ojos azules siguieron clavados en ella con una intensidad aterradora.

—Confía en mí. Id al bufete Laurens y pedid un paquete. Lo enviaré desde aquí y ellos lo guardarán en su caja fuerte a la espera de que vayáis a recogerlo. Su contenido demostrará la inocencia de Wren.

Parecía demasiado fácil.

—¿Estás seguro?

—No tenéis alternativa, Maggie —insistió—. Si os quedáis, moriréis. Ojalá me queden poderes suficientes después de mandaros de vuelta para hacer lo que tengo que hacer.

—¿Y si no es así?

Aristóteles apartó la mirada.

—Todo quedará en manos de las Moiras. Recemos porque tengan algo de compasión.

Abrió la boca para discutir, pero antes de que pudiera decir nada todo se volvió negro a su alrededor.

Un minuto después estaba en Nueva Orleans, en un jardín no muy lejos de su casa.

Aturdida y confundida, echó un vistazo a su alrededor. Estaban en pleno día y todo parecía normal. El sol brillaba en el cielo y parecía un día muy apacible y tranquilo.

Salvo que sus circunstancias no eran nada apacibles ni tranquilas. El miedo y la ansiedad que la consumían no tenían nada de apacibles.

Wren, que estaba en forma humana, siseó antes de dejar caer la cabeza contra el césped. Contuvo el aliento, esperando que volviera a transformarse en tigardo.

No lo hizo.

Se quedó tendido en el suelo con los ojos abiertos y una expresión ausente rebosante de remordimiento y culpabilidad.

—¿Wren? —dijo, titubeante.

—Joder, papá —susurró él—. ¿Por qué lo has hecho?

La angustia que asomó a sus ojos era la misma que ella sentía.

—Lo siento, Wren. Debí impedírselo.

Wren parecía estar a punto de gritar por lo injusto de su situación, pero se recuperó pronto. Se puso en pie de un salto y le tendió la mano con expresión decidida.

—Vamos, acabemos con esto. No permitiré que muera en vano.

Comprendía a la perfección sus sentimientos y estaba tan dispuesta como él a zanjar ese asunto.

—Estoy contigo.

En cuanto lo cogió de la mano, Wren usó sus poderes y aparecieron en un callejón situado justo detrás del bufete Laurens. Para su alivio, iban vestidos de manera apropiada a su tiempo.

—Gracias —le dijo mientras se miraba el jersey rosa y los pantalones beis—. Ahora me siento mucho más normal, cosa alucinante considerando lo poco normal que soy ahora.

Wren le sonrió para darle ánimos antes de conducirla al interior.

La recepcionista morena los miró con el ceño fruncido cuando entraron. Era una mujer de mediana edad a quien saltaba a la vista que habían escogido para el puesto porque podría intimidar al mismísimo Evander Holyfield. Los examinó con ojo crítico. Estaba claro que no reconocía a Wren.

—¿Puedo ayudarles? —preguntó con voz fría.

Wren se pasó una mano por el pelo.

—Sí. Soy Wren Tigarian. Me han dicho que mi padre me dejó un paquete y que tenía que recogerlo aquí —respondió con manifiesta incomodidad a causa de la altivez de la recepcionista, que podría darle unas clases al mismísimo senador.

La mujer reconoció al punto el nombre y se puso en pie de un brinco mientras los miraba con más respeto.

—Oh, es uno de los clientes personales del señor Laurens. Si son tan amables de esperar aquí, señor Tigarian, iré a buscarlo. —Se detuvo cuando llegó a la puerta que conducía a los despachos—. ¿Les gustaría beber algo?

Wren la miró.

—No, gracias —se apresuró a responder ella.

La mujer miró a Wren, que negó con la cabeza.

—Muy bien, señor. Volveré enseguida con el señor Laurens. Pónganse cómodos, por favor.

¡Vaya!, el cambio de actitud era espectacular...

Mientras esperaban a Bill se percató del evidente nerviosismo de Wren.

Sin embargo, no tuvieron que esperar mucho, porque Bill apareció en la sala de espera justo detrás de su recepcionista, que volvió a su lugar de trabajo.

—¿Qué haces aquí, Wren? —preguntó con el ceño fruncido y voz inquieta. Lo normal teniendo en cuenta que seguían persiguiéndolos.

—Mi padre envió un paquete a mi nombre. Me dijo que lo tendrías en la caja fuerte.

—No tenemos nada —le aseguró Bill al tiempo que meneaba la cabeza.

Wren bajó la voz para que nadie más pudiera escucharlo.

—Acabo de estar con él, Bill, y me ha dicho que iba a mandarte algo para que lo guardaras. Me ha dicho que demostraría mi inocencia.

La expresión de Bill delataba lo contrariado que se sentía.

—Jamás nos llegó ninguna carta. Créeme. No tenemos nada. De haber sido así, te lo habría dicho hace mucho tiempo.

El rostro de Wren mostró la misma decepción que ella sentía.

—¿Estás seguro?

—Jamás te mentiría sobre algo así.

Joder, pensó ella, y se estremeció. ¿Por qué no lo había enviado? Sin embargo, era mucho peor que se hubiera perdido en correos. Menudo desastre.

—¿Qué vamos a hacer? —le preguntó a Wren.

Wren se frotó las sienes para aliviar el dolor que comenzaba a sentir tras los ojos. Estaba enfadado y decepcionado.

Aunque sobre todo estaba triste. Echaba de menos a un padre al que apenas había conocido. A un padre que no lo había odiado después de todo.

Ese descubrimiento por sí mismo había hecho que el viaje al pasado valiese la pena. ¿Qué más daba que no pudiera demostrar su inocencia? Al menos sabía que su padre lo había querido.

Miró a Maggie, que dependía de él para seguir a salvo. Y supo en lo más profundo de su corazón lo que tenía que hacer.

—Voy a ir al Omegrion —contestó en voz baja para que la recepcionista no lo escuchara.

—¿Te has vuelto loco? —masculló Bill—. Te matarán.

—Me matarán si no voy. Lo sabes. —Miró a Maggie desesperado porque comprendiera por qué tenía que hacerlo—. Savitar es mi última esperanza. Exigiré un *diki* y ya veremos lo que pasa.

—¿Qué es un *diki*? —susurró ella con un hilo de voz.

—Es como el juicio de Dios —respondió Bill—. Wren se enfrentará a su acusador en una pelea para resolver la cuestión.

La idea la dejó helada.

—¡No! —negó con vehemencia.

—No nos queda alternativa, Maggie. Nos perseguirán hasta el fin del mundo. Ni tú ni yo estaremos a salvo jamás. No hay ningún lugar donde podamos escondernos. Díselo, Bill.

El aludido soltó un suspiro cansado.

—Tiene razón, por mucho que odie admitirlo. No se detendrán hasta verlo muerto.

Se enderezó y miró a Wren con expresión decidida.

—Vale. Pero yo voy contigo.

—Maggie…

—No, Wren —lo interrumpió con firmeza—. No vas a hacerlo solo. Necesitas a alguien en tu rincón del cuadrilátero.

Wren la miró alucinado. Y comprendió la verdad.

La amaba con locura. Adoraba su fuerza y su valor. Lo era todo para él. Emparejados o no, jamás sentiría por otra lo que sentía por ella.

Y la verdad era que no quería ir solo. Si tenía que morir, quería hacerlo entre sus brazos, sintiendo las caricias de sus manos mientras abandonaba este mundo.

—Vale. —Miró a la recepcionista.

Bill siguió la dirección de su mirada.

—¿Terry? ¿Podrías traerme el expediente que hay sobre mi mesa?

—Por supuesto, señor Laurens. Ahora mismo.

Wren esperó a que la recepcionista se fuera antes de abrazar a Maggie, cerrar los ojos y teletransportarse al hogar de Savitar.

Tardó varios segundos en moverse mientras ojeaba la amplia sala circular. Aunque tenía un lugar en el consejo, jamás había estado allí. La estancia era grande, casi sobrecogedora.

—¿Dónde estamos? —preguntó Maggie, que miraba boquiabierta la opulencia que los rodeaba.

—En una isla errante.

Lo miró con las cejas enarcadas.

—¿Una qué?

—Es como una especie de Brigadoon. Aparece y desaparece cada vez que a Savitar le da la gana.

La respuesta pareció confundirla todavía más.

—¿Y quién es Savitar?

—Creo que ese soy yo.

Cuando se dieron la vuelta, vieron a un hombre. Iba vestido de blanco al estilo surfero, llevaba la melena suelta y tenía un intenso bronceado.

Los ojos estuvieron a punto de salírsele de las órbitas al reconocerlo.

—¿Tú?

—¿Lo conoces? —quiso saber Maggie.

Asintió con la cabeza.

—Es el hombre que me encontró en el bosque después de que muriera mi padre.

—¿El que te llevó a Nueva Orleans?

—El mismo —respondió Savitar al pasar junto a ellos de camino a un trono situado cerca de una mesa circular.

Marguerite no daba crédito a la indiferencia que demostraba.

En cuanto tomó asiento, la sala se llenó de gente que parecía haber estado haciendo otras cosas hasta ese preciso momento. Uno incluso se estaba llevando un muslo de pollo a la boca, como si hubiera estado cenando.

—¿Qué coño significa esto? —preguntó un hombre de pelo oscuro, que se apresuró a vestir su cuerpo desnudo—. ¿Savitar? ¡Me estaba duchando!

El aludido se quedó como si tal cosa.

Estaba a punto de echarse a reír, pero entonces vio a uno de los tigres que habían estado persiguiéndolos. El hombre torció el gesto un segundo antes de transformarse en tigre y abalanzarse sobre Wren.

Sin embargo, en lugar de llegar hasta ellos, se golpeó contra lo que parecía ser una pared invisible y cayó al suelo gimoteando.

—No me cabrees todavía más, gilipollas —gruñó Savitar—. Levántate, Zack.

El tigre retomó su forma humana.

—¡Exijo justicia! —exclamó, dirigiéndose a Savitar con la boca ensangrentada.

Savitar soltó una carcajada siniestra.

—Cuidado con lo que deseas, porque puede hacerse realidad.

Ella miró a Wren sin comprender, aunque parecía estar tan alucinado como ella. ¿Qué estaba pasando?

—Animales —dijo Savitar—. Siento haberos molestado, pero parece que tenéis que considerar nuevas pruebas.

—Sabe algo —le susurró ella a Wren, que la cogió de la mano y le dio un apretón.

—¿Nicolette? —dijo Savitar, dirigiéndose a la osa que se había portado tan mal con ellos—. ¿Serías tan amable de contarle al consejo lo que me has dicho antes?

—*Oui.*

—Recuerda lo que puedes perder, osa —masculló Zack a modo de advertencia.

—Preocúpate por tu propio culo, tigre —comentó Savitar con brusquedad, pero sus ojos se suavizaron al mirar de nuevo a la osa—. Habla, Nicolette. Es un topicazo, lo sé, pero la verdad te hará libre.

Nicolette los miró antes de hablar de nuevo.

—Zack Tigarian admitió ante mi hija y ante mí que sabía que

Wren no se había vuelto loco. Que su padre y él lo habían acusado para hacerse con su dinero.

Un hombre de pelo oscuro miró a Nicolette con el ceño fruncido.

—¿Qué hay de tu anterior testimonio? Según dijiste, habías sido testigo de su locura.

Nicolette asintió con la cabeza.

—Y no mentí, su comportamiento lleva un tiempo siendo mucho más hostil que antes. Y nos ha expuesto a ojos de los humanos sin necesidad.

Zack torció el gesto.

—Está aquí con la hija de un senador. ¿Qué clase de animal hace eso? Es evidente que está loco. Incluso se lanzó a la jaula de los tigres en un zoológico, donde lo grabaron los humanos.

Savitar los miró con expresión estoica.

—¿Tienes algo que decir, Maggie?

—¿Cómo sabes mi nombre?

Lo vio esbozar una sonrisa torcida.

—Lo sé todo, muchacha. Aunque preferiría no saber casi nada… sobre todo cuando piensas en Wren como estás haciéndolo ahora mismo. Esas imágenes me dan repelús. Y también me encantaría que Dante dejara de pensar en Pandora y en su… —Hizo una mueca antes de olvidarse de las imágenes que decía ver—. Habla si tienes algo que añadir para rebatir las acusaciones.

Soltó la mano de Wren y dio un paso al frente para dirigirse a todos los presentes, reunidos en torno a la mesa.

—He estado presente en todos esos momentos que le recrimináis. Nunca ha atacado a menos que fuera para defenderme o para defenderse. Saltó a la jaula de los tigres porque la vida de un niño estaba en peligro y sabía que podía salvarlo. No fue un acto de locura, sino de bondad.

—¿Qué sabrá una humana? —preguntó una rubia con cara de asco.

Savitar resopló.

—Bueno, yo diría que nuestra pequeña humana sabe un poquitín sobre animales… sobre todo ahora.

La respuesta hizo que frunciera el ceño. A juzgar por su tono de voz, estaba casi segura de que Savitar sabía que tenía parte de tigre.

¡Por el amor de Dios, ese hombre parecía saberlo todo! Era una idea de lo más aterradora.

Wren se colocó delante de ella.

—No estoy loco, no he perdido la razón. No he sucumbido a la *trelosa*. Estoy aquí para acatar la decisión del Omegrion, pero solo si me prometéis que a Maggie no le pasará nada.

Zack resopló al escucharlo.

—Yo que tú me preocuparía más por tu vida que por la de la humana.

Wren ladeó la cabeza al sentir algo extraño y se giró justo cuando alguien se materializaba tras él.

Antes de que pudiera reaccionar, un hombre agarró a Maggie y desapareció con ella.

Zack soltó una carcajada justo antes de desaparecer también.

—¿Qué coño está pasando? —exigió saber Fury, que estaba sentado a la mesa.

Savitar no se movió. Se quedó sentado en el trono completamente impasible.

—Vaya, menudo golpe de efecto… —dijo con tono sarcástico.

—¿Vas a dejar que violen la santidad del consejo? —preguntó el representante de los chacales.

—Ni de coña —respondió, mirando su reloj—. Pero voy a darles unos minutillos antes de mandar al tigre para zanjar la cuestión.

—¿Adónde coño se la ha llevado? —exigió saber.

Savitar lo miró con sorna.

—Deja de comerte las uñas… bueno, las zarpas.

—¡No puede defenderse sola! —gritó al tiempo que la ira se apoderaba de él. Tal vez a Savitar no le importase el bienestar de Maggie, pero a él le preocupaba muchísimo—. Mándame con ella ahora mismo.

—*Fehrista nam gaum.*

Frunció el ceño, sin comprender lo que había dicho.

—¿Qué quiere decir eso?

—Que para hacer una tortilla primero hay que cascar los huevos.

Marguerite estaba algo desorientada cuando se descubrió en una habitación muy recargada. Parecía sacada de una revista de decoración. Todo estaba limpio y reluciente.

Intentó moverse, pero el tigre seguía sujetándola con fuerza desde atrás, impidiéndole escapar. De hecho, casi le impedía respirar.

Cerró los ojos e hizo acopio de sus poderes para intentar convertirse en tigre.

No fue fácil.

Lo consiguió justo cuando Zack hizo acto de presencia. El hombre que la sujetaba maldijo antes de transformarse en tigre y atacarla. Ella respondió dándole un zarpazo en el cuello y mordiéndole con ferocidad.

No iba a dejarse matar sin plantar cara.

El tigre se apartó renqueando al mismo tiempo que Zack se abalanzaba sobre ella y la inmovilizaba por detrás. Rugió e intentó morderle, pero la tenía sujeta de tal forma que no podía moverse.

En ese momento entró un hombre de mediana edad que jadeó al verlos. Llevaba un traje negro muy caro y era una de las caras más conocidas de la lista de los quinientos hombres más importantes de la revista *Fortune*.

Lo reconoció al punto. Era Grayson. Lo supo al instante porque se parecía muchísimo a Aristóteles.

—¿Lo tienes? —preguntó Grayson.

—No. Es su acompañante humana.

Grayson negó con la cabeza.

—¿Cómo es posible?

—A mí no me mires —replicó Zack con irritación—. Tú eres más viejo que yo, papá. —Señaló el lugar donde yacía el cuerpo inerte y ensangrentado del otro tigre—. Ya ha matado a Theo. Y estoy seguro de que Wren nos encontrará enseguida.

Grayson se acercó a ellos muy despacio.

Le rugió, deseando poder descuartizarlo, y no solo por lo que le había hecho a Wren, sino también por lo que le hizo a Aristóteles. ¿Cómo podía matar un hombre a su propio hermano?

Mucho menos por ese motivo...

Por dinero.

Era ridículo, y tanto la mujer como el animal querían vengarse por todo el dolor que Grayson le había causado a Wren.

Intentó por todos los medios regresar a su forma humana para poder decirle a Grayson lo que pensaba de él, pero su cuerpo no le hacía el menor caso.

Grayson se acercó a ella con paso decidido. Hizo aparecer una navaja de mariposa en su mano. Tras abrirla con un giro de muñeca, la miró con una mueca cruel.

—En ese caso voto por matarla y dejar que Wren la encuentre degollada.

—No te atrevas a tocarla.

Los tres se quedaron de piedra al escuchar una voz que no había esperado volver a oír jamás.

No podía ser...

No tenía muy claro quién estaba más pasmado por la súbita aparición de Aristóteles en la habitación. Los estaba mirando tranquilamente con los brazos cruzados por delante del pecho, aunque su furia era patente a pesar de la relajada pose. Era una estampa espeluznante.

—¡Estás muerto! —gritó Grayson.

Aristóteles se echó a reír.

—¿Te parece que esté muerto, hermano?

—Karina te mató.

Eso hizo que Aristóteles enarcara una ceja.

—Creí que era Wren quien me había matado. ¿No es eso lo que afirmabas?

Grayson se apartó de él muy despacio, camino de la puerta.

—Eres un fantasma. Tienes que serlo. Karina te mató hace más de veinte años.

—¿De verdad? —Aristóteles descruzó los brazos y lanzó una estrella japonesa que hirió a Zack en el brazo.

La soltó mientras maldecía por el dolor.

—Hace mucho tiempo que te dije que nunca te metieras entre un tigre y su pareja, Gray —dijo Aristóteles con expresión letal, dirigiéndose a su hermano.

Grayson se transformó en tigre y se abalanzó sobre él. Aristóteles lo rodeó con los brazos y apretó con fuerza antes de mirarla con seriedad.

—Haz lo que tengas que hacer para proteger a Wren, Maggie. Te necesita —le dijo antes de desaparecer.

Y ella se giró hacia Zack con un gruñido.

Wren hervía de furia cuando Savitar por fin le permitió ir en busca de Maggie.

Se materializó en una casa desconocida, listo para luchar con el diablo si era necesario.

Sin embargo, lo que encontró lo dejó alucinado. Maggie, que estaba desnuda, lloraba acurrucada en un rincón mientras el cuerpo de Zack en su forma animal yacía a poca distancia.

A caballo entre la sorpresa y el miedo por lo que pudieran haberle hecho, se acercó a ella muy despacio y la cogió en brazos. Maggie lo miró con lágrimas en los ojos. Se preparó para lo peor con el corazón en un puño.

—Lo he matado, Wren —musitó—, y también he matado a ese otro. Ha sido espantoso. —Se frotó la boca con tanta fuerza que le sorprendió no ver sangre—. No puedo quitarme el regusto de la sangre de la boca.

—¿Te han…? ¿Estás bien?

La vio asentir con la cabeza antes de ponerse a llorar con más fuerza.

Aliviado al saber que no la habían violado, la abrazó con fuerza mientras daba las gracias en silencio.

—Tranquila —dijo al tiempo que la sentaba sobre su regazo y la vestía—. Has hecho lo que tenías que hacer para protegerte. Eso no tiene nada de malo.

—Pero ¡he matado a dos personas!

—Ahora eres una tigresa, Maggie. El animal que llevas dentro es más fuerte... —Hizo una pausa para replantearse sus palabras. Porque no eran ciertas y lo sabía—. No. La mujer que llevas dentro es lo bastante fuerte como para saber qué había que hacer. Si no los hubieras matado, te habrían matado a ti.

Marguerite inspiró hondo y recordó que en una ocasión Wren había comentado lo dura que era su vida. Lo brutal que era. En aquel momento creyó que estaba siendo melodramático.

Pero por fin lo entendía.

Wren tenía razón. Su parte animal estaba satisfecha a pesar de que su parte humana estaba espantada. Y esas dos partes estaban en conflicto y en paz al mismo tiempo.

Era muy extraño.

¿Cómo era posible sentir lo que sentía? Se había enfrentado a dos personas... más o menos. Y las había matado.

Por Wren y por ella misma. Él tenía razón. Lo había hecho en defensa propia. Si no las hubiera matado, le habrían quitado muchísimo más que la vida.

Wren se levantó y la ayudó a ponerse en pie. La preocupación empañaba sus ojos azules y eso la reconfortó pese al dolor y al espanto que sentía.

—¿Te has herido en la pelea?

—Tengo unos cuantos arañazos, pero sobreviviré. —Levantó la vista para mirarlo mientras recordaba la escena completa y se echó a temblar—. Tu padre ha estado aquí.

Wren la miró sin dar crédito.

—¿Qué?

Asintió con la cabeza.

—Justo después de que Zack me trajera, tu padre apareció y se llevó a Grayson. Creo que se lo ha llevado al pasado.

—Eso no tiene sentido. ¿Por qué iba a hacerlo?

—No lo sé. Tal vez quería enfrentarse a él. —Pero eso tampoco tenía sentido. Era todo muy raro.

Wren dejó escapar un largo suspiro.

—Ahora sí que no hay forma de demostrar mi inocencia. No podemos obligar a Zack ni a Grayson a confesar.

—Pero están muertos. Ya no hay nadie para acusarte.

Su mirada la abrasó.

—Nuestra justicia no funciona así. —Se llevó su mano a los labios y la besó con infinita ternura—. Vamos, volvamos al Omegrion.

—No —dijo ella, deteniéndolo—. Huyamos. Podemos…

—No, Maggie. Nunca he sido un cobarde y no voy a serlo ahora. Además, Savitar me encontraría.

La esperanza floreció en su interior.

—Él sabe la verdad. Dijo que lo sabía todo. Si conseguimos que…

—Savitar no interferirá en la decisión de los demás. Su naturaleza se lo impide.

—¿Y para qué sirve entonces?

Antes de que Wren pudiera contestarle, se encontraron de vuelta en la sala del consejo.

15

Marguerite tragó saliva al sentirse el blanco de la hosca mirada de Savitar. Era imposible que hubiera escuchado lo que acababa de decirle a Wren...

¿Verdad?

—No —le contestó con voz siniestra—. Lo he escuchado. Y yo también me hago todos los días esa misma pregunta. ¿Para qué sirvo? La respuesta es sencilla. Para lo que quiero, y me va estupendamente. De hecho, me enorgullezco de ello.

Era un tío muy raro, de eso no cabía duda.

Sin embargo, todavía parecía mosqueado.

Miró a su alrededor y vio que todos los miembros del consejo estaban mirando hacia la puerta. Siguió la dirección de sus miradas y se quedó con la boca abierta.

A Wren le pareció extraño e hizo lo mismo. También se quedó boquiabierto.

Parpadeó varias veces en un intento por enfocar la vista, pero seguía viendo lo imposible.

—¿Papá?

Su padre sonrió y asintió con la cabeza.

Dio un titubeante paso al frente antes de ser consciente de lo que hacía. Aquello no podía ser real. Era imposible que lo fuera.

Al final fue su padre quien se acercó para abrazarlo. Él se limitó a quedarse donde estaba, alucinado e incapaz de devolverle el abrazo. Miró a Maggie, que parecía tan confundida como él, y después a Savitar, cuya expresión era inescrutable.

Temeroso de que todo fuera un truco, apartó a ese recién llegado, que era idéntico a su padre.

—¿Qué coño significa esto? —exigió saber.

—Tu padre no murió —contestó Savitar como si tal cosa. Abandonó el trono y se acercó a ellos—. Fue una noche de perros. Una lástima que te desmayaras y te perdieras los fuegos artificiales.

Meneó la cabeza.

—Pero... lo toqué. Vi su cuerpo. Estaba muerto. Lo habían matado.

—Viste el cuerpo de Grayson —lo corrigió su padre.

Savitar agitó una mano y una serie de imágenes aparecieron en la pared. Se quedó sin respiración al ver a su padre y a su tío luchar como tigres; en un momento dado, su padre degolló a su hermano con un rápido zarpazo.

Grayson quedó tendido en el suelo y murió justo donde él recordaba haberlo encontrado. Al cabo de unos segundos, el tigre se convirtió en un hombre.

—¿Nunca te pareció extraño encontrar un cadáver humano? —le preguntó Savitar—. Recuerda que tu padre es katagario, ¿no es más lógico que su cadáver hubiera sido el de un tigre?

La pregunta hizo que pusiera los ojos como platos. Era cierto. Debería haber caído en la cuenta, pero la impresión y el trauma posterior le habían impedido pensar con claridad. Ni siquiera mucho después, cada vez que rememoraba el momento. Claro que tampoco solía pensar mucho en la noche de marras...

—No lo entiendo.

Su padre le colocó una mano en el hombro.

—En realidad, mi hermano era arcadio, como mi madre. Y se odiaba a sí mismo por ello. Al igual que tú, escondía su verdadera naturaleza a ojos de los demás. Nunca llegó a aceptar la verdad, nunca se conformó. De ahí que no me fiara de él. Tenía la fuerza de un tigre y el odio y la envidia de un humano.

—¡Qué cabrón! Os dije que la raíz de todo esto era el dinero...

Frunció el ceño al escuchar el comentario de Dante Pontis, que miraba al resto de los miembros del consejo con expresión ufana.

Su padre carraspeó para llamar su atención.

—Mientras Maggie y tú estabais fuera, analicé lo que me habías contado de la noche de mi muerte. Y recordé que dijiste que me habías cogido la mano. Entonces me di cuenta que no era yo. Era imposible. Soy un tigre y habrías encontrado el cadáver de un tigre.

—Pero me diste tus poderes… —le recordó Maggie, confusa.

Su padre meneó la cabeza.

—Te di los poderes que mi madre me dio. Me quedé con los míos. —Su mirada se tornó atormentada cuando volvió a clavarse en él—. Wren, comprendí que tu madre debió de ver a Grayson y que su rostro estaba tan desfigurado que supuso que era yo, ya que jamás habría permitido que mi hermano pusiera un pie en mi casa. A menos que yo mismo lo invitara para luchar. Intenté comprender por qué lo habría invitado y en qué momento lo hice. —Sus ojos adquirieron un brillo acerado y sus dedos se le clavaron en el hombro con más fuerza—. Entonces lo entendí todo. Si Grayson estaba vivo para acusarte antes de que viajaras al pasado, la única explicación es que yo tuve que saltar al futuro y llevarlo de vuelta para luchar con él antes de que fuera demasiado tarde.

—¿Te estás enterando de algo? —le preguntó Wren a Maggie.

—La verdad es que estoy un poco perdida —confesó—, pero creo que más o menos lo he pillado. Si mataste a Grayson, ¿quién mató a Karina? —le preguntó a su padre.

—Yo —respondió Aristóteles con un hondo suspiro—. Supuse que mi destino era morir aquella noche, así que después de que te encerraran, me enfrenté a ella y a su amante. Luchamos y durante la pelea él acabó en la chimenea. Consiguió salir de ella antes de morir, pero arrastró las ascuas a su paso y la habitación comenzó a arder de inmediato. Karina y yo seguimos luchando con todas nuestras fuerzas. Cuando la maté, me di cuenta de que había llamas por todas partes, así que supuse que mi destino era morir en el incendio. Me desmayé y cuando desperté estaba en un refugio de animales.

La revelación lo dejó sin palabras.

¿Su padre había estado vivo todos esos años?

—¿Por qué no me lo has dicho nunca?

—Porque sabía que debías crecer sin él —escuchó que Maggie le decía en voz queda—. Para evitar que las cosas cambiaran.

Su padre asintió con la cabeza.

—No habrías regresado al pasado para advertirme sobre mi muerte y, si no lo hubieras hecho, yo habría acabado muerto, al igual que tú. No habría cambiado mi testamento y Grayson habría sido tu tutor.

Savitar se acercó a ellos.

—Es cierto. Todo ha sucedido como tenía que suceder.

Seguía sin poder creerlo. ¿Cómo era posible que aquello estuviera previsto?

—¿Dónde has estado todos estos años? —quiso saber.

—Dirigiendo la compañía desde las sombras, oculto bajo la identidad de un humano. De ahí que nadie te molestara nunca mientras estabas en el Santuario. —Le guiñó un ojo—. No pensarías que iba a dejar a un humano manejar mis negocios, ¿verdad? De todas formas, te estoy muy agradecido por las pistas que me diste. Internet… Tenías razón, un invento cojonudo.

Marguerite no entendía nada de todo aquello.

—Os confieso que me costó contenerme para no ganarle la mano a Microsoft después de lo que me dijiste —añadió Aristóteles, chasqueando la lengua—, pero estaba tan agradecido de seguir con vida que no quise arriesgarme a tocarles las narices a las Moiras. Prefiero de lejos ser el segundo en las listas a estar muerto.

Dante silbó desde su asiento para llamar su atención.

—En fin, todo esto es muy emotivo e interesante… Qué leches, es un muermo. Estoy más aburrido que una ostra y tengo cosas que hacer en casa. Así que ¿somos libres para irnos ya?

Savitar se encogió de hombros.

—Depende. ¿La sentencia de muerte de Wren está revocada?

—Su padre está vivo —les recordó Vane a los demás—. Y admite haber matado a su pareja en defensa propia. En mi opinión Wren no es responsable de nada. Voto por revocarla.

Savitar asintió con la cabeza.

—¿Alguien lo respalda?

—Yo —respondió Dante.

Savitar observó al resto del grupo.

—Todos los que estén a favor, que digan sí.

Fue unánime.

—Podéis marcharos —añadió Savitar con brusquedad.

Todos se desvanecieron, salvo Dante, que se acercó a ellos.

—Felicidades, tigre —dijo, ofreciéndole la mano—. Sabía que eras inocente. Y si alguna vez necesitas un santuario, el Infierno de Dante tiene las puertas abiertas para ti. Eso sí, espero que no te importe que se te congele el culo en invierno. Tráete un buen abrigo. Hace un frío del copón en las Ciudades Gemelas.*

La invitación lo conmovió.

—Gracias, Dante.

—De nada. —Le sonrió a Maggie y le guiñó un ojo—. Buena suerte. Tengo la impresión de que vais a necesitarla. —Y con eso, desapareció.

Wren se dio la vuelta para mirar a Savitar e hizo algo que jamás había hecho nunca con otro ser vivo. Le tendió la mano.

—Gracias. Por todo.

Savitar le dio un apretón.

—El mérito no es mío. Lo único que hice fue recogerte y llevarte a Nueva Orleans. El resto ha sido cosa tuya y de tu padre. —Le soltó la mano y retrocedió—. Ahora, si me disculpáis… las olas me esperan. —Se puso las gafas de sol y su ropa se transformó en un traje de neopreno antes de desaparecer.

—No puedo creerme que todo esto sea real —dijo, mirando a su padre mientras intentaba asimilar lo que había pasado—. No puedo creer que estés vivo.

—¿No? —replicó su padre con incredulidad—. Pues he sido yo quien ha estado viviendo durante años con un alias. —Fingió echarse a temblar—. Josiah Crane. ¿No es horroroso?

Maggie le sonrió.

---

* Saint Paul y Mineápolis. *(N. de las T.)*

—A mí me suena muy bien.

Su padre recuperó la seriedad al mirarla.

—Siento mucho haberte dejado sola con Zack cuando me llevé a Grayson. No te hizo daño, ¿verdad?

Negó con la cabeza.

—Bien. A ver —siguió su padre, que se sacó la cartera del bolsillo y la abrió—, sé que tenéis muchas cosas que hacer cuando volváis a Nueva Orleans. —Sacó una tarjeta y se la tendió—. Llamadme de vez en cuando. Si alguna vez vais a Nueva York, espero que me hagáis una visita.

Wren cogió la tarjeta y asintió.

—Lo haré.

—¿Y tú, Maggie? —preguntó con expresión esperanzada.

—Iré con él.

—Estupendo —replicó su padre con una sonrisa de oreja a oreja—. Lo único que podría mejorar este momento sería recuperar esos poderes que te di para volver a estar en forma... Pero ¡qué cojones! Te sientan mejor a ti. —Les dio un abrazo de despedida—. Cuidaos.

—Tú también —dijo Maggie.

Y con eso los dejó solos.

Marguerite miró a Wren, que se estaba guardando la tarjeta en un bolsillo.

—Y ahora ¿qué? —le preguntó, sin saber muy bien cómo iban a volver a casa sin más después de todo lo que les había pasado.

Para su más completo asombro, él hincó una rodilla en el suelo, le cogió una mano y la miró a los ojos.

—Marguerite, tigresa mía, ¿quieres casarte conmigo?

La pregunta la dejó sin respiración. ¿Le estaba pidiendo matrimonio? ¿En forma humana? Increíble...

—No estamos emparejados.

—A tomar por culo las Moiras y sus designios —replicó, encogiéndose de hombros para restarle importancia a sus protestas—. Con marca o sin marca, te quiero y quiero pasar el resto de mi vida contigo.

Notó que se le llenaban los ojos de lágrimas. Palabras malsonantes aparte, en la vida había escuchado nada más bonito.

—¿Quieres casarte conmigo, nena? —repitió, apretándole la mano un poco más, como si temiera una negativa.

—Por supuesto que sí. —Esbozó una sonrisa traviesa—. Además, de todas formas ya no puedo casarme con un chico normal. Podría comérmelo sin querer una noche de luna llena o algo así.

Wren le devolvió la sonrisa con una de su propia cosecha mientras se enderezaba para abrazarla. Le tomó la cara entre las manos y le dijo:

—No necesitas esperar a la luna llena, Maggie. Yo seré tu cena siempre que tengas hambre.

Lo estrechó con fuerza y soltó una carcajada. Ese era el momento más feliz de toda su vida.

Hasta que recordó algo.

—No podremos tener hijos, ¿verdad?

Wren se apartó y meneó la cabeza.

—Siempre nos quedará la adopción. Si a ti no te importa, claro.

—No me importa. ¿De verdad que a ti tampoco?

—No. Me basta con tenerte a mi lado para ser feliz.

Le aferró la cabeza y tiró de él para darle un tórrido y electrizante beso.

Ya solo le quedaba encontrar la manera de explicárselo todo a su padre…

16

Dos días después

Acompañado por Maggie, Wren atravesó las puertas del Santuario como si el lugar le perteneciera. Era muy raro estar de vuelta después de todo lo sucedido. Tenía una extraña sensación de *déjà vu* que no terminaba de quitarse de encima.

Había pasado veinte años de su vida limpiando mesas en ese sitio y ni una sola vez lo había considerado su hogar. Nunca había pensado en el mundo que había más allá de esas cuatro paredes. Había vivido como un recluso, como un ser vacío.

Pero en ese momento tenía una nueva vida por delante con una nueva familia. Maggie, Marvin y su padre. En cierta forma era aterrador, pero estaba ansioso por comenzarla. Tenía la sensación de que había vuelto a nacer. El antiguo Wren había desaparecido y en su lugar estaba un hombre que sabía lo que quería.

A la mujer que estaba a su lado.

Con el corazón desbocado y sin soltar a Maggie, se acercó a Dev, que estaba sentado junto a la puerta principal como de costumbre.

—Bienvenido —dijo el oso como si no hubiera pasado nada.

—Claro —replicó él con voz burlona—. No te preocupes, no voy a quedarme. Solo vengo a recoger a Marvin, a menos que os lo hayáis comido, cabrones.

Los ojos de Dev adquirieron un brillo risueño.

—Rémi lo intentó, pero ese bicho es muy escurridizo. Lleva escondido en la habitación de Aimée desde entonces.

El comentario no le hizo ninguna gracia. Sin mediar más palabras entró en el bar con Maggie y siguió hasta la cocina, camino de la puerta de acceso al hogar de los Peltier. Como era habitual, allí estaba Rémi con el ceño fruncido.

—No me toques las narices, oso —masculló en respuesta a la expresión intimidatoria—. Quita ese culo de en medio si no quieres que te lo patee.

Rémi cruzó los brazos por delante del pecho y lo miró sin achantarse, echando chispas por los ojos.

—Déjalo pasar, *mon ange.*

Cuando miró por encima del hombro, vio a Nicolette detrás. Su semblante era estoico, pero por primera vez no percibió animosidad en ella.

Rémi se quedó pasmado al escuchar las palabras de su madre.

—Pero ella...

—Tiene permiso para acompañarlo —lo interrumpió Nicolette—. Ahora es una de los nuestros.

Wren inclinó la cabeza antes de mirar a Rémi con sorna. El oso tenía ganas de pelea, pero por suerte para él, se apartó.

Abrió la puerta y dejó que Maggie pasara primero. Seguía sin fiarse de los osos, de modo que no quería perderla de vista mientras estuvieran allí para asegurarse de que nadie le hacía daño.

Lo los siguió al salón.

—Siento lo que ha pasado, tigre.

Soltó una carcajada amarga al escucharla.

—No, no lo sientes.

Nicolette lo obligó a detenerse cuando llegaron a la escalera.

—Ha sido todo culpa tuya, lo sabes, ¿no? Nunca has sido uno de los nuestros.

—Te refieres a que nunca he sido una de tus marionetas. —Meneó la cabeza—. No, Lo, nunca lo he sido. A diferencia de los otros idiotas que darían su vida por ti, yo sé la verdad. Haces lo que tienes que hacer, pero en el fondo no nos quieres aquí. No somos nada para ti salvo un medio para conseguir tus fines. Y en cierta manera casi te respeto por eso. Es la teoría de Darwin. O te comes al oso o el oso te come a ti. Y yo tengo toda la intención de comerme a los demás, no de dejar que me coman. —Alzó la vista hacia Maggie, que ya estaba en el primer escalón, y se percató de que lo miraba con orgullo—. Le debo mi lealtad a una sola persona.

Nicolette asintió con la cabeza.

—Lo entiendo. Y nuestras leyes siguen en vigor. Puesto que te han perdonado...

—No te molestes, Lo. Mi parte humana me impide correr un tupido velo sobre lo que ha pasado. Me traicionaste, y eso no es algo que se pueda olvidar. Ahora tengo mucho que perder.

Nicolette inclinó la cabeza.

—En ese caso comprenderás que te pida que te vayas.

—Solo he venido a por el mono.

—Pues cógelo y vete.

—Créeme, eso es lo que pienso hacer. —Se encaminó escaleras arriba detrás de Maggie. La condujo por el pasillo hasta la habitación de Aimée, a cuya puerta llamó.

—Adelante.

Abrió la puerta y al entrar vio a la osa en forma humana sobre la cama, viendo la tele. Marvin dejó caer el plátano que tenía en las manos y echó a correr hacia él entre chillidos. Cuando llegó a su lado, saltó a sus brazos.

Lo abrazó con fuerza mientras se echaba a reír.

—Hola, colega —dijo mientras el mono se colgaba de su cuello con fuerza—, yo también te he echado de menos.

A juzgar por la expresión de Aimée, se dio cuenta de que le sorprendía verlo.

—Gracias por cuidar de él.

—Ha sido un placer.

Cuando hizo ademán de marcharse, Aimée lo detuvo.

—Tengo unas cosas para ti.

Frunció el ceño al ver que se arrodillaba y sacaba una bolsa de plástico de debajo de la cama.

—Es lo poco que dejaste.

Se quedó pasmado al ver la sudadera que Maggie le había regalado junto con el resto de su ropa.

—Sé lo cuidadoso que eres con tu olor, así que lo cerré al vacío.

Sintió una infinita ternura hacia la osa. A diferencia de su madre, Aimée era humana, y por primera vez no creía que eso fuera un insulto.

—Gracias, Aimée.

—No hay de qué —contestó ella con una sonrisa.

—¿Cómo le va a Fang? —preguntó Maggie.

La tristeza embargó a la osa al tiempo que apartaba la mirada.

—No lo sé. Ya no me dejan verlo. Me tienen vigilada. Todo el tiempo.

Se compadeció de ella. No podía imaginarse lo que se sentía cuando te impedían estar con la persona amada. Mataría a cualquiera que se interpusiera entre Maggie y él.

—Lo siento muchísimo.

Una sonrisa agridulce apareció en los labios de Aimée cuando volvió a mirarlos.

—No lo sientas. Me habéis dado esperanza.

—¿Esperanza de qué? —quiso saber.

—De futuro. —Aimée le dio un beso fugaz en la mejilla—. Cuidaos mucho.

—Tú también —replicó, asintiendo con la cabeza.

Marvin saltó de su hombro al de Maggie y le revolvió el pelo antes de darle un beso en la frente.

Ella se echó a reír.

—Creo que le gusto.

—Más le vale —comentó él con sorna. Miró de nuevo a Aimée—. Buena suerte, osa.

—Gracias, cachorro.

Abrazó a Maggie y la llevó de vuelta a casa.

No, ya no era la casa de Maggie, era la de los dos.

Por fin tenía un hogar. Después de todo ese tiempo por fin había encontrado el lugar al que pertenecía. Lo invadió una felicidad abrumadora, una felicidad que solo había conocido en un lugar…

En los brazos de Maggie.

—Pobre Aimée —dijo ella mientras buscaba por la cocina los cuencos de Marvin—. ¿Crees que encontrará la manera de poder estar con Fang?

—No lo sé. Para estar con él tendría que abandonar a su familia. Y dudo mucho que lo haga.

Marguerite suspiró con expresión soñadora cuando Wren se colocó detrás de ella mientras Marvin jugaba con el agua de su cuenco. Apoyó la frente contra su mejilla y se dejó abrazar. Su olor la rodeó y la excitó.

Todo era perfecto. O se le acercaba mucho. A causa de su viaje en el tiempo había perdido una semana de clases. Sin embargo, gracias a la ayuda del profesor Alexander, había sido capaz de recuperarla sin ningún problema y sin suspender.

Habían decidido que terminaría ese último semestre de Derecho y que después viajarían un tiempo antes de pensar en presentarse al examen del colegio de abogados.

Una idea que le sonaba a gloria.

Mientras Wren la abrazaba observó a Marvin, que estaba explorando los cajones de la cocina.

—¿De dónde salió Marvin?

Sin mirarlo, supo que Wren estaba sonriendo.

—No lo sé. Estaba en el coche de Savitar cuando me salvó. Ha estado conmigo desde aquella noche.

—Es monísimo. —Suspiró al sentir la erección de Wren contra la cadera mientras le acariciaba el cuello.

—Marvin —lo escuchó decir con voz ronca—, ve al dormitorio y cierra la puerta.

El mono chilló antes de obedecerlo.

—Chico listo —dijo ella con una carcajada.

—Ajá —musitó Wren contra su garganta antes de lamerle la piel.

El fuego de la pasión comenzó a correr por sus venas en cuanto le subió la minifalda de cuero y la acarició.

—Vaya, vaya, eres un tigre muy hambriento, ¿no? —dijo cuando Wren le bajó las braguitas.

—Insaciable.

Vio que se desabrochaba los pantalones antes de subirle la falda hasta la cintura y colocarla sobre la encimera.

Siseó al sentir que la penetraba hasta el fondo.

Le rodeó la cintura con las piernas mientras él comenzaba a moverse. Le encantaba sentirlo tan adentro. Le encantaba saber que era suyo y de nadie más. No había nada comparable a él.

Lo apretó con fuerza cuando se corrió.

Wren gruñó al sentir que se estremecía entre sus brazos. Nada era tan importante para él como esa mujer. Comenzó a penetrarla más deprisa hasta que se reunió con ella en el paraíso.

La pegó contra su cuerpo y sintió que su aliento le quemaba la piel. Sus cuerpos seguían unidos. Le encantaba sentirla tan cerca. Estaba dispuesto a hacer cualquier cosa por ella.

—¿Te importa si me quedo dentro de ti todo el día?

—En absoluto —contestó después de ronronear como una gata.

La vio morderse el labio al tiempo que comenzaba a moverse contra él hasta que se la puso dura de nuevo. Alzó las manos con un gruñido y comenzó a desabrocharle la camisa de seda. Sonrió al darse cuenta de que no llevaba sujetador.

—Sé cuánto los detestas —adujo ella como si pudiera leerle la mente.

Le sonrió antes de bajar la cabeza para lamerle un pezón.

Marguerite gimió al sentir el lento roce de su lengua alrededor del pezón. Con cada lametón sus músculos se contraían, acercándola una vez más al orgasmo.

Estaba a punto de correrse otra vez cuando escuchó chillar a Marvin.

Wren se salió de ella y soltó una burrada.

—¿Qué pasa? —preguntó, temerosa de que alguien más quisiera verlos muertos.

—Dice que viene alguien.

Frunció el ceño al escucharlo. No esperaba visitas. Ya le había dicho a Todd, a Blaine y a los demás que pasaba del grupo de estudio.

¿Quién podría ser?

Se abotonó la camisa mientras Wren se abrochaba los pantalones. Se estaba poniendo bien la falda cuando alguien llamó a la puerta.

Miró a Wren con el ceño fruncido y fue a abrir. En cuanto lo hizo experimentó el apremiante deseo de cerrarla de golpe.

Era su padre, flanqueado por dos agentes del servicio secreto. Los tres llevaban trajes negros. Una estampa memorable, allí en su umbral.

—Genial —dijo entre dientes—, son los Hombres de Negro.

Su padre le lanzó una mirada furiosa.

—No te pases de lista conmigo, niña. ¿Tienes idea de lo que has interrumpido? No tengo tiempo para venir a averiguar por qué has dejado la universidad y por qué me has dejado colgado.

Soltó un suspiro hastiado y lo miró con exasperación. Tras dejar la puerta abierta, regresó como si nada al salón y se colocó junto al escritorio sin añadir nada más. Miró a Wren diciéndole sin palabras que se encargaría de la situación.

—¿*Estás segura?* —le preguntó él de forma telepática.

Asintió con la cabeza aunque percibía que Wren se estaba impacientando con su padre, el cual puso mala cara mientras entraba flanqueado en todo momento por los agentes.

—¿Y qué llevas puesto, Marguerite? Pareces una prostituta.

Se miró la minifalda negra y los tacones. Había comprado la ropa el día anterior después de que Wren le dijera lo mucho que le gustaban sus piernas. Vale que la camisa de seda borgoña era un poco ajustada, pero no en exceso. No parecía una prostituta ni muchísimo menos.

De modo que el comentario la hizo hervir de furia. Ya no tenía trece años y él ya no controlaba su vida.

—Sí, pero la pregunta, papá, sería si parezco una puta barata o una de lujo.

—Ninguna de las dos —gruñó Wren, arrancándole una sonrisa.

Su padre torció el gesto al ver a Wren.

—¿Este es el ayudante de camarero con el que has estado tonteando por ahí?

Se acercó a Wren y él la abrazó con fuerza.

—Sí, papá. Este es mi camarero y estoy enamorada de él. Vamos a casarnos a finales de mes.

Su padre dio un paso hacia ella con gesto furioso.

Sintió que Wren se tensaba, dispuesto a pelear.

—*Lo tengo controlado, cariño, deja que me encargue yo* —le dijo sin palabras.

Wren se relajó... un poco al menos.

—¿En qué coño estás pensando? —gritó su padre.

Se negaba a darle la menor explicación.

—Es mi vida, papá, y de ahora en adelante voy a vivirla. Me encantaría que formaras parte de ella, pero si no puedes, no pasa nada. Se acabó lo de intentar complacerte.

El apuesto rostro de su padre se crispó.

—Escúchame bien, jovencita. Da la casualidad de que soy yo quien controla tu vida. El coche, la casa, la matrícula de la universidad salen de mi bolsillo... Ni siquiera puedes pagar la factura del móvil. Si te casas con este desgraciado, tendrás que marcharte. Te desheredaré tan rápido que no te darás ni cuenta.

—Vale —replicó con voz indiferente—. Pues nos mudaremos.

Su padre parecía estar a punto de sufrir un ataque.

—¿Y adónde iréis? Espera, se me olvidaba. A cualquier sitio donde necesiten a un chico para limpiar mesas. Piénsatelo bien, Marguerite, no seas tonta. No tires tu vida por la borda por un don nadie al que conociste en un bar. Del amor no se vive. No te dará de comer ni te protegerá.

—Ahí te equivocas, papá. Wren es capaz de mantenerme a salvo y eso es lo que hará.

—¡Joder! —exclamó con el rostro demudado por la ira—. Después de todo lo que he hecho por ti... de todo lo que te he dado... ¿Cómo te atreves a escupirme a la cara? ¿Y para qué? ¿Esta es tu forma de vengarte de mí?

—Esto no tiene nada que ver contigo, papá. Es entre Wren y

yo. Tú no tienes nada que ver con el hecho de que esté enamorada de él. Nada.

Los miró con los ojos entrecerrados.

—Quiero que os larguéis de esta casa mañana mismo.

—Vale.

—No voy de farol, Marguerite —le advirtió con semblante pétreo—, ni tampoco estoy bromeando. Prefiero verte de patitas en la calle antes que permitir que tires tu vida por la borda. Voy a cancelar tus tarjetas de crédito en cuanto salga de aquí y voy a liquidar tu cuenta corriente. Dentro de unas horas te quedarás sin nada.

Se apoyó en Wren y lo miró a la cara mientras escuchaba a su padre.

—¿Dónde te apetece que vivamos, cariño? ¿Qué patético cuchitril prefieres?

Wren se encogió de hombros.

—Bueno, tenemos la propiedad del norte de Escocia, pero es un sitio muy frío y ya sabes que el frío no me va. Tenemos otra en un parque natural en Sudáfrica. Una isla en el Pacífico que parece que es muy bonita. Nunca he estado allí, pero a mi madre le encantaba y mi padre dice que es toda nuestra cada vez que nos apetezca. No es muy grande, solo tiene unos quince kilómetros cuadrados. Pero es nuestra. Y también está el yate que tenemos en las Bahamas. —Se detuvo en ese punto—. Bueno, es un yate, cierto, pero tiene diez camarotes, así que es casi como una casa. Luego están las dos últimas plantas del edificio Tigarian, pero eso sería como vivir encima de la tienda, ¿no te parece? Además, la ciudad es demasiado ruidosa. —Chasqueó la lengua mientras pensaba—. Aunque ahora que lo pienso, si quieres acabar la carrera, creo que deberíamos comprar esa casa en el Garden District que tanto te gusta.

—¿Te refieres a la mansión de tres plantas con piscina?

Asintió con la cabeza.

—Sí. Además, ¿cuánto costaba? ¿Cuatro millones y medio? Eso no es nada. Pondré a mi contable manos a la obra y será nuestra mañana mismo.

Su padre los miraba con los ojos desorbitados.

—¿Qué tonterías estáis diciendo?

—No son tonterías, papá. Es la verdad.

Su padre seguía negándose a creerlo.

—Está mintiendo, Marguerite. Espabila de una vez y abre los ojos.

—Tengo que hacerte una pregunta, papá —le dijo, enarcando una ceja—. Sé lo mucho que te interesa dorarle la píldora al senador Laurens para conseguir que contribuya a tu campaña porque, como sueles decir, tiene más dinero que Creso. ¿Sabes de dónde saca su familia el dinero?

—Por supuesto que lo sé. Son accionistas del emporio Tigarian.

Asintió con la cabeza.

—¿Quieres conocer al hombre que posee el cincuenta y dos por ciento de esas acciones?

—Es imposible —replicó boquiabierto.

Le sonrió.

—No, papá, de imposible nada. Te presento a Wren Tigarian. El dueño de todo el pastel.

Era la primera vez que veía a su padre quedarse sin palabras.

Se giró e hizo algo increíblemente vulgar: silbar para llamar a Marvin. En cuanto tuvo al mono en brazos, se apartó de Wren y cogió las llaves de la encimera.

Con una confianza que jamás había sentido, se acercó a su padre y le tendió las llaves.

—No te ofendas, papá, pero no quiero la vida que me has dado. Quiero la que voy a construir con mis propias manos... y con las de Wren. Eres bienvenido si quieres formar parte de ella. Pero se acabó lo de controlarme. —Le apretó los dedos en torno a las llaves—. Te quiero, papá, y me gustaría que formaras parte de mi futuro. Pero si no puedes, no voy a hacer nada. Ya no soy una niñita que se asusta por la posibilidad de avergonzarte. Soy Maggie Goudeau y sé lo que quiero. Cuando decidas que puedes quererme y aceptarme sin condiciones, llámame.

Le soltó la mano y se volvió para coger la de Wren. Por primera vez en la vida se sentía libre. Feliz. El futuro se extendía ante ella con una inmensidad que la habría aterrado pocas semanas antes.

Pero desde ese momento podía disfrutar del desafío que representaba.

Esperaba que su padre la llamara mientras salían, pero no lo hizo.

Daba igual. Su padre necesitaría tiempo y ella tenía... siglos por delante, literalmente.

Se metió en el Mustang vintage rojo de Wren sin echar la vista atrás y se colocó a Marvin sobre el regazo.

—¿Estás segura de esto? —le preguntó él una vez que estuvo al volante.

—Absolutamente.

Wren le cogió la mano y le dio un beso en la palma.

—Bueno, ¿adónde vamos?

Se lo comió con los ojos.

—Voto por buscar un hotel tranquilito donde terminar lo que mi padre ha interrumpido.

Wren sonrió con picardía al escucharla.

—Vaya, vaya... creo que mi tigresa tiene un buen plan.

En ese momento miró hacia atrás y vio a su padre en el porche, observándolos mientras se alejaban, lo que le borró la sonrisa de la cara. La niña pequeña que llevaba dentro quiso correr hacia él y abrazarlo.

Pero ya no era esa niña y hasta que su padre no lo aceptara, no tenían nada más que decirse.

Adiós, papá, se despidió en silencio.

Ojalá su padre recuperara el juicio algún día. Pero ese no era su problema. Se negaba a seguir siendo su prisionera. Más animada con esa decisión, se miró la palma, donde seguía sin haber ninguna marca.

—¿Wren? ¿Crees que alguna vez estaremos emparejados?

Él la miró de reojo.

—Ya lo estamos, Maggie. No necesito que ninguna marca externa me diga lo que ya sé.

Lo miró con una sonrisa.

—Te quiero.

Él extendió el brazo y le cogió la mano.

—Yo también te quiero, nena.

Y ese era el mayor milagro de todos.

—¿Estás seguro de que todavía quieres casarte conmigo? ¿Suegro perverso incluido?

Lo escuchó resoplar.

—Eso no me asusta. Si no se comporta, siempre puedo comérmelo.

La respuesta le arrancó una carcajada.

—Vale, al menos así sabré lo que pedir en el menú de la boda. Cabeza de senador. Genial.

Aunque compartió sus risas, Wren era consciente de la tristeza que embargaba a Maggie y sería capaz de matar a su padre solo por eso. No le entraba en la cabeza que pudiera ser tan capullo con su única hija. Si alguna vez tenía hijos, se aseguraría de que nunca dudaran de su amor.

Claro que eso no la ayudaba en absoluto.

—Todo se arreglará, Maggie, confía en mí.

—Ya lo hago.

Le dio un apretón en la mano antes de soltarla y dirigirse al Barrio Francés. Se detuvo en un semáforo, la miró y se hizo una promesa. Tal vez su padre no la quisiera, pero él le demostraría su amor de tal forma que jamás sentiría la ausencia del de su padre.

Y era una promesa que valía su peso en oro.

Epílogo

Un mes más tarde

Marguerite miró a Wren con una sonrisa. Estaban en el pequeño jardín trasero de su nueva casa, emplazada en el Garden District. Hacía un poco de bochorno, de ahí que hubiera decidido casarse con un sencillo vestido de cóctel con escote palabra de honor. Llevaba el pelo recogido y adornado con florecillas blancas, pero no llevaba velo.

Wren estaba para comérselo, aunque demasiado abrigado con el chaqué negro y la corbata para la temperatura que hacía. Era la primera vez que no llevaba el pelo sobre los ojos. De hecho, se lo había peinado hacia atrás.

«Estoy segurísimo de lo que voy a hacer y quiero verlo todo bien.»

Eso le había dicho poco antes, y todavía sentía la emoción que la embargó al escuchar esas palabras.

Había pocos invitados. Elise, Whitney, Tammy, Vane, Bride (que llevaba a su hijo en brazos), Fury, Fang, Aristóteles y, por su puesto, Marvin, vestido con un esmoquin a medida, ya que hacía las veces de padrino.

Habían invitado a su padre, pero al parecer estaba demasiado ocupado para asistir. Su ausencia no le importaba.

Además, no quería que nada le estropeara el día. Prefería que no estuviera antes que verlo presente poniendo mala cara.

Wren le besó el dedo anular, donde llevaba una sencilla alianza de oro, antes de besarla en los labios una vez que el sacerdote los declaró marido y mujer. En parte la cosa tenía su gracia, ya que últimamente se comportaban más como tigre y tigresa, pero esa era otra historia...

En cuanto Wren la soltó, sus amigas se acercaron para darle la enhorabuena. Las abrazó mientras los lobos se burlaban de Wren.

—Ahora estás como Vane, atado para toda la eternidad —dijo Fury fingiendo un escalofrío—. Tío, eres tonto. A diferencia de Vane, no tenías motivo para hacerlo...

—Cierra la boca, Fury —le ordenó Vane con una carcajada—, o llamo a Bride.

—Eso —convino la aludida al tiempo que dejaba al niño en brazos de su padre—. Conozco a cierto demonio a quien le encanta la carne de lobo a la barbacoa...

Todos se echaron a reír salvo Elise, Tammy y Whitney, que se habían quedado a dos velas.

Cuando entraron en casa para disfrutar del banquete, se quedó de piedra al ver a Savitar en el pasillo. Vane lo miró con una ceja enarcada. Savitar llevaba unos pantalones blancos holgados y una camisa hawaiana blanca y azul desabrochada, que dejaba al descubierto la tableta de chocolate que tenía por abdominales...

—¿Es que no tienes otro estilo de ropa?

Savitar se encogió de hombros.

—Cualquier otra cosa me molesta. Además, es fácil de poner... y de quitar.

Ella frunció el ceño al escucharlo.

—Calla, calla... Demasiada información.

—Estoy contigo —dijo Wren mientras Vane meneaba la cabeza y seguía a los demás hacia el comedor.

En cuanto se quedaron solos, Wren miró a Savitar con el ceño fruncido.

—Bueno, ¿a qué debemos este honor?

Savitar esbozó una sonrisa torcida.

—Siento estropearos el momento con mi presencia, pero será solo un momento.

—No hace falta que te vayas tan rápido —se apresuró a decir ella.

—Tenemos comida de sobra si quieres quedarte —convino Wren—. Tendríamos que haberte invitado, pero no creí que te gustaran las bodas.

—Y no me gustan —le aseguró Savitar con sorna—. Pero quería traeros un regalo de parte de un amigo.

El comentario aumentó la confusión de Wren.

—No hace falta.

—Lo sé, pero quiero hacerlo. —Sin añadir nada más, Savitar le cogió la mano derecha, hizo lo mismo con la de Maggie, las unió y las apretó con fuerza entre las suyas.

Marguerite sintió un súbito escozor. Al apartar la mano descubrió que tenía un intrincado tatuaje en la palma.

—¿Qué...?

—Es una marca de emparejamiento —le explicó Wren en voz baja, apartando la mirada de su mano para enfrentarse a Savitar—. No lo entiendo. ¿Es de verdad?

Savitar asintió con la cabeza.

—No me fío de las Moiras. Esas tres zorras tienen un sentido del humor muy retorcido, y no me apetece ver cómo te emparejan con otra para vengarse. Además, estoy seguro de que os gustaría tener hijos algún día. —A sus ojos asomó una enorme tristeza, aunque desapareció enseguida—. Todo el mundo debería tener la oportunidad de ver crecer a sus hijos.

Wren estaba horrorizado.

—Pero no se puede cambiar el destino...

Savitar esbozó una sonrisa maliciosa.

—Tú no puedes, cachorro, pero yo hago lo que me da la gana. Que les den a las Moiras. Si quieren venir a buscarme, aquí estoy. Me importa una mierda lo que piensen. Además, ellas saben muy bien a quién dejar tranquilo. —Les guiñó un ojo—. Disfrutad de vuestra vida. Yo voy a ver si me relajo pillando unas cuantas olas.

Cuando desapareció, ella todavía seguía boquiabierta. Se frotó la marca con la mano izquierda.

—¿Es real?

Wren le cogió la mano.

—Creo que sí.

—Eso quiere decir que podemos tener niños…

—Solo hay una manera de averiguarlo —sugirió él, arqueando las cejas y sonriendo de forma muy provocativa y seductora—. Voto por que nos olvidemos del banquete y salgamos de dudas.

Se echó a reír al ver la expresión ansiosa de su rostro.

—Eres malísimo.

—No puedo evitarlo —susurró él con voz ronca mientras se la comía con los ojos—. Estás para comerte con ese vestido.

—Sin embargo, tuvo que apartarse cuando escuchó que alguien carraspeaba.

Se puso roja como un tomate cuando vio a Aristóteles en la puerta, que los miraba meneando la cabeza.

—Nosotros también tenemos hambre, ¿os importa que empecemos a comer sin vosotros?

Wren dio un respingo.

—Lo siento, papá. Ya vamos.

Su padre lo miró como si no lo creyera.

Iban de camino al comedor cuando el timbre de la puerta los volvió a detener.

Intercambiaron una mirada sorprendida.

—No es de los míos —dijo Wren—. Nosotros no llamamos a la puerta.

El comentario hizo que pusiera los ojos en blanco.

—Será un mensajero. ¿Te parece que lo añadamos al menú por interrumpirnos?

Wren se echo a reír.

—No sé. Creo a tus amigas no les gustaría mucho. —Se encaminó a la puerta.

Vio que la abría y se tensaba al punto.

Extrañada por su reacción, se acercó a él justo cuando abría del todo. Se quedó de piedra al ver a su padre, que parecía un tanto avergonzado.

Wren se apartó para dejarlo entrar y en cuanto su padre la vio, su semblante se relajó aunque no tardó en poner cara de desilusión.

—Siento llegar tarde, cielo —se disculpó—. Intenté por todos los medios llegar a tiempo, pero tuvimos sesión plenaria en el Congreso y ha hecho tan mal tiempo que retrasaron el vuelo. He llegado lo antes posible.

No sabía si estaba más sorprendida por la disculpa o por el uso de un apelativo que llevaba sin escuchar desde que era pequeña.

—No pasa nada, papá.

—Sí que pasa. —Carraspeó antes de sacar una cajita del bolsillo de su abrigo—. Tenía la intención de mandártelo por correo, pero luego pensé que sería mejor dártelo en persona. —Le dio la caja.

La miró con el ceño fruncido. Era un estuche antiguo al estilo de los años cincuenta, en color azul claro.

—¿Qué es?

—Las perlas de tu abuela. Tu madre se las puso el día de nuestra boda y quería que te las pusieras en la tuya.

Se le llenaron los ojos de lágrimas. Hacía años que su padre no hablaba de su madre de esa manera.

Wren se acercó a ella y le colocó la mano en la espalda para reconfortarla mientras abría la caja y dejaba al descubierto un collar de perlas blancas y los pendientes a juego.

—Son preciosas.

Su padre inclinó la cabeza.

—Como tu madre... y como tú.

Le temblaron los labios, comenzó a llorar y después hizo algo que no hacía desde la muerte de su madre: abrazó a su padre.

Por primera vez desde que tenía uso de razón, su padre no se tensó ni se apartó. Le devolvió el abrazo y la estrechó con fuerza.

—Te quiero, papá —susurró contra su mejilla.

—Yo también te quiero, Marguerite. —La apretó con más fuerza un segundo antes de apartarse un poco y limpiarle las lágrimas. Su sonrisa estaba teñida de tristeza—. Siento no haber estado aquí para llevarte al altar. Al menos debería haber llamado.

—No pasa nada.

Wren sacó las perlas de la caja e hizo ademán de colocárselas, pero su padre se lo impidió.

—Tienes el resto de su vida para hacerlo. Si no te importa, esta vez me gustaría poder hacerlo yo.

—Claro —accedió Wren al tiempo que le tendía las perlas.

Ella sorbió por la nariz de manera nada elegante cuando sus miradas se encontraron. El amor que vio en esas profundidades azul turquesa le aligeró el corazón.

Su padre le colocó el collar y luego se puso delante de Wren.

—Sé que me he comportado como un imbécil con vosotros, pero soy lo bastante maduro como para admitir mis errores. —La miró—. Eres mi hija, Marguerite, y si este hombre te hace feliz, no puedo desear nada mejor. Durante estas semanas he estado reflexionando mucho sobre lo que me dijiste y quiero formar parte de tu vida… si me dejas.

—Claro que sí, papá. Pase lo que pase siempre serás mi padre.

Su expresión se suavizó hasta que volvió a mirar a Wren.

—¿Te parece que enterremos el hacha? ¿Se acabaron los resentimientos?

Contuvo el aliento mientras esperaba la respuesta de Wren. Lo vio titubear un poco antes de estrechar la mano que le ofrecía su padre.

—Me parece estupendo, siempre que no vuelva a hacerla llorar a menos que sea de felicidad.

—No te preocupes —replicó su padre, cubriendo la mano de Wren con la que tenía libre—. No tengo intención de volver a hacerle daño.

Y una vez más, alguien carraspeó. Se giró y vio a Aristóteles en la puerta.

—¿Es que no vamos a comer nunca? —preguntó su suegro.

Soltó una carcajada.

—Ahora mismo —respondió antes de presentarle a su padre.

Cuando por fin se reunieron con los invitados, se sintió invadida por una dulce felicidad.

—¿Estás bien? —le preguntó Wren cuando la cogió de la mano para llevarla hasta la mesa.

—Estaba pensando que me encantaría que mi madre estuviera aquí.

—Estoy seguro de que nos está mirando con una sonrisa.

Le dio un beso en la mejilla. Aunque pareciera raro, tenía la sensación de que Wren decía la verdad y en ese momento se dio cuenta de que el día era perfecto.

Y de que tenía que darle las gracias a una persona. Una persona a la que pensaba agradecérselo todos los días de la vida que iban a compartir. Le dio un apretón en la mano y dejó que le retirase la silla antes de sentarse a su lado.

Cuando comenzaron a comer, le sonrió. Tal vez no volvieran a disfrutar de otro día perfecto, pero tenían ese. Y mientras Wren estuviera a su lado, sabía que no importaba lo que les deparase el futuro, porque siempre lo enfrentarían de esa manera. Juntos.

El semblante de Savitar se tornó inescrutable a medida que se acercaba a la solitaria figura que, sentada en la playa, contemplaba las olas. Vestido con una camisa hawaiana muy hortera y unas bermudas, el hombre de cabello oscuro estaba tendido de espaldas en la arena, apoyado en los codos y pensando en las musarañas.

Savitar conocía de primera mano esa expresión ausente. Era la misma que él solía tener en muchas ocasiones. Y también era el motivo por el que la playa era el único lugar que le ofrecía un poco de consuelo.

El océano, al igual que el tiempo, era infinito y cambiante. Extenso. Vacío. Sobrecogedor.

Cruzó los brazos por delante del pecho y se acercó al hombre.

—Les he dado tu regalo.

Nick Gautier levantó la vista para mirarlo. A juzgar por su expresión, supo que tardó un momento en asimilar sus palabras.

—Gracias, Savitar.

—De nada. Son buenos chicos.

Nick asintió con la cabeza mientras sus labios esbozaban una sonrisa triste.

—Jamás creí que Maggie tuviera lo que hay que tener para luchar por su futuro. Ni tampoco Wren. Es bueno ver a tus amigos felices y contentos, ¿no?

Resopló al escuchar esa pregunta.

—¿Cómo quieres que lo sepa? No tengo amigos. La gente suele ser un coñazo y los amigos acaban clavándotela por la espalda. Créeme.

—¿Y por qué estoy aquí?

—¿Y yo qué coño sé? —Pero no era verdad. Nick estaba allí porque Aquerón se lo había pedido, y Aquerón era uno de los poquísimos seres a quien no le negaría nada.

—Dime algo, Sav. ¿Serán…?

—Sí, serán felices y comerán perdices. No te preocupes. Criarán un montón de tigres y se acordarán de ti de vez en cuando. Joder, incluso le pondrán tu nombre a su primer hijo… Claro que será una niña, pero a la pequeña Nikki no le importará. Creerá que su nombre es la repera.

Aunque vio a Nick asentir con la cabeza, percibía su dolor. El muchacho no murió porque realmente lo quisiera, y su muerte lo había dejado muy tocado en más de un aspecto.

Pero la vida y la muerte seguían su curso. Y bien que lo sabía él.

—Vamos, chico —le dijo al tiempo que señalaba las olas con la cabeza—. A surfear.

Nick puso los ojos en blanco.

—¿Es que no vas a enseñarme nunca a ser un Cazador Oscuro?

—Claro, pero ahora mismo tengo cosas más importantes en la cabeza. Se acerca una de las gordas y quiero pillarla.

Nick suspiró mientras se levantaba de la arena. Savitar ya estaba vestido con un traje de neopreno y se abría paso entre las olas. Una tabla de surf apareció a su lado.

Estaba muy agradecido porque Savitar lo hubiera acogido, ya

que era incapaz de ver a Aquerón sin querer matar a ese cabrón por todo lo que había sucedido la noche que murió. Pero la verdad era que empezaba a estar harto de no hacer nada, de esperar a que comenzara su entrenamiento.

Su antigua vida había acabado. Lo sabía. Era imposible volver a lo que conocía. Era imposible volver a Nueva Orleans.

Al igual que Wren y Maggie, él también debía emprender una nueva etapa.

Una nueva etapa que estaba muy cerca. Una nueva etapa que se acercaba como una ola...

Glosario

abadonna: Tratamiento de cortesía en atlante. Su significado literal es 'el corazón de la destructora'.

acto de venganza: A cambio de sus almas, Artemisa les concede a los nuevos Cazadores Oscuros veinticuatro horas para que lleven a cabo su venganza contra aquellos que los han perjudicado en vida. Una vez que ese período llega a su fin, los Cazadores Oscuros pasan a formar parte de su ejército y Aquerón se encarga de entrenarlos.

adelfos: 'Hermano' en griego.

Agrotera, Katra (Kat): Doncella de Apolimia y Artemisa que ejerce de guardaespaldas de Cassandra Peters. Tiene una extraña afinidad con Aquerón y también es conocida como «la Abadonna». Artemisa la libera de su servicio en *Disfruta de la noche* para ayudar a Aquerón, de modo que solo sirve a Apolimia. «Agrotera» es otro de los nombres de Artemisa, cuyo significado es 'fuerza' o 'cazadora'.

akra: 'Señora' en atlante.

akri: 'Señor' en atlante.

akribos: Término cariñoso griego cuyo significado es 'precioso' o 'valioso'.

Alastor: Demonio que en ocasiones colabora con arcadios y katagarios para crear confusión. Bryani, la madre de Vane, lo convocó en *El juego de la noche* para que llevara a Bride a la Britania medieval.

Alexander, Grace: Psicóloga con los pies bien plantados en el suelo. Tiene la suerte (o la desgracia) de contar con Selena Laurens como mejor amiga. Es la mujer de Julian Alexander y la protagonista de *Un amante de ensueño.* Sí, su marido y ella son inmortales.

Alexander, Julian: Antiguo general griego que entrenó a Kirian de Tracia y luchó a su lado. Semidiós maldecido por su hermanastro Príapo a convertirse en un esclavo sexual. En la actualidad está casado con Grace Alexander y trabaja como profesor de Historia Antigua en las universidades de Loyola y Tulane. Es un Oráculo y el protagonista de *Un amante de ensueño*.

alexion: Término atlante que significa 'defensor'.

ambrosía y néctar: Respectivamente, comida y bebida de los dioses. Si un humano las prueba, se transforma en un semidiós inmortal.

Apolimia: Diosa atlante conocida como «la Gran Destructora». Protege y utiliza a los daimons spati y mantiene una guardia de treinta guerreros de élite llamados «Illuminati», además de los demonios carontes y los ceredones. Es la esposa de Arcón y la madre de Apóstolos. Lleva siglos encerrada en Kalosis, desde donde observa el mundo humano y a los otros dioses, aunque no puede influir sobre ellos. No obstante, conserva el control sobre los carontes.

apolitas: Raza creada por el dios griego Apolo. Mucho más hermosos y fuertes que los humanos. Fueron bendecidos con habilidades psíquicas. Apolo los adoraba y quiso que reemplazaran a la Humanidad. Fueron enviados a la Atlántida, donde se casaron con los atlantes nativos y sus razas se mezclaron. Hasta el día que la reina atlante de ascendencia apolita, presa de la furia, envió a sus soldados a matar a la amante humana de Apolo y a su hijo. En venganza, Apolo lanzó una triple maldición sobre ellos:

1. Tendrían que alimentarse unos de otros para poder sobrevivir por haber fingido que fueron bestias salvajes las que asesinaron a su amante. Para ello, se les concedieron largos colmillos y visión de depredador.
2. Jamás podrían caminar a la luz del día.
3. El día de su vigésimo séptimo cumpleaños (la edad con la que murió su amante), se desintegrarían lenta y dolorosamente a lo largo de un período de veinticuatro horas hasta convertirse en polvo. (Véase **daimons**.)

Hoy en día muchos de ellos están integrados en el mundo humano, aunque otros prefieren vivir en comunidades apartadas.

Apóstolos: Hijo de Apolimia. Es el Heraldo que ocasionará el fin del mundo.

Árbol de la Vida: Árbol de origen sobrenatural que solo crece en el jardín de la Destructora atlante. La savia de sus hojas es la única cura para el *ypnsi.*

Arcadios: véase **Cazadores Arcadios y Katagarios.**

Arcón: Equivalente atlante de Zeus. Hijo del Caos y creador del orden en el universo que su padre había creado. Pareja de Apolimia. También se le llama «Kosmetas» o 'regidor'. Ordenó la muerte de Apóstolos y encerró a Apolimia en Kalosis.

aristo: Arcadio con la singularidad de emplear la magia sin esfuerzo alguno. Los aristos son los más poderosos de su estirpe. En el reino arcadio se consideran dioses y son protegidos con celo por sus clanes.

Artemisa: Diosa griega de la caza y creadora de los Cazadores Oscuros. Pelirroja y temperamental, está obsesionada con Aquerón Partenopaeo y con su propia complacencia.

asesino: Cazador Katagario que sucumbe a la locura durante la pubertad al adquirir sus poderes mágicos y ser incapaz de controlarlos. Mata a cualquiera que se interponga en su camino sin demostrar piedad alguna. No hay cura para esta enfermedad, similar a la rabia. Los centinelas y los strati son los encargados de darles caza.

Asesino de la Luz: Mito que habla de un daimon o un apolita que es capaz de caminar bajo la luz del sol. (Véase **Tánatos.**)

Astrid: Hija de Temis y hermana de las Moiras. Es una ninfa de la justicia, una jueza imparcial que acude a la tierra para juzgar a los Cazadores Oscuros renegados. La justicia del Olimpo establece que una vez acusado, el Cazador debe demostrar su inocencia para hacerse merecedor de la clemencia de los dioses. Puesto que las acusaciones no se hacen a la ligera, Astrid solo ha encontrado culpables y comienza a perder la esperanza de que haya inocentes. Es la protagonista de *Bailando con el diablo* y está casada con Zarek de Moesia.

Atlántida, la: Antigua isla cuyos habitantes disfrutaban de una avanzada cultura y de su propio panteón de dioses. Se hundió en el mar Egeo hace once mil años.

Átropo: La mayor de las tres Moiras, responsable de cortar el hilo de la vida. Hija de Temis y hermana de Astrid. También conocida con el diminutivo de «Atri».

Brady, William Jessup: Véase **Sundown.**

Calabrax: Cazador Oscuro espartano o puede que dorio (predecesores de los espartanos). Uno de los tres primeros Cazadores Oscuros que Artemisa creó. Compañero de Kyros y de Ias.

Cálix: Apolita que en *Bailando con el diablo* busca vengarse de Zarek, a quien culpa de la muerte de su mujer. Es la última reencarnación de Tánatos.

Camulos: Dios galo de la guerra, obligado a jubilarse. Quiere reclamar su estatus como deidad.

caronte: Demonio muy antiguo que los dioses atlantes consiguieron someter. Temibles, poderosos e ingobernables, pueden vincularse con dioses, Cazadores o humanos como compañeros. Una vez vinculados, descansan en forma de tatuaje sobre el cuerpo de aquel que los acepta. Su apetito es legendario. Les encanta comprar, matar y se comen todo lo que encuentran a su paso. De temperamento volátil y muy peligrosos cuando están enfadados. Simi es el demonio caronte vinculado a Aquerón, y es como una hija para él.

Carvalletti, Otto: Escudero de Sangre Azul cuya familia tiene también lazos con la mafia italiana. Licenciado por la Universidad de Princeton. Lleva una telaraña negra tatuada sobre los nudillos de una mano. Al servicio de Valerio en Nueva Orleans, frente al cual finge ser un capullo maleducado y mal vestido para irritarlo.

Cazadores Arcadios y Katagarios: Un antiguo rey griego llamado Licaón se casó sin saberlo con una apolita que le ocultó lo que era hasta el día de su vigésimo séptimo cumpleaños, cuando murió de forma dolorosa. Al descubrirlo, el rey comprendió que sus dos hijos sufrirían el mismo destino que su esposa y que morirían del mismo modo cuando cumplieran los veintisiete años.

Para evitarlo, se rodeó de apolitas y comenzó a experimentar con ellos. Usando la magia, dividió su fuerza vital para unirla con la de varias razas animales (leones, dragones, aves rapaces, tigres, lobos, osos, panteras, chacales, leopardos, jaguares y guepardos) para crear criaturas híbridas.

La división creó dos tipos de seres: arcadios y katagarios. Los arcadios eran humanos que podían convertirse en animales y los katagarios, animales que podían convertirse en humanos.

Una vez que los experimentos llegaron a su fin, eligió a las criaturas más poderosas (lobos y dragones) y los unió a sus propios hijos. Cuando las Moiras descubrieron lo que había hecho, se enfadaron porque había desafiado sus designios y le exigieron que matara a sus hijos y al resto de las criaturas que había creado.

El rey se negó.

Como castigo, las Moiras decretaron que las dos especies libraran una guerra sin cuartel entre ellas, que jamás conocieran la paz. Que se persiguieran los unos a los otros por los siglos de los siglos.

A diferencia de sus primos apolitas, viven durante cientos de años, aunque comparten sus habilidades psíquicas. También poseen el poder de viajar en el tiempo y en el espacio además de su habilidad para cambiar de forma.

Las familias arcadias y katagarias son: Litarios (leones), Dracos (dragones), Gerakios (águilas y halcones), Tigarios (tigres), Licos (lobos), Ursos (osos), Panteros (panteras), Chacalos (chacales), Nifetos Pardalios (leopardos blancos), Pardalios (leopardos), Balios (jaguares) y Helikios (guepardos).

Arcadios y katagarios tienen una pareja elegida por las Moiras. Pocas horas después de que los miembros de la pareja mantengan relaciones sexuales, aparecen sendas marcas en las palmas de sus manos. A partir de ese momento tienen tres días para decidir si aceptan el emparejamiento o no. Si los dos lo aceptan, podrán tener hijos. Si no, ambos serán estériles durante el resto de sus vidas. Tras encontrar a su compañera, el miembro masculino de la pareja no podrá tener relaciones sexuales con nadie más. Ella, en cambio, sí podrá disfrutar del sexo pero no podrá tener hijos con ningún otro. (Véase *thirio*.)

Cazadores Oníricos: Hijos de los dioses griegos del sueño. Algunos nacieron de madres humanas, pero la mayoría son vástagos de la diosa Nix. También se les conoce como «oneroi». Hace mucho tiempo, uno de ellos engañó a Zeus quien, furioso, los maldijo a no sentir emoción alguna. De modo que solo experimentan emociones cuando se cuelan en los sueños humanos. A causa de la gran atracción que esto ejerce sobre ellos, solo se les permite visitar los sueños, no participar en ellos, y tienen prohibido visitar más de una vez a un humano en concreto.

Algunos prefieren mantenerse alejados por completo de los sueños salvo para vigilar a los suyos. Todos los Cazadores Oníricos llevan un prefijo delante de su nombre para indicar su papel.

1. M': identifica a los líderes que los gobiernan y controlan.
2. V': identifica a los que ayudan a los humanos con problemas para dormir o que sufren pesadillas.
3. D': identifica a los que ayudan a los dioses y a los inmortales. Siempre que se crea un nuevo Cazador Oscuro se envía a uno de ellos, ya que suelen sufrir de terribles pesadillas dado el horrible pasado que llevan a sus espaldas. El Cazador Onírico designado vigila y asiste al Cazador Oscuro a partir de ese momento.

El mundo de los Cazadores Oníricos es complejo, pero no es difícil de entender. Lo más importante es recordar que son dioses o semidioses. Su género puede ser masculino o femenino, y en su mayor parte suelen mantenerse apartados del mundo humano. Solo aparecen en los sueños más extraños, como amantes o demonios.

Se conocen casos en los que algunos de ellos se han enamorado del humano que sueña. A veces llegan al punto de incitar los sueños y alterarlos con el fin de reforzar las emociones que toman prestadas. Cuando esto sucede, se les denomina «skoti» y el resto de los oneroi los persigue para castigarlos por sus actos.

Sin embargo, muchos de ellos jamás son identificados ni capturados. Habitan nuestros sueños como íncubos o súcubos.

Cazadores Oscuros: Guerreros inmortales creados con aquellos que murieron por una injusticia. Cada vez que una persona muere de forma injusta, su alma clama venganza a gritos. Los gritos más poderosos llegan a las estancias del Olimpo. Cuando Artemisa los oye, les ofrece un trato: sus almas a cambio de hacerlos guerreros inmortales para luchar contra los daimons que intentan aniquilar y esclavizar a la Humanidad.

Una vez que se hace el trato, la diosa identifica al nuevo Cazador Oscuro con su marca, el arco doble y la flecha, y le permite ejecutar su Acto de Venganza. Aquerón Partenopaeo aparece después para ejercer de instructor y le asigna un destino. Los Cazadores Oscuros pasan la eternidad luchando contra los daimons y otros seres malévolos. Al igual que los daimons, tienen colmillos, los ojos muy sensibles a la luz y la prohibición de caminar bajo la luz del día. Solo pueden morir por la luz del sol, decapitados o despedazados. Quienes hayan leído *Bailando con el diablo* sabrán que también pueden ser aniquilados apuñalándolos sobre la marca de Artemisa. Sin embargo, Aquerón les oculta dicha información, dado que los prefiere concentrados mientras están luchando, no asustados. Si se supiera, llegaría a oídos de los daimons y estos encontrarían una forma fácil de acabar con ellos.

A cambio de sus servicios Artemisa les ofrece un salario y cuentan con la ayuda de sirvientes humanos. (Véase **Escuderos**.)

El único modo de escapar del juramento que los vincula a la diosa pasa por encontrar a una persona que los ame de verdad y que sea capaz de pasar la prueba decretada por Artemisa. Dicha persona debe coger el medallón que contiene el alma del Cazador y colocarla sobre el arco y la flecha hasta que el alma regrese al cuerpo. El medallón está tan caliente como la lava de un volcán y acabará desfigurando la mano de aquella persona que lo sujete. En caso de que caiga al suelo, el alma desaparece y el Cazador Oscuro acaba condenado a la dolorosa existencia de las Sombras. Si el medallón se mantiene en todo momento en contacto con la marca de Artemisa, el Cazador Oscuro recupera su existencia mortal y su alma, de modo que pude retomar su vida con la misma edad con la que murió.

centinelas: Miembros de los arcadios nacidos para ser los guardianes tanto de su estirpe como de los humanos. En cada familia nace un número muy reducido. Son los arcadios más fuertes, encargados de perseguir a los asesinos. Cuando llegan a la madurez, un colorido tatuaje les cubre la mitad de la cara, pero pueden hacerlo desaparecer a su conveniencia.

ceredón: Criatura con cabeza de perro, cuerpo de dragón y cola de escorpión. Apolimia los utiliza para su protección.

Cloto: Una de las tres Moiras. La hilandera que teje los hilos de la vida. Hija de Temis y hermana de Átropo, Láquesis y Astrid.

Código de los Cazadores Oscuros: Servir a Artemisa. No beber sangre. No dañar a humanos ni a apolitas. No liarse con su propio escudero. Romper todo contacto con la familia y con los amigos una vez muerto. No dejar ni un solo daimon con vida. Mantener en secreto el mundo de los Cazadores Oscuros. Vivir solo. Ocultar siempre la marca del arco doble y la flecha.

Corbin: Antigua reina griega que enviudó muy joven. Luchó para mantenerse en el trono de su difunto esposo y fue una reina muy querida. Su reinado se prolongó hasta que su cuñado hizo un pacto con una tribu bárbara que asoló la ciudad. Murió intentando salvar a sus sirvientes y a sus hijos.

Crono: Dios griego del tiempo.

Culto de Pólux: Apolitas que han jurado acatar la maldición de Apolo y morir como este estableció. No pueden suicidarse ni convertirse en daimons.

D'Alerian: Cazador Onírico u oneroi. Hijo de Morfeo. Sanador que ayuda a los Cazadores Oscuros. Es un hombre metódico y amante de las reglas. Observa constantemente a los Cazadores Oscuros para prestarles ayuda con rapidez cuando lo necesitan. Gran amigo de Aquerón.

daimons: Apolitas que se negaron a morir a los veintisiete años. Se ven obligados a robar almas humanas para prolongar artificialmente sus vidas. Sin embargo, una vez que un alma humana es robada de su cuerpo original comienza a morir, de modo que necesitan reemplazarlas de forma continua con nuevas víctimas. Siempre que alberguen un alma humana viva en su interior, sus vidas serán eternas. Todos los apolitas que albergan un alma humana son clasificados como daimons.

daimons agkelos: Aquellos que han jurado matar solo a los humanos que merezcan la muerte (asesinos y criminales).

daimons anaimikos: Aquellos que solo se alimentan de otros daimons.

Danger: Cazadora Oscura que murió durante la Revolución francesa. Es la protagonista de *Pecados de la noche*.

Dark-Hunter.com: Comunidad *online* habitada por Cazadores Oscuros y escuderos. Pasa por ser un sitio web de ciencia ficción y rol.

Desiderio: Peligroso semidiós entrenado como daimon spati que tiene una cuenta pendiente con la familia Devereaux. Aparece en *Disfruta de la noche* y en *Placeres de la noche*. Capaz de controlar la mente de los humanos y de lanzar descargas astrales.

Devereaux: Familia muy unida cuyos miembros femeninos tienen poderes mágicos. Las hijas del matrimonio Devereaux son: Esmeralda (Essie), Yasmina (Mina), Petra, Ekaterina (Trina), Karma, Tiyana (Tia, una sacerdotisa vudú), Selena (Lane, vidente y tarotista), Tabitha (Tabby, cazavampiros) y Amanda (Mandy, contable). (Véase también **Devereaux, Tabitha; Hunter, Amanda;** y **Laurens, Bill y Selena.**)

Devereaux, Tabitha: Miembro de la familia Devereaux que caza daimons. Es la dueña de La Caja de Pandora, un sex shop situado en Bourbon Street. Es empática, posee un temperamento volátil y una energía inigualable. Es la gemela de Amanda Hunter y está casada con Valerio Magno.

Dioniso: Dios griego del vino y los excesos que en la actualidad se entretiene haciendo opas hostiles. Suele adoptar la apariencia de un hombre alto de pelo castaño y perilla recortada. Aparece en *El abrazo de la noche.* Conducir no es lo suyo...

Divine, Maria: *Drag queen* amiga de Tabitha Devereaux. Le encantan los abrigos masculinos. Un Cazador Oscuro muy estirado la acompañó sobre la pasarela en una ocasión...

Doulos: Sirviente humano de apolitas y daimons.

Eda: Hermana de Arcón, diosa atlante de la Tierra.

electi: Término atlante que designa al «elegido».

Elisia: Ciudad subterránea y secreta donde los apolitas se ocultan de humanos y daimons por igual. Es una de las ciudades apolitas más antiguas de Estados Unidos. Es el hogar de Phoebe Peters. Aparece en *El beso de la noche.*

Eriksson, Christopher (Chris) Lars: Escudero de Wulf Tryggvason y descendiente directo del hermano de este. Puesto que es el único superviviente del linaje de Wulf, también es el único humano que puede recordarlo.

Eros y Psiqué: Respectivamente, dioses griegos del deseo sexual y del alma. Están casados y se les puede ver con frecuencia en el Santuario, jugando al billar o al póquer.

escuderos: Humanos que sirven a los Cazadores Oscuros. Aquerón los creó a fin de que los Cazadores pudieran aparentar cierta «normalidad». Cada Cazador Oscuro cuenta con los servicios de un escudero que por regla general vive en su casa, de la cual aparenta ser el dueño ante el mundo humano. Su trabajo consiste en atender los asuntos domésticos cotidianos para que el Cazador pueda concentrarse en matar daimons. Suelen ser objetivo de los daimons debido al vínculo emocional que los une al Cazador para el que trabajan. Si un Cazador Oscuro está en peligro, es misión de su escudero ponerlo a salvo, aunque ningún escudero es inmortal ni posee habilidades psíquicas. Al igual que los Cazadores Oscuros, sus salarios son extremadamente altos. Hay varios tipos de escuderos.

escuderos de sangre azul: Aquellos que proceden de una familia cuyos miembros han sido escuderos desde tiempos inmemoriales.

escuderos dorios: Aquellos que no sirven a un Cazador Oscuro en concreto, sino al grupo en general. Suelen llevar a cabo tareas especializadas, como la fabricación de armas o de coches. Otros son banqueros y abogados que ayudan a los Cazadores Oscuros a mantener su mundo en secreto.

escuderos iniciados en el rito de sangre: Aquellos dedicados a perseguir a los Cazadores Oscuros renegados y a ejecutar a los Cazadores y a los humanos que delatan su existencia. Se les reconoce por el tatuaje en forma de telaraña que llevan en una mano.

escuderos Theti: Fuerza policial que se asegura de que todos los escuderos obedecen las leyes. A diferencia de los Iniciados, carecen de licencia para matar.

esfora: Orbe que puede utilizarse en Katoteros para observar lo que sucede en otras dimensiones, incluyendo la humana. En ocasiones aquellos que están siendo observados pueden sentirlo.

espada de Crono: La espada de Julian Alexander. Solo aquellos por cuyas venas corra la sangre de Crono pueden tocarla sin abrasarse.

eycharistisi: 'Placer' en atlante. También se denomina así a un potente afrodisíaco que inunda el cuerpo de endorfinas y aniquila todas las inhibiciones.

Fantaso: Dios griego encargado de los sueños donde aparecen objetos inanimados. Es el padre de algunos oneroi. Sus hijos suelen ser los más reflexivos y por regla general se encargan de vigilar a sus demás congéneres.

fáser: Arma diseñada por los centinelas arcadios. Especialmente creada para neutralizar a los katagarios. Más poderosa que una pistola Taser. Produce una descarga eléctrica que desestabiliza los poderes mágicos de la víctima, haciendo que esta cambie de forma intermitentemente durante un largo período de tiempo. Si el arma está a la máxima potencia, su descarga puede hacer que salgan literalmente de sus cuerpos y acaben convertidos en entes incorpóreos semejantes a los fantasmas.

Fobetor: Dios griego encargado de los sueños donde aparecen animales. Es el padre de algunos Cazadores Oníricos. Sus hijos suelen crear pesadillas, ya que es normal que adopten forma de demonio, dragón u otras imágenes escalofriantes.

Gallagher, Jamie: Cazador Oscuro, gángster de profesión durante la Ley Seca. Fue asesinado poco después de casarse, cuando intentaba cambiar de vida. Protagonista de *Las Navidades de un Cazador Oscuro.*

gataki: 'Gatita'. Apelativo cariñoso.

Gautier, Cherise: Madre de Nick Gautier, a quien dio a luz con solo quince años. Una mujer cariñosa, caritativa y guapa, de unos cuarenta y pocos años, empleada en el Santuario.

Gautier, Nicholas (Nick) Ambrosius: Escudero de Kirian con un pasado turbio, una madre cariñosa y mucho morro. Es leal hasta la muerte y su amistad con Aquerón es la más estrecha que un ser humano puede tener con él.

Gilbert: Fiel mayordomo de Valerio Magno, a quien le gustaría ser un escudero.

Godeau, Marguerite D'Aubert: Hija de un senador de Luisiana. Descendiente de una familia cajún que intenta escapar de los rígidos límites sociales impuestos por su padre. Estudia en la Universidad de Tulane y forma parte del mismo grupo de estudio que Nick Gautier. Es la protagonista de *Desnuda la noche.*

«guárdate el garrafón humano»: Frase utilizada en el Santuario por arcadios y katagarios para indicar que quieren una bebida fuerte que emborracharía a un humano con solo un chupito. Su metabolismo es tan rápido que las bebidas alcohólicas normales no les afectan.

Hipnos: Dios griego que gobierna a los dioses menores del sueño.

Hunter, Amanda: Una de las hermanas Devereaux. Amanda siempre quiso ser una persona normal, en lugar de parecerse a sus hermanas (sacerdotisas vudú, videntes o empáticas). Es la gemela de Tabitha. Trabajaba como contable, pero el mundo sobrenatural acabó por encontrarla. Es la protagonista de *Placeres de la noche.* Es una hechicera humana casada con Kirian Hunter. Es la madre de Marissa Hunter.

Hunter, Kirian: Antiguo Cazador Oscuro de origen griego. Kirian, que nació como príncipe heredero al trono de Tracia, fue desheredado al casarse con una antigua prostituta en contra de los deseos de su padre. Se convirtió en un legendario general macedonio que dejó una sangrienta huella a lo largo de las costas mediterráneas durante la Cuarta Guerra Macedonia. Las cronistas lo proclamaban conquistador de Roma y vaticinaban que reclamaría el trono. Así habría sido de no ser porque su esposa lo traicionó y lo entregó al enemigo. Fue torturado durante semanas y después ejecutado por orden del bisabuelo de Valerio Magno. Es el protagonista de *Placeres de la noche* y está casado con Amanda Hunter. Es el padre de Marissa Hunter.

Hunter, Marissa: Hija de Amanda y Kirian Hunter. Posee unos poderes mágicos asombrosos y es la niña de los ojos de Aquerón y de Simi.

Ias de Groesia: Antiguo Cazador Oscuro. Uno de los tres primeros que fueron creados junto con Calabrax y Kyros. Sufrió la cruel traición de su esposa.

idios: Extraño suero destilado por los oneroi que permite al que lo consume unirse al humano que sueña. Se utiliza para guiar y dirigir los sueños, a fin de experimentar la vida de otra persona para poder comprenderla.

Illuminati: Guardianes de Apolimia. Grupo de élite formado por una treintena de guerreros spati y liderados por Stryker. Solo los más poderosos y de mayor experiencia son seleccionados.

Infierno (El): También conocido como El Infierno de Dante. Club regentado por Dante Pontis en Minnesota.

Iquelo: Dios griego encargado de los sueños donde aparecen figuras humanas y padre de algunos Cazadores Oníricos. Sus hijos suelen ser los más sensuales de los oneroi. Están obsesionados con el sexo y van de sueño en sueño buscando nuevos compañeros.

kalitecnis: 'Maestro del sueño' en griego.

Kallinos, Jasyn: Halcón katagario. Es uno de los habitantes más letales del Santuario.

Kalosis: 'Infierno' en atlante. El lugar donde Apolimia está encerrada y desde el cual puede observar el mundo humano sin participar en él. También es el hogar de los spati. Está sumido en una eterna oscuridad. Ningún Cazador Oscuro puede entrar y son pocos los Cazadores Arcadios y Katagarios a los que se les permite el acceso. Los daimons entran en este reino a través de las madrigueras o láminas.

Katagarios: Véase **Cazadores Arcadios y Katagarios.**

katoteros: 'Cielo' en atlante. Hogar de Aquerón. Los apolitas y daimons sueñan con poder reclamar su derecho a ganarse el descanso eterno en él.

Kattalakis: Apellido que identifica a los descendientes directos de los hijos del rey Licaón. Compartido por Arcadios y Katagarios Dracos y Licos. Entre ellos se incluyen Vane, Fang, Fury, Sebastian, Damos, Makis, Ilarion, Bracis, Acmenis, Antífone, Percy, Dare, Bryani y Star.

Kattalakis, Bryani: Arcadia Licos. Madre de Vane, Fang, Anya, Fury, Dare y Star. Tiene el rostro y el cuello desfigurados por tres feas cicatrices. Es una centinela. Su forma de vestir se asemeja un poco al estilo de los personajes de *Xena, la princesa guerrera.* Odia a Vane y al padre de este, un Cazador Katagario, que intentó obligarla a convertirse en su pareja. Vive en la Britania medieval.

Kattalakis, Fang: Katagario Licos. Su verdadera forma es la de un lobo de pelaje castaño. Le encanta contar chistes malos y en la actualidad se está recuperando de sus heridas gracias a los cuidados de Aimée Peltier en el Santuario. Es hermano de Vane y Fury.

Kattalakis, Fury: Hermano de camada de Vane. Al igual que este, adopta la forma de un enorme lobo ártico, pero tiene una mancha marrón que los diferencia. Nació con forma humana y fue un arcadio hasta que llegó a la pubertad y se impuso su mitad katagaria.

Kattalakis, Markus: Cazador Katagario cuya verdadera forma es la de un lobo de pelaje castaño. Intentó forzar a Bryani para que se convirtiera en su pareja, pero no lo consiguió. Es el padre de Vane, Fang y Fury entre otros.

Kattalakis, Sebastian: Arcadio Dracos, nieto del rey Licaón. Fue expulsado de la familia después de la muerte de su hermana. Cumple su función de centinela en soledad desde hace cuatrocientos años. Es el protagonista de *Dragonswan,* historia corta incluida en la antología titulada *Tapestry.*

Kattalakis, Vane: Cazador Arcadio que adopta la forma de un enorme lobo ártico. Nació en forma de lobo, pero se convirtió en arcadio al llegar a la pubertad y desarrollar sus poderes mágicos. Sus hermanos Fang y Anya lo protegieron de la manada. Es un aristo y un centinela. Hermano de Anya, Fang y Fury. Protagonista de *El juego de la noche*.

Kell: Antiguo gladiador romano oriundo de Dacia, hoy en día Cazador Oscuro apostado en Dallas. Fabrica armas para el resto de los Cazadores Oscuros.

Kori: Doncella de Artemisa. Kat Agrotera es la más conocida.

Kouti, Pandora: Protagonista de *Winter Born*, historia corta incluida en la antología titulada *Stroke of Midnight*. Es una pantera arcadia. Las mujeres de su familia están sujetas a un trato que las une a los katagarios, pero ella no está dispuesta a cumplirlo... y piensa luchar para impedir que la obliguen. Es la pareja de Dante Pontis.

Kyklonas: Ceredón que protege el templo de Apolimia en Kalosis. Su nombre significa 'ciclón'.

kyrios: Tratamiento de cortesía atlante.

Kyros de Seklos: Cazador Oscuro de origen griego. Uno de los tres primeros que Artemisa creó. Apostado en Aberdeen, Mississippi.

lámina: 'Madriguera' en atlante. Puede referirse a un portal entre Kalosis y el mundo humano, utilizados con mucha frecuencia por los spati, o a un santuario. Un santuario es un lugar seguro, establecido por el Omegrion donde katagarios, arcadios, apolitas y daimons pueden refugiarse de aquellos que los persiguen sin temor a sufrir daño alguno.

lamparón: Insulto utilizado por los Cazadores Oscuros para denominar a los daimons. Procede de la extraña mancha negra que aparece en el pecho de los daimons en cuanto dejan de ser apolitas y se convierten en asesinos de humanos. Es el lugar donde hay que apuñalarlos para que se desintegren.

Láquesis: Una de las tres Moiras, la que se encarga de medir el hilo de la vida. Hermana de Astrid e hija de Temis. También conocida con el diminutivo de Laqui.

Laurens, Bill y Selena: Matrimonio formado por Bill, un abogado con importantes conexiones en el mundo de la política que en ocasiones trabaja para los Cazadores Oscuros, aunque en realidad su relación más estrecha es con los Cazadores Katagarios, y Selena, una vidente que echaba las cartas en un puestecillo de Jackson Square antes de poner una tienda de artículos esotéricos en Nueva Orleans. Selena es miembro de la familia Devereaux y es la mejor amiga de Grace Alexander. De hecho, fue ella quien le regaló el libro especial en *Un amante de ensueño*. Es una mujer impulsiva y emotiva, el perfecto contrapunto de Bill.

Licaón: Rey que utilizó la magia para crear a los arcadios y katagarios.

limani: Santuario donde los arcadios y katagarios pueden refugiarse sin temor a ser perseguidos. La violencia no está permitida. Conseguir la categoría de santuario es muy difícil.

Lisa: Escudera doria que regenta una tienda de muñecas en Royal Street, en Nueva Orleans. Fabrica muñecas y armas por encargo para los Cazadores Oscuros.

llamada (la): Señal que el Asesino de la Luz envía a todos los daimons y apolitas para reunirlos, ya sea para tratar algún asunto o para la guerra.

Loki: Travieso dios nórdico.

M'Adoc: Cazador Onírico, hijo de Fantaso. Es un regidor que vigila a los oneroi y a los skoti por igual. Es rápido a la hora de dar órdenes, pero no tanto a la hora de cumplirlas… Es el último recurso de los oneroi y se sabe que el destino de un Cazador Onírico está sellado si lo pone en su punto de mira. Suele aceptar trabajos que nadie quiere.

m'gios: 'Hijo mío' en atlante.

M'Ordant: Cazador Onírico hijo de Fantaso. Es un regidor que vigila a los oneroi y a los skoti. Es testarudo y práctico. Sin embargo, posee una vena compasiva prohibida para los oneroi que no le para los pies a la hora de hacer cualquier cosa que su trabajo le exija. Aparece en *Phantom Lover*, historia corta incluida en la antología titulada *Midnight Pleasures*.

MacRae, Channon: Profesora de Historia en la Universidad de Virginia, especializada en la Britania prenormanda. Protagonista de *Dragonswan*, historia corta incluida en la antología titulada *Tapestry*.

madrigueras: Portales entre Kalosis y el mundo humano frecuentemente utilizados por los spati para escapar de los Cazadores Oscuros. También conocidos como «láminas».

Magno, Valerio: Cazador Oscuro oriundo de la antigua Roma e hijo de un senador romano. Fue general de los ejércitos del imperio y lideró sus tropas victoriosamente a lo largo de Grecia, la Galia y Britania. No se lleva bien con el resto de los Cazadores Oscuros, ya que la mayoría procede de Grecia o de otros países que él conquistó, de modo que suelen darle la espalda. Se comporta de forma muy estirada. Está destinado en Nueva Orleans. Es hermanastro de Zarek y el protagonista de *Disfruta de la noche.*

Marvin el Mono: Mascota del Santuario. Es el único animal propiamente dicho que reside en la casa de los Peltier. Muy buen amigo de Wren Tigarian.

McDaniels, Erin: Protagonista de *Phantom Lover,* historia corta incluida en la antología titulada *Midnight Pleasures,* cuyo aburrido trabajo inhibe sus impulsos creativos, dejándola expuesta al ataque de cualquier skoti.

McTierney: Familia humana vinculada al mundo katagario y arcadio. Formada por Joyce, Paul y sus hijos: Bride, Deirdre y Patrick. Paul es un veterinario muy conocido en Nueva Orleans por sus anuncios a favor de la castración. Poseen varias mascotas: Titus, un rottweiler; Marianne y Profesor, dos gatos; Bart, un caimán; y un numeroso grupo de animales heridos que van y vienen.

McTierney, Bride: Humana que regenta la boutique Encajes y Lilas en Iberville, en el Barrio Francés. Vive en el apartamento emplazado tras la tienda y es la protagonista de *El juego de la noche.*

metriazo: Collar formado por un fino hilo de plata que envía impulsos iónicos imperceptibles al cuerpo de los katagarios y arcadios, lo que les impide utilizar su magia.

monte Olimpo: Hogar de los dioses griegos.

Morfeo: Dios griego de los sueños, padre de muchos oneroi.

Morginne: Cazadora Oscura que engañó a Wulf Tryggvason de modo que este perdió su alma y fue maldecido a ser recordado tan solo por los miembros de su familia.

Morrigan: Diosa celta con forma de cuervo. Talon le juró lealtad durante su etapa humana, pero la diosa pareció abandonarlo mucho antes de su muerte. Es la abuela de Sunshine Runningwolf.

Ninia: Primer amor de Talon, a quien conoció durante su etapa humana. Miembro de una tribu celta e hija de un pescador con quien

Talon insistió en casarse pese a la oposición de la tribu. Murió durante el parto de su primogénito.

Nix: Diosa griega de la noche.

Omegrion: Consejo legislador de arcadios y katagarios. Semejante al Senado, cada clan cuenta con un representante. Establecen las leyes que gobiernan su mundo y son los responsables del establecimiento de los santuarios. Está formado por:

1. Litarios: (leones). Patrice Leonides, arcadio. Paris Sebastienne, katagaria.
2. Dracos: (dragones). Damos Kattalakis, arcadio. Darion Kattalakis, katagario.
3. Gerakios: (águilas, azores y halcones). Arion Petrakis, arcadio; Draven Hawke, katagario.
4. Tigarios: (tigres). Adrian Gavril, arcadio. Lisandro Stefano, katagario.
5. Licos: (lobos). Vane Kattalakis, arcadio. Fury Kattalakis, katagario.
6. Ursos: (osos). Leo Apolonio, arcadio. Nicolette Peltier, katagaria.
7. Panteros: (panteras). Alexander James, arcadio. Dante Pontis, katagario.
8. Chacalos: (chacales). Constantine, arcadio. Vincenzo Moretti, katagario.
9. Nifetos Pardalios: (leopardos blancos). Anelise Romano, arcadia. Wren Tigarian, katagario.
10. Pardalios: (leopardos). Dorian Kontis, arcadio. Stefan Kouris, katagario.
11. Balios: (jaguares). Arcadios extinguidos. Myles Stefanopoulos, katagario.
12. Helikios: (guepardos). Jace Wilder, arcadio. Michael Giovanni, katagario.

oneroi: Cazadores Oníricos. Responsables de velar el sueño de los humanos para protegerlos de los skoti. Son asignados a un Cazador Oscuro recién creado a fin de ayudarlos a sanar mentalmente.

oráculo: Cualquiera que se comunique con los dioses.

Orasia: Diosa atlante del sueño.

ousia: La personalidad de cada ser, distinta del cuerpo y del alma, que queda cuando un Cazador Oscuro se convierte en una Sombra.

Parpádeo: Dios menor del sueño, hijo de Nix y de Érebo. Los oneroi pueden usar su bruma para aletargar a un humano o para controlarlo. Es el tío abuelo de V'Aidan.

Partenopaeo, Aquerón (Ash): Atlante inmortal, líder de los Cazadores Oscuros. Nacido en el año 9548 a.C. en la isa de Dídimos. Hijo del rey Acarión y de la reina Aara. Sus promesas y maldiciones son vinculantes y pueden tener consecuencias inesperadas. Alto y rubio natural, se tiñe el pelo según su estado de ánimo y prefiere el estilo gótico para vestir. Tiene la apariencia física de un hombre de veintiún años. Vive en Katoteros.

Nadie sabe nada sobre él y le gusta que siga siendo así. En realidad, es un dios atlante con poderes cuya extensión nadie conoce. Tiene el poder de matar a otros dioses. Se niega a contestar las preguntas personales y está obligado irremediablemente a mantener su palabra. Su demonio caronte lo llama akri y Talon, T-Rex.

Peltier: Familia de osos katagarios que regenta el bar Santuario y el santuario de Nueva Orleans. Sus miembros son: Nicolette, Aubert, Dev, Kyle, Aimée, Rémi, Quinn, Zar, Serre, Etiénne, Alain, Cody, Griffe y Cherif. Mamá y papá oso decidieron pedir permiso para establecer un santuario en su hogar cuando sus hijos Bastien y Gilbert murieron brutalmente asesinados a manos de los centinelas arcadios.

Su casa es el santuario propiamente dicho, situado junto al bar. Da cobijo a un buen número de katagarios y en él pueden adoptar su verdadera forma sin temor a ser descubiertos. Los cachorros siempre están a salvo. Tiene más alarmas que Fort Knox y sus entradas siempre están custodiadas por al menos dos miembros de la familia Peltier.

Peters, Cassandra Elaine: Mitad humana, mitad apolita. Una de las últimas descendientes directas del dios Apolo. Hija de Jefferson y hermana de Phoebe y Nia. La familia Peters está sujeta a una profecía según la cual si todos sus miembros mueren, los apolitas se verán libres de la maldición. De ahí que sea perseguida incansablemente por los spati, que ansían recuperar su libertad. La verdad, sin embargo, es que si su linaje desaparece, también lo hará la tierra y todos sus habitantes. Es la protagonista de *El beso de la noche.*

Peters, Jefferson T.: Padre de Cassandra y Phoebe Peters. Humano fundador y dueño de uno de los laboratorios farmacéuticos más importantes del mundo.

Peters, Nia: Hermana de Cassandra e hija de Jefferson. Medio apolita. Una de las últimas descendientes directas de Apolo. Murió junto a su madre cuando los daimon spati pusieron una bomba en el coche en el que viajaban.

Peters, Phoebe: Hermana de Cassandra e hija de Jefferson. Medio apolita. Una de las últimas descendientes directas de Apolo. Fue rescatada del atentado donde murieron su madre y su hermana. Urian le salvó la vida convirtiéndola en daimon. Vive en Elisia y está casada con Urian.

Pontis: Familia katagaria. Entre sus miembros están Dante, Romeo, Michelangelo (Mike), Leonardo (Leo), Gabriel, Angel, Donatello, Bonita, Sal y Tyla entre otros.

Pontis, Dante: Pantera katagaria, dueño de El Infierno de Dante en las Ciudades Gemelas, en Minnesota. Aunque técnicamente regenta un santuario, no se muestra tan tolerante como los demás. Es el cabeza de familia y no aguanta las gilipolleces de nadie. Aparece por primera vez en *El beso de la noche* y es el protagonista de *Winter Born,* historia corta incluida en la antología titulada *Stroke of Midnight.* Está emparejado con Pandora Kouti.

Príapo: Dios romano y griego del sexo, hermanastro de Julian Alexander.

regis: líder de un clan de arcadios o katagarios. Básicamente es el rey y representa a los suyos en el Omegrion.

Renegado (Cazador Oscuro): Cazador que infringe el código y debe morir. Los encargados de su persecución son los Escuderos Iniciados en el Rito de Sangre o Tánatos.

retis: Red que conecta el espacio y el tiempo. Sus ondas reverberan, fluyen y en ocasiones se rompen. Los arcadios y katagarios se sirven de ellas para viajar en el espacio y en el tiempo.

Runningwolf, Sunshine: Hija de Starla y Daniel. Artista de espíritu libre e increíble talento que se distrae con el vuelo de una mosca. Vende sus obras en Jackson Square y es una apasionada del color rosa. Es la protagonista de *El abrazo de la noche* y está casada con Talon Runningwolf.

Runningwolf, Talon: Antiguo Cazador Oscuro de origen celta, conocido en su etapa humana como Speirr (su nombre en celta). Hijo de un supremo sacerdote druida y de una reina. Fue jefe de su tribu. Tras las muertes de su tío, de su tía, de su mujer y de su hijo, acontecidas en un breve espacio de tiempo, le dijeron que los dioses lo habían maldecido. Para apaciguarlos, se dejó sacrificar. Una vez que los miembros de su clan lo inmovilizaron en el altar, mataron a su hermana antes de acabar con su vida. Como Cazador Oscuro, posee el poder de la telequinesia y controla las fuerzas de la naturaleza. Conoce los designios del más allá gracias a la ayuda de sus Guías Espirituales. Sus poderes merman cuando se ve afectado por emociones negativas. Es el protagonista de *El abrazo de la noche* y está casado con Sunshine Runningwolf.

Runningwolf's: Club emplazado en Canal Street, Nueva Orleans, regentado por Starla y Daniel Runningwolf.

Ryssa: Princesa griega y favorita de Apolo. Engendró un hijo con el dios, lo que hizo que la reina apolita sufriera tal ataque de celos que envió a un grupo de guerreros apolitas a matarlos a ambos. Les ordenó que dispusieran los cuerpos de forma que parecieran haber sido atacados por un grupo de bestias salvajes. Su acción fue la que provocó que Apolo maldijera a todos los apolitas.

Saga: Diosa nórdica de la poesía.

Santana, Wayne: Ex presidiario que sufrió varios años de encarcelamiento por un homicidio involuntario cometido en su juventud. Su suerte cambió cuando la familia Runningwolf decidió contratarlo a pesar de sus antecedentes. La suerte de los Runningwolf también se vio incrementada, ya que ganaron un amigo fiel y un buen guardián para la despistada Sunshine.

Santuario (el): Bar motero por excelencia de Nueva Orleans, regentado por los Peltier. Es a la vez un *limani*, un lugar seguro para todos los Cazadores donde las disputas se dejan a un lado y no se permiten las peleas.

Sasha: Lobo katagario, compañero de Astrid en *Bailando con el diablo*. En su forma animal es un enorme lobo ártico. Su actitud es igual de agresiva en cualquiera de las dos formas.

Savitar: Criatura inmortal aún más misteriosa que Aquerón. Se rumorea que instruyó al atlante cuando este descubrió sus poderes. Es el moderador del Omegrion aunque ni arcadios ni katagarios saben quién lo decretó así. Fascinado con la playa y el surf, suele ir ataviado con ropa surfera y cómoda. Nadie, ni siquiera Aquerón, sabe nada de él. Es extremadamente poderoso y letal. Lleva gran parte del cuerpo cubierta de tatuajes.

Simi: Demonio caronte de Aquerón que puede manifestarse en su forma natural o en forma humana. Suele descansar en forma de tatuaje en el cuerpo de Ash, pero su forma y su ubicación cambian constantemente. Aunque tiene miles de años, su edad equivale a la de un humano de dieciocho años. Aquerón la considera su hija. Le encanta la comida a la barbacoa, las películas y la Teletienda. No soporta que le digan que no. «Simi» también es 'bebé' en atlante.

skoti: Por regla general los skoti son los hijos de Fobetor, pero también puede convertirse en uno de ellos cualquier oneroi que infrinja las reglas. Son demonios del sueño que crean pesadillas para absorber las emociones y la creatividad de los humanos a los que atormentan. También pueden ser íncubos o súcubos si su objetivo es extraer placer sexual a través de su anfitrión o anfitriona.

Smith, Janice: Cazadora Oscura de raza negra con acento caribeño. Actualmente está destinada en Nueva Orleans.

sombra: En lo que se convierte un Cazador Oscuro cuando muere sin que nadie le haya entregado su alma. El Dominio de las Sombras es una terrible existencia donde el hambre y la sed jamás son apaciguadas. Sin embargo, lo peor para una sombra es ser invisible para los mortales y no poder establecer contacto con nadie. Su solitaria y dolorosa existencia acaba robándoles la cordura. Corre el rumor de que es posible que exista una cláusula de rescisión para las sombras.

«soy la Luz de la Lira»: Contraseña utilizada por daimons y apolitas para ganar el acceso a un refugio. Se refiere a su relación con Apolo, el dios del sol.

spati: Guerrero daimon. Son las mascotas y los protectores de Apolimia que pueden reencarnarse después de la muerte, siempre y cuando haya alguien interesado en que lo hagan. (Véase **Illuminati.**)

Stig (Estigio): Hermano gemelo humano de Aquerón. Nació en el año 9548 a.C. en la isla griega de Dídimos. Hijo de Acarión y de la reina Aara. Su vida está vinculada a la de Aquerón, de modo que no morirá hasta que este lo haga. Lleva siglos odiando a su hermano.

strati: Soldados katagarios que persiguen a los arcadios para darles muerte. Son el equivalente katagario de los centinelas, aunque no tienen ninguna marca en el rostro. Dan caza a los asesinos si así lo decide el Omegrion.

Strykerio (Stryker): Líder e instructor de los spati de Apolimia, y de los Illuminati. Es hijo de Apolo y se rebeló contra él cuando maldijo a su raza. Es el hijo adoptivo de Apolimia y el padre de Urian. Mantiene una disputa personal con Aquerón y está decidido a matar a todos sus seres queridos.

Sundown: Cazador Oscuro oriundo del Salvaje Oeste. Su verdadero nombre es William Jessup «Jess» Brady. Se quedó huérfano a los cinco años y creció bajo la mano dura del predicador que dirigía el orfanato local. Se fugó a los once años y se marchó al Oeste, donde no tardó en aprender que la vida no era justa y ni sencilla para un chico sin familia. A los dieciséis años se ganaba la vida como pistolero a sueldo y asaltador de trenes o haciendo trampas al póquer. Su vida fue dura y murió el día de su boda, asesinado por la espalda a manos del padrino (el único hombre en quien había confiado en toda su vida), que quería hacerse con la recompensa por su captura. Actualmente está destinado en Reno, Nevada.

«Sweet Home Alabama»: Canción de Lynyrd Skynyrd que indica la llegada de Aquerón al Santuario.

T-Rex: Irrespetuoso sobrenombre con el que Talon se refiere a Aquerón.

talpinas: Grupo de escuderas que en tiempos inmemoriales se encargaba de satisfacer las necesidades sexuales de los Cazadores Oscuros. Artemisa las prohibió hace mucho tiempo.

tánatos: 'Muerte' en griego. También es el nombre de un apolita a quien Artemisa otorga poderes especiales y a quien envía para matar a los Cazadores Oscuros renegados. En la mitología apolita se lo conoce como «el Asesino de la Luz». A lo largo de los siglos ha habido varios Tánatos. (Véase **Cálix**.)

tártaro: Versión griega del infierno. Dimensión donde los humanos sufren el castigo por los pecados cometidos durante sus vidas.

Temis: Diosa griega de la justicia. Es la madre de Astrid y de las Moiras. Pelirroja.

Teodorakopolo, Colt: Centinela arcadio huérfano nada más nacer que fue criado en el Santuario. Siempre oculta su tatuaje de centinela.

tessera: Grupo de cuatro katagarios enviados para rastrear a otros miembros de su especie.

thirio: Momento en el que la parte animal de arcadios y katagarios toma el control durante el rito de emparejamiento y exige la vinculación de la fuerza vital de los dos miembros de la pareja, sellando así sus destinos. Puede resistirse. Si se acepta, en cuanto uno muera, morirá el otro.

thrylos: 'Leyenda' en griego.

Tigarian, Wren: Cazador Katagario que se convierte en tigre blanco, en leopardo blanco o en una mezcla de ambos. Ha vivido en el santuario de Nueva Orleans desde que sus padres murieron de forma violenta y misteriosa. Se encarga de limpiar las mesas. Es solitario y extremadamente peligroso. No tiene prejuicios... odia a todo el mundo por igual. Su único amigo es Nick y solo mantiene una relación pacífica con Aimée y con Marvin. Es el protagonista de *Desnuda la noche.*

trelosa: Enfermedad similar a la rabia que puede afectar a katagarios y arcadios por igual durante la pubertad. Ocasiona una especie de locura que convierte al afectado en un asesino indiscriminado. No tiene cura.

Tryggvason, Erik: Hijo de Cassandra y de Wulf, descendiente directo de Apolo. Cuidadosamente protegido y querido por los miembros masculinos de su familia: Wulf, Chris y Urian.

Tryggvason, Wulf: Cazador Oscuro vikingo cuya imprudencia lo llevó hasta Morginne, una poderosa Cazadora Oscura que lo engañó para intercambiar sus almas. Es el único Cazador al que jamás se le concedió un Acto de Venganza. Puesto que su creación se produjo a partir de un engaño, sus poderes son distintos a los de los demás. El más curioso es la amnesia que ocasiona en todo el mundo salvo en los descendientes de su familia. Solo estos son capaces de recordarlo cinco minutos después de que se haya marchado. Es el protagonista de *El beso de la noche* y está casado con Cassandra Peters. Tiene un hijo llamado Erik Tryggvason. Su alma está en poder de Loki.

Urian: Daimon spati reencarnado. Primogénito de Stryker y único superviviente de los hijos de este. Antiguo miembro de los Illuminati y esposo de Phoebe Peters, a quien Stryker mató antes de matarlo a él por ayudar a Cassandra Peters. Desde entonces, Urian se ha convertido en aliado de Aquerón y de los Cazadores Oscuros, aunque no siempre los ayuda de buenas maneras.

V'Aidan: Cazador Onírico que ansía sentir. Protagonista de *Phantom Lover*, historia corta incluida en la antología titulada *Midnight Pleasures*.
Villkat: 'Gata salvaje' en noruego. Apelativo cariñoso.

Whitethunder, Carson: Halcón arcadio que trabaja como veterinario en el santuario de Nueva Orleans. Acude a Paul McTierney cuando necesita consejo en los casos más difíciles.

Ydor: Dios atlante del mar.
ypnsi: Sueño sagrado que Orasia dispensaba antiguamente desde los sagrados muros de Katoteros, cuando los dioses atlantes gobernaban la tierra.

Zarek de Moesia: Cazador Oscuro nacido de la unión forzada entre una esclava griega y un senador romano. Su madre se lo entregó a otra esclava después de nacer para que lo matara. La esclava se apiadó del bebé y se lo llevó a su padre, renuente al igual que su madre a hacerse cargo de él. Zarek se convirtió en el chivo expiatorio de la noble familia romana. Sobre él recaían los castigos decretados para los hijos de la casa, que en lugar de sufrirlos debían observarlos a fin de mejorar su comportamiento. No confía en nadie y apenas se relaciona con los demás Cazadores. Cuando lo hace, siempre es a regañadientes y de forma desdeñosa. Como consecuencia de su negativa a seguir las órdenes (aunque sean las de Artemisa) y de su falta de interés hacia los demás, se le condenó a vivir aislado en Alaska, donde sus actividades están muy limitadas y vigiladas. Algunos temen que algún día use sus poderes contra humanos y daimons por igual. Es el protagonista de *Bailando con el diablo*.
Zurvan: Antiguo dios persa del tiempo y del espacio. También llamado Cas.

ESTE LIBRO HA SIDO IMPRESO
EN LOS TALLERES DE
LITOGRAFÍA S.I.A.G.S.A.
RAMÓN CASAS 2
BADALONA (BARCELONA)